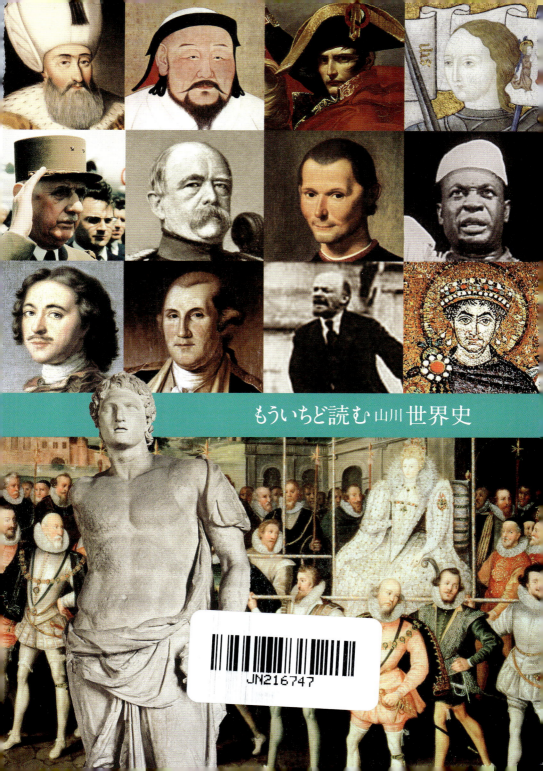

もういちど読む 山川 世界史

# ふたたび世界史を学ぶ読者へ

　テレビや新聞などのマスメディアでは世界各地の政治・経済・社会・文化のニュースが毎日報道されています。ソ連・東欧の社会主義圏が消滅したあと，市場経済が世界を席巻しましたが，21世紀初頭にはアメリカに端を発する世界的金融危機が発生して，アメリカ一極主義は破綻をみせ，民族や宗教にかかわる紛争もたえまなく続いています。大量生産・大量消費の生活が，環境に対する負荷を増大させています。発展途上国の人口は爆発的に増加し，飢餓の問題が進行している一方で，先進国では少子化対策が急務となっています。芸術や学問分野でも新しい才能がつぎつぎとあらわれ，新しい技術や学説が登場しています。世界は動いているのです。これからもまちがいなく動いていくでしょう。しかし，いったいどこに向かっているのかは不明瞭です。

　毎日の仕事に忙殺されている生活のなかでは，ゆっくり時間をかけて世界のみちすじを考えることはなかなかできません。ほんらい初等教育から高等教育までの学校教育が，これらを学び，思索する時期にあたっているのですが，現実の仕事を含めたさまざまな状況や問題を経験していない生徒・学生たちの学ぶ視点にはおのずから限界があり，受け身の場合が多いのではないでしょうか。むしろ，仕事に全力を尽くした日々が一段落した人，いま現実の社会に立ち向かっている人，これから新しい道を歩もうとす

る人のほうが，問題意識をもち，鋭い思索の切り口をもっている
はずです。いったん立ち止まって過去を振り返り，その成果や問
題点を整理し，将来の見取り図を描いてみることは決して無駄な
作業ではないと思われます。

　本書は以前教科書として使われていた『世界の歴史（改訂版)』
をベースにしていますが，一般の読者を対象として記述を見直し，
時代に即応した簡潔かつ明確なかたちに改めました。さらに，現
代の理解の手助けになるようなテーマを選択してコラムとし，解
説を加えています。誰にでも読みやすく，１冊で世界史の全体像
を把握できる書物です。日々のニュースの背景がよくわかるよう
になるはずです。本書が歴史のみちすじの理解と，将来像の構築
の一助となることを願っています。

## 改訂版にあたって

　今回の改訂では，本文を新しい学説にそって修正し，コラムの
数を増やしたうえで，テーマの内容を一新しました。新しいコラ
ムでは新しい歴史・人物像を提示し，グローバリズム・ポピュリ
ズム・領土問題などの時事問題を理解するための基礎的背景を解
説しています。この改訂版が，読者の現代理解の手助けになるこ
とを願っています。

**目次**

序 章　**文明の起源**　*7*

第Ⅰ部　**古代**　*13*

第1章　**古代の世界**　*17*
　　1　古代オリエント世界　*18*
　　2　古代ギリシアとヘレニズム　*23*
　　3　古代ローマ帝国　*29*
　　4　イランの古代国家　*35*
　　5　インド・東南アジアの古代国家　*36*
　　6　中国古代統一国家の成立　*43*
　　7　内陸アジア　*51*
　　8　南北アメリカ文明　*55*

第Ⅱ部　**中世**　*57*

第2章　**東アジア世界**　*61*
　　1　中国貴族社会の成立　*61*
　　2　律令国家の成立　*63*
　　3　中国社会の新展開　*68*
　　4　北方諸民族の活動　*73*
　　5　中華帝国の繁栄　*78*

第3章　**イスラーム世界**　*89*
　　1　イスラーム世界の成立　*89*
　　2　イスラーム世界の変容と拡大　*93*
　　3　イスラーム文化の発展　*99*
　　4　インド・東南アジアのイスラーム国家　*102*

第4章　**ヨーロッパ世界**　*104*
　　1　西ヨーロッパ世界の成立　*104*
　　2　中世の東ヨーロッパ　*111*
　　3　中世後期のヨーロッパ　*115*

第Ⅲ部　**近代**　*125*

第5章　**近世ヨーロッパの形成**　*129*
　　1　ヨーロッパ世界の膨張　*130*
　　2　近代文化の誕生　*137*
　　3　近世の国際政治　*143*
　　4　主権国家体制の確立　*147*
　　5　大革命前夜のヨーロッパ　*153*

第6章　**欧米近代社会の確立**　*159*
　　1　アメリカの独立革命　*162*
　　2　フランス革命とナポレオン　*165*
　　3　産業革命　*173*
　　4　ウィーン体制とその崩壊　*178*
　　5　ナショナリズムの発展　*184*

第7章　**アジアの変動**　*194*
　　1　アジア社会の変容　*194*
　　2　西アジア諸国の変動　*196*
　　3　インド・東南アジアの変容　*200*
　　4　東アジアの動揺　*204*

# 第Ⅳ部 現代 *213*

## 第8章 帝国主義時代の始まりと第一次世界大戦 *217*

1 帝国主義の成立と列強の国内情勢 *217*

2 植民地支配の拡大 *222*

3 アジアの民族運動 *224*

4 列強の対立激化と三国協商の成立 *230*

5 第一次世界大戦 *237*

## 第9章 ヴェルサイユ体制と第二次世界大戦 *241*

1 ロシア革命とヴェルサイユ体制 *241*

2 大戦後のヨーロッパとアメリカ *244*

3 アジアの情勢 *248*

4 世界恐慌とファシズムの台頭 *253*

5 第二次世界大戦 *262*

## 第10章 現代の世界 *269*

1 二大陣営の対立とアジア・アフリカ諸国の登場 *270*

2 米ソの動揺と多元化する世界 *282*

3 20世紀末から21世紀へ *289*

世界史年表 *301*

ヨーロッパ人名対照表 *314*

索引 *315*

## コラム

洞窟絵画 *8*

農耕の起源 *10*

### 第Ⅰ部 古代

ハンムラビ法典 *19*

ギリシアの民主政 *25*

奴隷制度 *30*

ローマの平和（パクス・ロマーナ Pax Romana） *32*

インダス文明とその衰退原因 *37*

仏像の成立 *39*

ヒンドゥー教 *40*

インド洋ネットワーク *42*

東西交渉Ⅰ *52*

草原の民の生活と文化 *54*

### 第Ⅱ部 中世

書芸術の新展開 王羲之と顔真卿 *63*

さまざまな復元船 *67*

科挙の功罪 *69*

飲茶（喫茶）風習 *71*

唐と宋の時代の都市のちがい *72*

『世界の記述』（『東方見聞録』）と日本 *77*

銀による世界の結びつき *83*

イスラーム教の特質 *90*

スンナ派（スンニー）とシーア派 *92*

多民族・多宗教国家オスマン帝国 *98*

イスラーム教と男女の平等 *101*

バイユーのタペストリ *108*

修道会のはたした役割 *110*

黒死病 *118*

ロマネスクとゴシック *121*

東西交渉Ⅱ *122*

## 第III部　近代

近世とは　130
生物交換と「伝統文化」　132
伝染病の流行（黒死病・天然痘・結核・コレラ）　134
宗教改革とメディア　141
中世から現代までの戦争　146
移動宮廷　152
啓蒙思想と社会　157
北アメリカの先住民　ネイティヴ・アメリカン　164
パリの歴史軸　168
リンカンの奴隷解放宣言　191
民族主義と伝統文化　197
カースト制度の弊害　201
華夷思想にもとづく政治経済　211
中国の半植民地化　212

## 第IV部　現代

移民の流れ　218
やり直されたハワイ併合　224
東アジアのナショナリズムの二つの進路　231
ジャポニスムの背景　235
パレスチナ問題の淵源　240
日本の植民地統治　250
民族資本家の役割　252
北方領土問題　266
現代戦争とその破壊力　268
文化大革命　279
ドル・ショック　283
ソ連と中国の社会主義　286
南シナ海・東シナ海問題　295
EUの現状と将来　298

少年王　ツタンカーメン　21
大帝国を創設　アレクサンドロス大王　28
教父　アウグスティヌス　34
儒家を批判　墨子　45
中国の礎を構築　始皇帝　47
張騫と絹の道　49
女性皇帝　則天武后　65
清朝の名君　康熙帝　82
尊厳で残酷　カール大帝　107
ローマ帝国の復興　ユスティニアヌス帝　112
ミケランジェロと女性　138
エリザベス1世と肖像画　149
広がる革命運動の群像　161
ルイ16世の知られざる素顔　166
人民を優先　ロベスピエール　170
協同組合運動の父　ロバート・オーウェン　176
カール・マルクスとイギリス　181
ヨーロッパの祖母　ヴィクトリア女王　186
西太后の真価　225
孫文の関連史跡　228
巧妙な大衆操作　ムッソリーニ　246
病魔を克服　フランクリン・ローズヴェルト　255
ヒトラーの二面性　256
鋼鉄の人　スターリン　259
田舎のおじさん　ホー・チ・ミン　273

### 新常識

黄河文明から中国文明へ　43
倭寇　80
華僑・華人・華裔　85
琉球王国　88
近代世界システム　135
三つのルネサンス　136
気候変動と「経済的旧体制」　147
二重革命・複合革命　160
近代の小道具　174
ウィーン会議の再評価　179
イスラーム主義　199
西洋のアジア観　オリエンタリズム　205
20世紀とは何か　236
ポピュリズム（populism 人民主義・大衆主義・大衆迎合主義・民衆主義）　257
『アンネの日記』と『私は証言する』　264
地域主義（リージョナリズム Regionalism）　271
クリミヤ半島の歴史　292

# 序章

# 文明の起源

**人類の出現**

　人類が他の動物ともっとも大きくちがう点は，道具を使って労働し，生産活動をいとなむことである。人類は両足で直立し，自由になった手で道具を使って自然に働きかけ，長い年月のあいだに高度で複雑な文明をきずきあげた。

　歴史の研究は，この文明の発展のあとを，おもに文字の記録によりながらたどる学問であるが，人類が記録を残すようになる以前には，数百万年におよぶ長い先史時代が続いた。

　最古の人類（猿人）がはじめて出現したのは，今から約700万年前のア

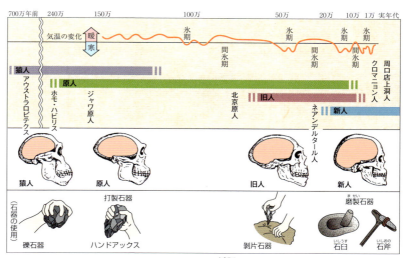

**人類の進化と石器の使用**　上図は猿人から新人までの頭骨（とうこつ）を比較したもの。新人に近づくにつれ目の上の隆起（りゅうき）がしだいに低くなるかわりに，あごの先端（せんたん）（おとがい）が前につき出し，脳容積も大きくなってくることに注意したい。なお，従来原人はその脳容積から言語を使用していたと推測されていたが，現在では人類がいつから言語を使いはじめたかは不明とされている。

# 洞窟絵画

フランス西南部のラスコー洞窟絵画やショーヴェ洞窟絵画，スペインのアルタミラ洞窟絵画，アルジェリアのタッシリ・ナジェール洞窟絵画などには，旧石器時代の人類が描いた岩絵が残されている。これらの岩絵を描いた人びとは狩猟採集民で，野生動物を追いかけたり，植物を採集したりと，自然の恵みをもらって生きていた。その彼らがなぜ岩絵を描いたのか，その理由は明確ではない。現代人が考えるような芸術行為ではないにしても，人間が初めて他の動物とは異なった行動をとった点に大きな意義をもっている。

スペインのアルタミラ洞窟絵画の場合，迷い犬を探していた猟師が地下に通じる狭い入口を発見したことが，岩絵の発見につながった。20頭以上の野生牛，馬，鹿，イノシシなどの動物が描かれ，場所によっては人間や記号，線のようなものもみられる。

フランスのラスコー洞窟絵画の場合は，4人の少年が渓谷で迷子になった犬を探していて，小さな穴をみつけ，その穴を広げて洞窟内部の動物の壁画を発見した。この

あと専門家が調査して旧石器時代のものであることが明らかになった。その数は600点余の絵，1500点余の彫刻からなり，野生牛，家畜牛，鹿などが，色をかえて描かれている。

フランス南部のショーヴェ洞窟（ショーヴェは発見した学者の名前）では，260点の動物画がみつかっており，その総数は300点をこえるとみられている。描かれている動物は，野生牛，馬，サイ，ライオンなど13種類あり，そのなかにはフクロウやハイエナやヒョウやマンモスなど，珍しい動物が描かれている。

アルジェリアのタッシリ・ナジェールの場合は，偵察していたフランス軍のラクダ部隊が岩絵の存在を報告したのがきっかけで，その後専門家が調査にはいって分析が進み，主題によって四つの時期に分類され，それぞれがサハラの気候変動を反映していることが明らかにされた。すなわち，初期の岩絵（前8000〜前4000年頃）は緑が豊かな環境であったことを示し，紀元前後以降の岩絵からは，馬での往来が不可能なほど乾燥化が進行したことが示されている。

フリカであった。約240万年前には原人とよばれるかなり進んだ人類があらわれ，さらに約60万年前，より進化した旧人が出現した。この長期のあいだに，寒冷な氷期と比較的温暖な間氷期とが数回くりかえされ，きわめてゆるやかではあったが，人類の脳容積はしだいに大きくなり，生活も着実に進歩した。この時期の人類は，洞穴や岩かげに住み，採集

**ラスコーの洞穴絵画** ラスコーはフランス西南部にある旧石器時代末期の洞穴遺跡で，1940年に発見された。その壁面(へきめん)や天井(てんじょう)には，牛・馬・鹿などが，たくみに描かれている。

や狩猟によって生活し，打製石器（旧石器）を使用した。また長い経験をとおして，動物の骨や角でつくった骨角器や火の使用もおぼえ，死者の埋葬などの宗教的な風習もめばえてきた。これらの人類は，現在の人類（現生人類）と異なる種に属し，化石人類と総称されている。

　現生人類（新人）は約20万年前に出現した。彼らは石刃や鏃(やじり)などのするどい石器をつくり，投槍(なげやり)や弓矢を使用した。骨角器も銛(もり)や釣針に利用され，狩猟や漁労の獲物が増大した。彼らが獲物の多いことをねがって洞穴の壁などに描いた動物や狩猟の絵画は，人類最古の芸術品でもある。このように打製石器を使って採集・狩猟をおこなった時期を旧石器時代とよぶ。

　1万年前頃から気候が温暖にむかい，海陸や動植物の分布が現在に近い状態にかわってきた。人類はこの新しい環境に適応しようと努力し，その結果磨製石器（新石器）の使用や犬の家畜化がはじまり，生活はさらに進歩した。

### 農耕・牧畜の開始

　人類が農耕や牧畜生活にはいったことは，自然を積極的に利用して，自力で食糧生産をはじめたことを意味し，人類の進歩にとって画期的なことであった。

　最初の農耕・牧畜生活は，西アジアからはじまった。地中海東岸から北イラク・イラン西部にかけての地域には，野生の麦類や，家畜として

飼うのに適した野生のヤギ・羊・豚などが存在した。そのため西アジアの人びとは，この有利な条件を利用して，前9000年頃から他にさきがけて，麦の栽培と食肉用の家畜の飼育をはじめるようになった。また磨製石器とともに土器や織物をつくり，土や日干し煉瓦の小屋をたて，集落を形成した。こうした農耕・牧畜とともにはじまる新しい時代を新石器時代といい，この大きな変化を新石器革命ともよぶ。以来今日まで，人類の生存は基本的に農耕・牧畜にささえられてきたのである。

## 農耕の起源

西アジアでは約1万1500年前頃から，住居が洞窟ではなく地上にもつくられるようになり，約9000年前から麦の栽培とヤギ・羊・牛などの飼育がはじまった。少し時代はくだるが，西アジアのほかにも世界の各地で農耕と牧畜がはじまった。遅くとも8000年前までには，中国の黄河流域ではアワとキビ，長江流域ではイネが栽培されるようになった。中央アメリカでは9000年前にカボチャやヘチマが栽培され，さらにトウモロコシもつくられるようになった。このほか，東南アジアや西アフリカなどでも独自にその地に適した植物の栽培がはじまった。

その最初のきっかけは，約1万4000年前頃に地球の寒冷期がおわり，温暖化がはじまったことであった。この気候変動により動植物の生息域が大きく変動した結果，繁茂する植物がある一方で，大型の動物のように移動を余儀なくされるなかで絶滅にむかう生物もいた。

しかし，1万2000年前頃にもう一度急激な寒冷期が到来すると，野生の有用植物の分布域が縮小し，人びとは食料不足に陥ったようである。そしてその際，西南アジアでは定住化傾向を強めていた人びとが，利用していた野生の植物をみずから植えて栽培をはじめたとされる。つまり，農耕を主とした食料生産のはじまりは，後氷期の変化する環境への対応の結果としてうまれたのである。新しい環境への適応として，野生の食用植物を季節的に集中利用する生業形態を選択したところで農耕の道が開かれた。

農耕の起源については乾燥によって人間・動物のオアシスへの集中が進み，人間と動植物との共生関係ができあがったとするオアシス起源説，河川流域でくらすうちに植生に詳しくなって栽培がはじまったとする河川流域起源説，人口増加によって中央から周縁に流出した人びとが，野生資源の少ない土地で同レベルの生活を保つために栽培をはじめ，それがやがて中央へ帰るという周縁起源説などがある。

## 社会の発達

　初期の農耕は，自然の雨にたよるだけで，肥料をほどこさない略奪農法であったから，人びとはひんぱんに移動する必要があり，集落も小規模であった。しかし大河を利用する灌漑農法に進むにつれて，生産は増加し人口も増大した。また大河の治水・灌漑には多数の人びとの協力が必要なため，集落の規模は大きくなり，やがて都市が形成されていった。

　こうした過程とともに社会はしだいに複雑になった。もともと集落は，同じ血縁であるという意識で結ばれた氏族を単位としていたが，生産がふえ，分業が進むと，その内部に貧富や強弱の差がうまれた。

　この変化は，金属器の使用の開始によってさらにうながされた。前3500年頃以後，オリエント(「東方」の意，現在の西アジア)で青銅器がつくられ，道具や武器などに使用されはじめた。そして神殿を中心に，城壁をめぐらした都市国家が成立した。生産にたずさわらない神官や戦士は貴族階級となり，そのなかから王がでて一般の平民を支配し，征服された人びとは奴隷とされて階級と国家がうまれた。また都市国家では，神殿や王への貢納や交易の記録に用いた記号から文字が発達した。このような文明の進歩は，前1500年頃はじまった鉄器の使用により，ますます急速に進むのである。

## 文明の諸中心

　前3000～前2700年頃，農耕文化は，ティグリス川・ユーフラテス川流域に多くの都市国家をうみだし，ナイル川流域でも前3000年頃統一国家がうまれた。このオリエントの文明は東西に伝わり，西方ではエーゲ文明の発生をうながし，東方インドでも前2600年頃インダス川流域に青銅器をもつ都市国家が成立した。

**ヴィレンドルフのヴィーナス**　多産と豊穣を象徴し，人びとの呪術的な祈りをこめてつくられたとされる。石灰岩製，高さ11cm。オーストリア，ウィーン自然史博物館蔵

また前6000年頃までに，黄河の流域ではアワなどの雑穀を中心として，また長江の流域では稲を中心として，粗放な農耕がはじまっていた。中国大陸北部の黄河流域の黄土地帯では，前5千年紀（前5000〜前4001年）に磨製石斧と彩文土器（彩陶）を特色とする農耕文化がおこった。前3千年紀には大集落の都市（邑）が形成され，黒色の三足土器（黒陶）や灰色の土器（灰陶）がさかんに使用された。

　なお，アメリカ大陸では，ベーリング海峡をわたって移動したアジア系の人びとが，前1000年頃からオリエントに似た古代文明をつくった。

## 人種と民族・語族

　人類は新石器時代にはいるころから，その居住環境によって身体の特徴のちがいがはっきりあらわれてきた。人類を身体の特徴によって分類する場合に，それを人種という。現代の人種はほぼ3種（モンゴロイド，コーカソイド，ネグロイド）にわけようとする考え方がある。しかしこれらは，現生人類（ホモ・サピエンス・サピエンス）という同一の種に属し，根本的になんらの相違もない。

　人類を分類する場合に，民族という言葉を用いることもある。これは主として言語や，また社会・経済生活や習俗，すなわち広い意味での文化で分類するときに使う。一方で共通の言語からうまれた同系統の言語グループを語族とよぶ。

→**甲骨文字がきざまれた獣骨**　亀の腹甲や牛の肩甲骨などに穴をあけて火であぶり，生じたひび割れで神の意志（吉凶）を判断した。その結果を，現在の漢字のもとである甲骨文字で記録した。

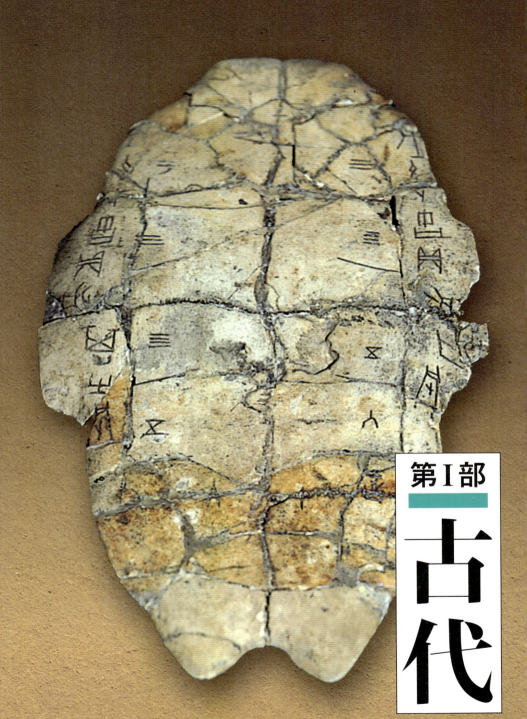

第Ⅰ部 古代

## 現代につながる精神活動の誕生

ギリシアではイオニア地方で始まった自然哲学，その後のソクラテス・プラトン・アリストテレスらの三大哲学者の活動，オリエントでのバビロン捕囚後のユダヤ教の成立，インドにおけるウパニシャッド哲学や仏教，ジャイナ教の成立，中国における孔子の儒学をはじめとする諸子百家の活躍など，前6世紀〜前5世紀にかけて，ユーラシア各地で現代につながる精神活動が誕生した。27ページ，38ページ，45ページコラム，46ページ参照。

嘆きの壁　ユダヤ教徒はこの前で神殿の再生を祈る。紀元前7世紀末から紀元前6世紀前半にかけてエレミヤらの預言者があらわれ，『旧約聖書』に登場する。

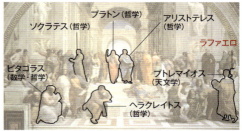

『アテネの学堂』 ルネサンス時代のラファエロ作。ギリシアでは詩聖ホメロスや，三大哲学者（ソクラテス・プラトン・アリストテレス）らが輩出した。

アジャンター壁画 デカン高原の石窟群の壁面には，ガウタマ・シッダールタの生涯が描かれている。右の写真は手に蓮の華をもつ菩薩像（蓮華手菩薩）。

孔子と弟子たち 中国では儒家の始祖である孔子，反儒家の墨子など諸子百家が活躍した。明代の絵。

15

**↑死と再生** 古代エジプト人ネブアメンの墓の壁画。小舟に乗り、家族をともなって豊かな沼沢地で鳥を狩るネブアメン。死からの再生を象徴している。新王国時代第18王朝（前1350年頃）。

**マヤ文字** 象形文字で，一部は解読されている。トロ・コルテシアヌスの絵文書で，神がみの儀式や暦について記している。

# 第1章

# 古代の世界

## 古代世界の形成

　先史時代から歴史時代へと進んだ人類は，エジプト・メソポタミア・インド・中国の大河流域で高度の古代文明を開花させた。これらの地方はいずれも豊かな平野にめぐまれ，その地理的条件を利用した穀物栽培によって多数の人口をやしなうことができたが，そのためには大規模な治水・灌漑とそれをささえる共同労働とを必要としたので，そこから専制君主の統治する大国家がインドをのぞき発展した。

　四つの文明の周辺には，それらの影響をうけながらも独自の世界をきずきあげた諸文明がうまれた。それらは，西方ではシリア・小アジア・ギリシア・イタリア・北アフリカの諸地域におこり，フェニキア人・ヒッタイト人・ヘブライ人（イスラエル人・ユダヤ人）・ギリシア人・ローマ人

**古代オリエント世界**

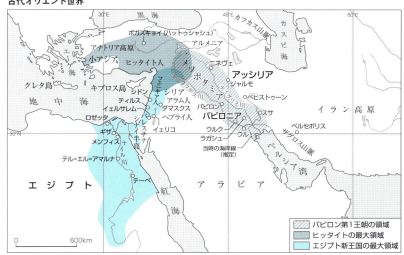

第1章　古代の世界　17

などによって，それぞれ特徴のある国家や文化がきずかれた。東方のインド・中国の周辺でも，東南アジア・朝鮮・日本の各地に古代国家が形成された。

　古代世界の歴史は，各地域における統一的な専制国家の形成・発展とその衰退を軸に展開される。そのなかでギリシア人とローマ人は，一時期，自由で平等な市民たちからなる社会をうみだしたが，これもローマ帝国の後期にはオリエントや中国におけるような専制国家へとかわっていった。

# 1　古代オリエント世界

## メソポタミアとエジプト

　メソポタミアとエジプトはユーラシア大陸の西南部とアフリカ大陸東北部とにあって，地理的にも歴史的にもたがいに密接な関係を有し，ともに古代オリエント世界の中心をなした。このうちティグリス川・ユーフラテス川流域のメソポタミア（「川のあいだの地域」の意）地方では，前3千年紀前半，それ以前すでにこの地方の南部に成立していた民族系統不明のシュメール人による都市国家のあいだに統一の気運が生じた。これらの諸都市は，相互のあいだで主導権の移動をかさねながら隆盛にむかい，メソポタミアで最初の高い文化を形成した。シュメール諸都市はやがて北部のセム語系遊牧民族アッカド人によって征服・統一され，さらに前2千年紀にはいると，同じくセム語系のバビロン第1王朝が成立して，メソポタミアは以後，強力な専制王朝のもとにおかれた。ハンムラビ王〈前18世紀頃〉の時代がその最盛期で，王の発布したハンムラビ法典は，オリエント諸国のその後の法典編纂の模範となった。

　エジプトは周囲を海と砂漠でかこまれ地理的に孤立しているため，一時期をのぞくと，古代をつうじてメソポタミアにおけるような支配民族の交代はなかった。ナイル川流域ではすでに前4千年紀にエジプト語系の言語を用いる人びとにより多数のノモス（小部族国家）が形成されていたが，前3000年頃，これらを統一する王国が成立し，以後前6世紀にいたるまで，王朝の交代をくりかえしながらも，ファラオ（王）の支配が続

18　第1章　古代の世界

いた。ピラミッドはその初期の古王国時代にきずかれた王墓といわれ，オリエント専制支配の象徴とされてきた。

### 民族移動の波

　前2千年紀の初め頃，メソポタミア周辺の草原に住むインド・ヨーロッパ系の遊牧民族が移動をはじめ，これをきっかけとして西アジアではさらに大きな変動が生じることになる。なかでも小アジアにはいり前17

## ハンムラビ法典

　メソポタミアの都市社会では伝統的に社会正義（秩序と公正）の確立と社会的弱者の保護は欠くことのできない為政者の資質と考えられていた。このことはウル第3王朝以降の歴代の王たちによる一連の「法令集」編纂事業（『ウルナンム法典』，『リピト・イシュタル法典』，『ハンムラビ法典』など）によって具体化された。

　1901年スサ（イラン西南部）で発見されたハンムラビ「法典」碑は，高さ約2.25mの黒色石碑であり，頂上部には正義と裁判を司る太陽神シャマシュから権力を象徴する「棒と縄」を授けられるハンムラビ王の姿が浮き彫りにされている。楔形文字で書かれた碑文部には，神々の信任により統一支配を確立したハンムラビ王の偉功と社会正義の公正なる社会の実現をうたった前文に続き，全282条がならぶ。

　その内容は裁判手続きに関連するものからはじまり，今日でいうところの刑法，民法，家族法など，都市生活に必要な規則を多岐にわたって規定した。刑法では「目に

は目を，歯には歯を」の諺で有名な同害復讐法と身分法の原則が採用されている。ただし，ハンムラビ法は決して個人による「血の報復」を容認するものではなく，加害者に対して国家が被害者にかわって司法権を行使し，地縁的な人間関係を基本とする都市社会の生活を維持しようとした治安法に分類されるべきであることに留意すべきである。

　バビロン第1王朝時代のメソポタミア社会において，私的経済活動が普及し，人口が増大して個人の財産所有と運用に対する関心が高まると，国家はその多面的な対応を迫られることになった。結果，財政は個人税制の導入により維持されるようになるが，その一方で，市民間の経済格差は無秩序に広がり，社会問題化していた。この時期に集中する統一国家による法編纂事業は，この民間の経済活動や個人資産制による家族関係の変化に対応するための，あらたな社会ルールづくりを模索したものであったと考えられている。

**ピラミッドとスフィンクス** ピラミッドはエジプト古王国時代の代表的建造物で，王の墓。人頭獅子身像のスフィンクスが王墓を守護している。

世紀に王国をたてたヒッタイトは，馬と鉄を武器に力をのばし，またカッシート・ミタンニの両民族もメソポタミアに侵入・定着してそれぞれ王国をきずいた。同じ頃エジプトには遊牧民ヒクソスがシリアから侵入して中王国をほろぼした。

　前15～前14世紀にかけて，古代オリエント世界は，ヒッタイト・ミタンニ・カッシート，それにヒクソスを追放して新王国時代にはいっていたエジプトの４国がたがいにきそいながら共存する繁栄期をむかえた。しかし前1200年頃になると，東地中海地方にあらたに民族移動がおこり，そのためにヒッタイトはほろび，エジプトもおとろえた。そして大国の衰退に乗じてセム語系の諸民族がシリアを中心に活躍をはじめた。アラム人・フェニキア人・ヘブライ人などがそれである。フェニキア人は北シリア沿岸にシドン・ティルスなどの都市をつくって地中海貿易に活躍し，アラム人はダマスクスを中心に陸上貿易に力をふるった。フェニキア人もアラム人も商業活動の必要から表音文字を考案し，その後の諸民族のあいだにおける文字の創造と伝播の源となった。とくにフェニキア文字はヨーロッパ系言語のアルファベットの起源となった。

##  少年王 ツタンカーメン

　イギリス人考古学者カーターが1922年、テーベ（現ルクソール）西郊にある王家の谷で発見した少年王ツタンカーメン（わずか9歳で即位し、18歳で夭折した）の王墓は、ミイラにかぶせられていた黄金のマスクや純金製の棺など多くの遺品がほぼ完全な形で発見され、盗掘の形跡がない点、画期的であった。その後、スポンサーのカーナヴォン卿が墓の公開直後に急死したり、発掘関係者がつぎつぎと不遇な死をむかえたことから「ファラオの呪い」という伝説が広まったことも有名な出来事で、ツタンカーメンの名前を世界的に有名なものとした。ただ、発掘者のハワード・カーターは天寿をまっとうしている。

　ところで、この少年王は前16世紀におこったエジプト新王国の激動の時代に登場したファラオ（王）で、父であるアメンホテプ4世（イクナートン）とともに、歴代のファラオの王名表から省かれた存在であることは意外と知られていない（このことが墓が盗掘されなかった理由と推定されている）。父のアメンホテプ4世は、「異端」の王として知られ、従来のアメン神を中心とする多神教の宗教体系を否定し、首都をテーベからテル・エル・アマルナに移しつつ（換言すればテーベを拠点とする一大政治勢力の神官層の排除）、アトン神（アテン神）を唯一の最高神とする一神教を唱えた。そして新宗教を宣伝するために写実的で自然愛にもとづく新しい美術様式を提唱し（アマルナ芸術）、多くのすぐれた美術作品を誕生させた。そこでは王宮や神殿の内陣まで太陽の光が差しこむように、屋根の部分を少なくした開放的な建築が好まれ、また彫刻では、それまでの理想化された彫刻像様式を捨てさせ、写実に徹するものがつくられた。

　しかしアメンホテプ4世死後（暗殺された可能性もある）、旧勢力である神官層がアメンホテプ4世の改革に強く反発して巻き返し、跡を継いだ少年王は本来の名前であるトゥト・アンク・アテン（「アテンの生き生きとした似姿」）から、トゥト・アンク・アメン（ツタンカーメンのこと、「アメンの似姿」）と改名し、多神教に戻しつつ、首都をメンフィス・テーベに移した。

### オリエントの統一

　こうしたなかで前2千年紀初め以来、北メソポタミアで力を強めてきたセム語系の遊牧民族アッシリア（前2000頃～前612年）が前8世紀に西アジアを統一し、前7世紀にはついにエジプトをも併合して、史上はじめて全オリエントを支配することに成功した。しかしアッシリアの圧政は諸民族の反抗を招いて、その支配はまもなくくずれ、エジプト・リディ

ア（小アジア）・新バビロニア（メソポタミア）・メディア（イラン）の四つの王国が分立した。

アッシリアのあとをうけてオリエントの統一を確立したのが，イラン高原からでたインド・ヨーロッパ語系のイラン人（ペルシア人）である。彼らはアケメネス朝（前550〜前330年）の諸王のもとで，前6世紀，しだいに勢力を広げ，エジプトからインダス川流域におよぶ大帝国を建設した。なかでもダレイオス1世〈位前522〜前486〉は，帝国の行政組織・財政制度・交通網を整備し，他方，服属民族のそれまでの慣習を尊重して統治に成功し，古代オリエントの専制支配を完成させた。しかし，ギリシア遠征の失敗や内乱のためにペルシア帝国の力はしだいにおとろえ，前330年，西方のマケドニアのアレクサンドロスによってほろぼされた（27ページ参照）。こののちオリエントはヘレニズム時代にはいり，歴史はあらたな展開をみせることになる。

## オリエントの社会と文化

オリエントの古代専制国家では，神の化身とみなされた絶対的な権力者である王が官僚を使って民衆を支配し，民衆は自由身分ではあっても，賦役と貢納を負担する王への奉仕者にすぎなかった。宗教が重んじられ，神につかえ祭儀と知識を独占する神官が大きな力をもったのも，オリエント社会の重要な特色である。

古代オリエントが後世に残した最大の遺産として，古代文字（象形文字・楔形文字・アルファベット），おもに農耕・土木の必要からうまれた高度の実用的知識と技術（エジプトの太陽暦や測地術，メソポタミアの六十進法，ヒッタイトの製鉄など），ヘブライ人の一神教の三つがあげられる。オリエントやその周辺の多神教の世界のなかで，善・悪2神の対立を説くイランのゾロアスター教（拝火教）も特異な存在であったが，とりわけヘブライ人の唯一神ヤハウェに対する信仰は，他神を認めない排他性とユダヤ人だけが選民として特別の恩恵をあたえられているという選民思想とによって独自の世界をきずいた。このユダヤ教からのちにキリスト教がうまれ，さらに両者の影響のもとにイスラーム教が成立して，現在にいたるまで世界史のあゆみに密接なかかわりを保ち続けている。

22　第1章　古代の世界

# 2 古代ギリシアとヘレニズム

## エーゲ文明

ギリシア人がバルカン半島南部に侵入・定着した前2000年頃, 東地中海のクレタ島では, 系統不明の民族がクノッソスの「迷宮」に象徴される強力な王権のもとで独自の文化をつくりあげていた。ギリシア人は, このクレタ文明や先進オリエント文明に学びながら, ミケーネをはじめ各地に小王国を形成し, 青銅器文化を発達させた。ギリシア人の勢力はやがてクレタにもおよんだ。20世紀なかばに解読された文書によれば, これらの諸王国は, 初歩的な官僚機構をそなえ, 民衆から貢納をとりたてるなど, オリエント的な専制王国へと発展する素地をもっていた。しかし前1200年頃東地中海をおそった民族移動の動きのなかで, これらの王国はつぎつぎにほろぼされてしまった。

## ポリスの成立

この民族移動のさなかにギリシア本土に南下し, その大半の地域で混乱のうちに先住ギリシア人とあるいは融合し, あるいは彼らを追放もしくは支配して, ギリシア史の新しい段階の重要な担い手となったのが, ドーリア人をはじめとする第2波のギリシア人たちであった。アテネはこのとき外敵の侵入をふせいだ唯一の小王国であったが, 先住ギリシア人の一部はエーゲ海の島々や小アジア西岸に移住し, ドーリア人の一部もまたそのあとを追った。このようにして拡大されたギリシア人の世界は混乱のうちに鉄器時代をむかえ, 前8世紀には各地に貴族の支配する都市国家(ポリス)がうまれた。アテネでも王権が弱まり, 貴族政ポリスが成立した。

## ポリスの発展

社会が安定すると人口が増加し, そのためギリシアの諸ポリスは前8世紀なかばから約200年間, 市民の一部を地中海・黒海沿岸一帯に送ってさかんな植民活動をおこなった。その結果, ギリシア人の世界はいちだんと広がり, 海上交易がうながされた。経済の発展にともない商人・

**クノッソス宮殿** 現存する遺跡は，前1600年頃に建造されたもの。発掘者により一部復元されている。写真は西南部正面の入口。

手工業者・農民の力がしだいに向上し，やがて彼ら平民が貴族にかわって，そのころ確立された重装歩兵制のおもな担い手となった。

　軍事的役割が増した平民は，政治への参加を主張して貴族と争うようになった。アテネでは前6世紀初めにソロンが貴族と平民の対立を調停し，ペイシストラトスの僭主政の時代をへて，前6世紀末クレイステネスの改革によって民主政治の基礎がおかれた。僭主となるおそれのある人物を投票で追放する陶片追放(オストラシズム)の制度ができたのも，このときのことと伝えられている。

　前5世紀初め，二度にわたってペルシアは大軍を送りギリシア本土に侵入した（ペルシア戦争，前500〜前449年）。このときまでに市民全員が政治と国防にあたる体制をつくりあげていたギリシアの諸ポリスは，スパルタとアテネを先頭にペルシア軍を破り，ポリスの自由をまもった。上陸したペルシア軍を撃退し，近代オリンピック競技の「マラソン」の起源ともなったマラトンの戦い(前490年)や，ペルシア艦隊に大勝したサラミスの海戦(前480年)が史上に名高い。

### 古代民主政の完成

　ペルシア撃退の主役となったアテネは，その後多数のポリスとともに
ペルシア軍の来襲にそなえてデロス同盟を組織し，その盟主におされた
が，しだいに加盟諸ポリスへの支配を強め，東地中海一帯に力をふるった（ア
テネ帝国）。他方，国内では軍船の漕ぎ手としてペルシア戦争に活躍した下
層市民の発言力が増して，前5世紀なかばペリクレスの主導のもとに民
主政が完成した。

　すべての成年男性市民の総会である民会が政治の決定機関で，わずか
の例外をのぞき役職も抽選にもとづき全市民に開放され，裁判も多数の
市民からなる法廷でおこなわれた。こうしたアテネの民主政は「民主主義」

## ギリシアの民主政

　古代ギリシアがうみだしたもののなかで，今日もっとも大きな影響を有しているのは，民主政という政治形態である。古代民主政について，今日の民主政治とのちがいを知っておくことは重要である。小規模な国家における直接民主政であったこと，女性や在留外国人に参政権がなかったことなどはよく知られている。

　しかし，ギリシアの民主政と現代のそれとのちがいは，それのみでなく，たとえば，市民の最高決議機関とされるアテネの民会では，あらかじめ抽選で選ばれた任期1年の五百人評議会での審議を経て決議をおこなう慣わしであった。また，アテネでは民衆裁判所が一般の争い事の処理をするだけでなく，民会決議が適法か否かについても審議するなど，ひじょうに重要な役割を担ったが，その構成員は，抽選で選ばれた任期1年の6000人の審判人で，事件の性格に応じ，特定の人数から成る個別法廷がそのつど設けられた。さらに民主政社会を動かす行政職も，すべて市民の抽選で選ばれた。任期は1年で，原則として同じ職に10人の同僚がおり，特定の人物が長い期間にわたって職務権限をもつことを不可能としていた。このように，アテネの民主政は，独立の「自由」な国家において，市民の政治的な「平等」を徹底的に追求した制度であった。

　もっとも，軍事の最高公職である「将軍」職は，抽選ではなく民会の選挙で選ばれ，重任が可能だったので，かのペリクレスはこの職に連年選ばれることをつうじて政治指導力を保持した。史家トゥキュディデスは，民主政のアテネはじつはペリクレス個人の支配下にあった，と評している。

2　古代ギリシアとヘレニズム　25

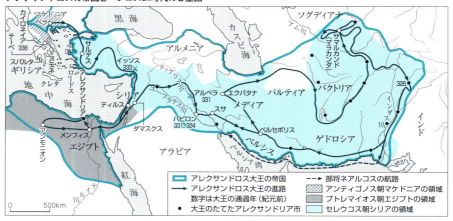
アレクサンドロスの帝国とヘレニズム時代の3王国

という考え方をうみだすこととなった点で、世界史的な意義をもっている。しかし女性に参政権がなく、奴隷の大量の使役がみられるなど、時代的な限界もあった(30ページのコラム参照)。

## ポリス社会の変質

　前5世紀後半、ギリシア世界の主導権をめぐってアテネとスパルタとのあいだにペロポネソス戦争(前431～前404年)がおこった。ギリシアを二分したこの戦争はスパルタ側の勝利におわったが、戦禍が諸ポリスにおよぼした影響はきわめて深刻であった。アテネは前4世紀初め、すぐに国力を回復したものの、ポリスの存在を第一としてきた市民たちの考え方に動揺がおこり、ポリス民主政は精神的なささえを失ってしだいに形式化していった。スパルタのこうむった社会的変動も大きく、貨幣経済の浸透により土地を失う市民が続出して国力がおとろえ、前4世紀の前半にはテーベに敗れてギリシア世界の指導者の地位からしりぞいた。このころ対立と抗争を続けるポリスのあいだに傭兵の使用が広まり、市民が同時に戦士であるというポリス本来のあり方にも変化がきざしていた。

## ヘレニズムの世界

　前4世紀後半、ギリシア諸ポリスは北方に台頭したギリシア系のマケ

ドニアと戦って敗れ（カイロネイアの戦い，前338年），その支配のもとにはいった。マケドニア王アレクサンドロス大王〈位前336～前323〉は前334年ペルシア遠征にたち，10年のあいだに西はギリシア・エジプトから東はインダス川流域にいたる大帝国を建設した。この帝国は，王が死ぬと，エジプト・シリア・マケドニアの三つの王国に分裂した。

　アレクサンドロスの東方遠征以後，政治・経済・文化の中心はオリエントに移り，東方の文化と融合した新しいギリシア風の文化がそこに普及しはじめた。ヘレニズム時代の幕開きである。3王国のうちエジプト・シリアの二つの王国では，マケドニア人がギリシア人とともに少数の支配民族として民衆のうえにたち，オリエント的な専制支配をおこなったため，社会の性格はヘレニズム時代にはいってもかわらなかった。

## ギリシアの古典文化

　ギリシア人は哲学・文学・歴史・美術の各分野で，のちの人びとに古典とあおがれる数多くのすぐれた作品を残したが，それらは政治的・社会的自由を享受することができた人びとののびやかな精神によってうみだされたものであった。

　ギリシア文化はその意味でポリスの産物であった。個性的な史観にもとづいて書かれたヘロドトスやトゥキュディデスの歴史，痛烈な政治批判をふくむアリストファネスの喜劇，真理の相対性を説き，弁論術の教師としての役割をもはたしたソフィストたちの活動，ソクラテスにはじまりプラトンをへてアリストテレスにいたる人間と社会とを正面から論じた哲学的思索などは，いずれもポリス世界の独自性を反映している。各地に残る神殿・劇場・広場の遺跡も，ポリスの共同生活を重んずる市民たちの精神をよくあらわしている。

　タレスからデモクリトスにいたる自然哲学や，アイスキュロス，ソフォクレス，エウリピデスを頂点とする悲劇には，事物をあくまでも探究する精神や人間存在への深い理解がみられるが，一方，ギリシア人の日常生活には神々に犠牲を供する多神教的な祭儀がつきものであった。そのなかで，ゼウスなどオリンポス12神への信仰，オリンピアの祭典と競技，デルフォイのアポロン神殿の神託の三つは，ギリシア人が民族としての一体感をたもつための絆であった。前8世紀に英雄たちの活躍を描

# 大帝国を創設 アレクサンドロス大王

アレクサンドロスは，アケメネス朝をほろぼして大帝国を形成し，各地にアレクサンドリアを建設してギリシア文化とオリエント文化を融合し，あらたなヘレニズム文化をうみだす基を築いた。

確かに，大王は父フィリッポス2世の意思をうけついで東征を開始し，その結果ペルシア戦争の報復戦としての戦いに勝利し，オリエントの人びとをペルシアの「専制政治」から解放した。ギリシア文化をオリエント地方に伝えた面も否定しがたい。

しかしアケメネス朝をほろぼしてからの大王はこの評価とは異なる行動が目立つ。彼はペルシア風の衣服をまとい，東方風の跪拝礼(きはいれい)を導入し，部下に強要している。有力な部下だったレオンナトスが，ペルシア人が跪拝礼をおこなうのをみて笑ったところ，大王は激怒したとの記録がアリアノスの大王伝に登場する。軍隊も同様で，ギリシア・マケドニア軍以外の現地兵の育成に努め，行政面でも地方長官にアケメネス朝時代の有力豪族に地方行政を任せている。しかもスサでの合同結婚式ではみずからアケメネス朝の王家とつながる女性2人を妻としてむかえ，血統の面でも権威づけに苦心している。エジプトではヒエログリフの記録によれば「ファラオ」という称号を戴いている。「民主政治」の典型としてのギリシア文明とは様相がまったく異なるのである。

これは「すぐれた」そして「征服した側」の文明の担い手がおこなう行為ではない。アレクサンドロスがオリエント文化を否定して，ギリシアの文化や慣習を強要することはなかった。大王自身は新しい時代をつくったのではなく，「アケメネス朝の後継者」だったと評価することも可能なのである。

いたホメロスの叙事詩(『イリアス』『オデュッセイア』)もひろく古典として学ばれ，人びとの生き方の手本となった。

## ヘレニズム文化

ヘレニズム時代にはいると，「ポリスの市民」という意識が失われ，個人主義と世界市民主義がさかんになった。ストア派やエピクロス派の哲学がともに個人の内面的な平安を説くのは，そのあらわれであった。この時代には平面幾何学のエウクレイデス(ユークリッド)，数学・物理学のアルキメデスなどが活躍し，自然科学がめざましい発達をとげた。学問の中心地となったのはエジプトのアレクサンドリアで，王立研究所や大

きな図書館が建設された。

　ヘレニズムの歴史的意義は，それまでのギリシア文化をうけついでこれを西方のローマに伝え，東方ではオリエント文化と融合しながらイラン（ペルシア）・イスラーム文化の形成に大きな影響をあたえた点にある。日本の飛鳥・天平時代の仏像彫刻には，インドのガンダーラ美術をなかだちとして，遠くヘレニズム美術の影響のあとがみられる。

# 3　古代ローマ帝国

## 都市国家ローマ

　ローマはイタリキ（古代イタリア人）の一派のラテン人がイタリア半島中部に建設した都市国家である。はじめは王政であり，一時北どなりの先住民族エトルリア人の支配をうけたが，前6世紀末に貴族が中心となって異民族の王を追い，共和政を樹立した。初期の共和政では貴族が政権を独占した。貴族と平民は身分的にきびしく区別され，最高官である2人のコンスル（執政官）や国政運営の中心機関である元老院の議員をはじめ，あらゆる役職は貴族によって占められた。しかしローマでも国防の主力がしだいに重装歩兵の平民たちに移り，それにともない，彼らは政権参加を要求して貴族と激しく争った。貴族は前5世紀初めから前3世紀初めにかけて平民にもコンスル就任を認めるなど譲歩をかさねて身分闘争をおわらせた。その後一部の富裕な平民と従来の貴族とが新しい支配層を形成して政権を独占し，また従来の元老院の力も根強く残っていたため，ローマの民主政は，ギリシアのそれにくらべると性格を異にしていた。

## ローマの対外発展と社会の変質

　身分闘争の解決をはかるかたわら，ローマは平民とりわけ中小農民を主体とする重装歩兵軍をイタリア各地に送って勢力を広げ，前3世紀前半には半島内の統一を実現した。

　このころ西地中海ではフェニキア人の植民市カルタゴが力をふるっていたが，ローマは三度にわたるポエニ戦争（前264〜前146年）により，こ

れをほろぼした。また前3世紀末以降，東地中海にも兵を送り，ヘレニズム世界をしだいに支配下にいれ，前1世紀後半には地中海世界の征服を完了した。

# 奴隷制度

オリエントでは，おもに王宮や神殿が奴隷を所有していたが，前5～前4世紀のギリシアや前3～後2世紀のローマは，社会全般に奴隷が労働力として使われ，一般市民も奴隷を所有したことから，奴隷制社会の典型とされている。

興味深いのは「万物の尺度は人間である」として相対主義を主張したソフィストたちが「奴隷制は人間性に反する」として奴隷制度を批判したのに対し，偉大な哲学者として知られるアリストテレスは「奴隷は一種の生命ある所有物であり，すべて下僕というのは道具に先立つ道具といったものだ」(『政治学』)として奴隷制を擁護していることである。

ギリシアのポリスで奴隷とされたのは，まずもって戦争捕虜であったが，借財を返せないため自由な市民で奴隷にされるものもあらわれ，社会改革の糸口となった(ソロンの改革)。のちには奴隷市場もうまれ，奴隷購入の便宜がはかられた。奴隷の数が多かったのはアテネやコリントなどで，前5世紀のアテネでは，奴隷は総人口の3分の1に達し，農業や手工業に従事し，主人によって賃貸されたり，また独立して手工業を営んで主人に貢納金を納めたりした。

ポリスの民主政治やその文化は，奴隷労働によってうみだされた余暇のうえに開花したものであった。スパルタの場合は，先住民を征服してヘロットとよばれる奴隷身分の農民とした。スパルタが軍国主義体制を維持した背景には，この多数のヘロットの存在への危機感があった。

ローマの場合は，通常の家内奴隷ほか，剣闘士といった生死をかけた見世物にされたケース，さらにシチリアやイタリア半島ではラティフンディア(大農場経営)において苛酷な農業労働に従事させられるケース，高度な知的労働，たとえば教師や会計士・医師などの仕事に従事するケースなどがあった。

一般的に古代ローマの奴隷所有者は，善意をふくめたさまざまな理由によって奴隷を解放するのに前向きで，帝政時代の全人口のおよそ5%を解放奴隷が占めていたといわれる。3世紀以降になると，もともとシチリアやイタリア半島以外の地域では，小作人を用いた農業が早くから広範囲におこなわれていたこともあって，イタリアの大農場でも奴隷制から小作制に切りかえられた。

30　第1章　古代の世界

しかし対外発展のかげで，それを推し進めた中堅市民である中小農民の没落がはじまっていた。長年の戦争によって戦死するものがふえ，また耕地の荒廃のために農業をやめるものも多かった。彼らの土地を買い占めたのは，征服地から大量に供給される奴隷を使って大規模な土地経営をおこなう有力者たちであった。征服地の属州から輸入される安価な穀物も中小農民に打撃をあたえ，彼らの離農と無産市民への転落をうながした。ローマ共和政の基盤はいまや根底からくずれようとしていた。

　土地所有農民をつくりだそうとするグラックス兄弟の改革は，この危機の最初の打開策であったが，大土地所有者の反対のため失敗におわり，ローマは内乱期にはいった。有力者たちは閥族派と平民派とにわかれて争い，イタリアの同盟市の反抗や奴隷の反乱も加わって，混乱はさらに激しくなった。やがて共和政の伝統を無視する三頭政治（前60年）がおこなわれ，その結果カエサルが独裁権をえた。彼は各種の改革をおこなったが，共和政の伝統を重んじる反対派に殺され，第2回の三頭政治（前43年）で登場したオクタウィアヌスのもとで，ようやく内乱は終結した。その後，ローマの共和政は，オクタウィアヌスの単独支配へと質的な転換をとげる。これまでの都市国家的な伝統によっては，もはや統治できないほどローマの支配領域が大きくなっていたことも，このような転換をうながす原因となった。

**ローマ帝国の最大領域**

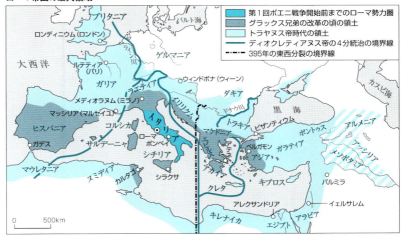

3　古代ローマ帝国　31

## ローマ帝政の成立

　ローマはカエサルの遠征によりガリアをも領土に加え，前1世紀後半には地中海周辺から西ヨーロッパにおよぶ大国家となった。この大国家を最初に皇帝として支配したのがオクタウィアヌス〈位前27〜後14〉で，彼は元老院からアウグストゥス（尊厳者）の称号をうけ，共和政の形式を尊重しながらも，広範な権限を自分1人に集中させて統治の再編成をはかった。それは事実上の独裁であったから，これ以後をローマ帝政期とよぶ。五賢帝の時代（ネルウァからマルクス・アウレリウス・アントニヌスまでの5人の皇帝が在位した）に代表される帝政期の前半の約200年間はだ

## ローマの平和 （パクス・ロマーナ Pax Romana）

　イギリスの歴史家ギボンが五賢帝時代を「人類史上もっとも幸福な時代」と評し，「パクス・ロマーナ」というラテン語の造語で表現してから一般に広まり，イギリスが覇権を握っていた時代を「イギリスの平和（パクス・ブリタニカ）」，アメリカが世界に大きな影響力をもつようになると「アメリカの平和（パクス・アメリカーナ）」などというように言葉が転用されている。

　現在，「ローマの平和」の時代とは，アウグストゥスの治世から五賢帝時代が終了するまでを意味し，広大な帝国内ではラテン語，共通の法律と度量衡が行きわたった。さらに，ローマ市民権の拡大によって，出身地や「民族」の違いをこえて，「ローマ市民の世界」が拡大し，帝国内がしだいに均質化するようになった。とくにアルプスの北の地域では，ローマ人たちが建てた都市や陣営を起源として，今日のヨーロッパの主要都市が誕生した。現在のロンドンの

ロンディニウム，現在のパリのルテティア，現在のウィーンのウィンドボナなどがその代表で，このころ成立した。

　このようなローマの支配は二つの正反対の結果をうんだ。

　第1は平和である。ローマの支配下にはいった各地にギリシア・ローマ的な文化施設をつくり，教育を発展させ，またローマ市民権を惜しみなくあたえて，支配者と被支配者との差別をなくした。ローマ人はこれを「文明化」とよんだ。第2は被支配者に対する収奪と彼らの屈辱と敗残の悲しみであった。そのため諸民族は，各地で抵抗と反抗の戦いにたちあがった。ローマの歴史家タキトゥスは『アグリコラ』という岳父の伝記のなかで，スコットランドの現地民の首長の口をかりて「ローマ人たちは略奪し殺戮し強奪することを，偽りの名前で支配とよび，無人の野をつくって平和とよぶ」と痛烈に批判している。

いたい平和が続き，各地にローマ風の都市が建設され，属州民にもしだいにローマ市民権があたえられていった。トラヤヌス〈位98 ～ 117〉の時代に領土は最大となり，人びとはこの繁栄を「ローマの平和」（パクス・ロマーナ）とたたえた。

しかし2世紀後半になると，東方のパルティアや北方のゲルマン人がローマ領内へ侵入しはじめ，ローマの平和は破れた。3世紀には軍隊がかってに皇帝を廃立する軍人皇帝の混乱期がうまれ，帝国は衰退への道をあゆみはじめた。

## ローマ帝国の衰退

3世紀末のディオクレティアヌス帝〈位284 ～ 305〉は，国土を四分し，みずからの神性を主張しながら，巨大な軍隊と官僚機構をもつオリエント的な専制支配によって帝国を再建しようとした。ついでコンスタンティヌス帝〈位306 ～ 337〉はふたたび帝国を統一し，都を東方のコンスタンティノープル（ビザンティウム）に移した。皇帝は専制君主政を確立し，身分や職業の世襲化をはかった。このときまでに，ギリシア・ローマ特有の市民的自由は消滅していた。

専制君主政をもってしても，帝国の解体をふせぐことはできず，395年，テオドシウス帝〈位379 ～ 395〉はその死に際して国土を東西に二分した。このうち東ローマ帝国（ビザンツ帝国，395 ～ 1453年）はその後約1000年続いたが，西ローマ帝国（395 ～ 476年）はゲルマン民族の大移動のさなか，476年にほろんだ。

## ローマの古典文化

ローマ人は土木・建築，法律，暦といった実用的文化の領域で独自の才能を示した。文学・哲学・美術の諸分野ではギリシア文化の影響が強く，独創性を発揮したとはいえないが，やはり古典文化の一方の担い手として，のちのヨーロッパ文化の形成に大きな役割をはたしている。

ローマ人の最大の文化的遺産はローマ法である。前5世紀なかばの十二表法以来，ローマ法は国家の発展にともなって整備され，2世紀から3世紀初めにかけて法学の隆盛をみたのち，6世紀，東ローマ皇帝ユスティニアヌス〈位527 ～ 565〉の命令でつくられた『ローマ法大全』に集

大成された。建築や農業についての著作からも，ローマ人の実用的学問への関心がうかがわれる。共和政末期から帝政初期にかけては，また，文学・哲学に加え弁論・歴史・伝記・地誌といった分野でも多くの古典が書かれた。政治家で弁論家でもあるキケロ，『ゲルマニア』で知られるタキトゥス，伝記『対比列伝』（『英雄伝』）の作者プルタルコスなどが登場し，彼らの作品はいずれもこの時代を知るための貴重な史料である。

### キリスト教の成立

「ローマの平和」のかげには，被征服民族の犠牲と不満とがかくされて

## 教父 アウグスティヌス

　教会の教義確立に努め，キリスト教発展に貢献した人物を「教父」という。アウグスティヌス（354～430）はローマ帝政末期に登場した最大の教父であり，西方教会を神学的に充実・発展させた古代最大のキリスト教思想家であった。

　彼の代表的著作として知られているのが『神国論（神の国）』である。この本は全22巻，13年以上の年月をかけて執筆されたもので，「神の国」と「地の国」が対立する場として現実の世界を位置づけ，神の導きによって歴史は進むとするキリスト教的歴史観にもとづいてローマ帝国の衰退理由を論じている。その一方で数多くの古代の政治家，文学者，哲学者，さまざまな思想，宗教，慣習にも言及していることから，一種の古代の「百科事典」的性格ももっている。

　彼が生きた時代は，政治的混乱と社会的退廃が蔓延していた。ローマ帝国が東西に分裂し，西ローマ帝国の首都ローマがアラリック率いる西ゴートに掠奪され（410年），ローマ帝国の衰退は誰の目にも明らかとなった。そして429年，ガイセリック率いるヴァンダル族がアフリカにわたり，いたるところで掠奪と暴行をくりかえした。アウグスティヌスは北アフリカのヒッポの司教として「司教はいかなるときにも住民を見捨てたり，教会を放置すべきではありません。困難と危険が切迫している折に，司教たる者は人びとのために苦悩を負い，生命を賭けて働くべきです。」（手紙228）とし，ヴァンダルが町を包囲するなか（430年）住民を励まし続けた。しかし彼は熱病にかかり，76歳の生涯を閉じた。その後，ヴァンダル族はヒッポになだれこみ，町を占拠，破壊した。ヴァンダル族はその後，カルタゴを占領し，455年にはローマを攻略した。文化財などの破壊行為のことを英語でヴァンダリズム（Vandalism）というが，これはヴァンダル族の行為に起源をもっている。

いた。彼らの不満は，ときとしてローマやそれと結ぶ服属民の支配者たちに対する抵抗運動となってあらわれた。のちにキリスト教として発展するイエス〈前7頃／前4頃〜後30頃〉の教えは，パレスチナのユダヤ人たちのこうした苦難と抵抗のなかでうまれた。イエスはユダヤ教の形式化と堕落とをきびしく批判し，人の身分や貧富・善悪の区別をこえておよぶ神の愛と，その神を信ずるものの救いとを説いた。一部の民衆はイエスこそ民族の苦難を救うメシア（救世主）だとしてしたがったが，ユダヤ教の指導者たちはイエスをとらえて裁き，ローマ人の総督に彼を処刑するよう求めて，その願いをはたした。

　イエスの死後，彼をキリスト（メシアのギリシア語訳）として信じる教えは，弟子のペテロや小アジア出身の使徒パウロらの布教活動でますます広がり，やがてローマ帝国の内部に深く根をおろすにいたった。帝国は国家の祭儀を乱すものとしてキリスト教徒に対してたびたび迫害を加えたが，彼らの勢いをおさえることができなかった。やがて帝国はキリスト教を国家祭儀のなかにとりいれる方針をとり，313年コンスタンティヌス帝はミラノ勅令を発してこれを公認した。彼はさらに教義論争の解決にものりだし，325年のニケーア公会議でアタナシウス派の考えを正統とした。アタナシウス派の考えはのちに三位一体説（父なる神，子なる神，聖霊の三者を同一とする説）として確立した。そして4世紀末，テオドシウス帝は正統のキリスト教を国教として他の宗教を禁じたので，ここにキリスト教はヨーロッパ世界の統一的宗教としての基礎をあたえられることになった。

# 4　イランの古代国家

## パルティアとササン朝

　前3世紀なかば，カスピ海東南にいたイラン系遊牧民がパルティア王国（アルサケス朝，中国名は安息，前248頃〜後224年）をたてた。パルティアは前2世紀にセレウコス朝からメソポタミアをうばい，一時シリアにまで進出した。前1世紀中頃ローマがセレウコス朝をほろぼすと，パルティアはローマとユーフラテス川を境としてしばしば争った。

224年，アケメネス朝の故地イラン高原南部からおこったササン朝（224
～651年）がパルティアをほろぼした。ササン朝もローマとはげしく争い，
シャープール1世〈位241頃～272頃〉のときには，シリアでローマ軍を破り，
皇帝を捕虜にした。また，東方ではクシャーナ朝を屈服させ，領土を広
げた。5世紀の後半，異民族の侵入をうけたが，6世紀になって，ホス
ロー1世〈位531～579〉が中央集権化政策を推し進めた結果，ササン朝は
全盛期をむかえた。

　東西の交易が活発におこなわれ，陸路・海路の中継点に位置したササ
ン朝はこの交易によっておおいに繁栄した。首都クテシフォンの豪壮な
宮殿遺跡は，この王朝の強大さをものがたっている。しかし，7世紀前半，
王位をめぐって争いがおき，新興のイスラーム教徒アラブ人の攻撃によ
って，651年に滅亡した。

### イラン文化

　ササン朝の時代，ゾロアスター教が国教となり，その教典『アヴェス
ター』が成立した。また，ギリシア文化・インド文化をとりいれた新しい
イラン文化がうまれた。この文化はとくに，美術・工芸・建築にすぐれ，
その影響は中国をへて遠く天平時代の日本にまでおよんだ。3世紀にう
まれたマニ教は，ゾロアスター教と，ユダヤ教・キリスト教などの教義
を融合させたもので，ササン朝文化の国際性をよく示している。マニ教は，
その後中央アジアや中国・ヨーロッパにも伝わった。

## 5　インド・東南アジアの古代国家

### インダス文明

　インダス川流域を中心とする地域で，前2600年頃から前1700年頃に
かけて，青銅器をもつ都市文明が栄えた。モエンジョ・ダーロとハラッ
パーの両遺跡がこの文明を代表する都市であり，いずれも焼煉瓦を豊富
に用い，一定の都市計画にもとづいて建設されていた。しかし，文字が
解読されていないため，文明の性格や文明をささえた民族については不
明な点が多い。

# インダス文明とその衰退原因

最初にインダス文明の存在が明らかになったのは，1921年のハラッパー遺跡の発見であった。ハラッパー遺跡は，一定間隔を置いて見張り塔があったこと，煉瓦の周壁が城塞を囲んでいること，穀物倉や神殿が存在していること，排水施設があることなどが，明らかになった。ただ，全体としての保存状態はきわめて悪い。地表に露出していた普通とかわった形や材質の煉瓦を住民が生活の必要上使ってしまったり，イギリスが鉄道建設をする際，その基礎を敷くためにその煉瓦を大量に使うことで，遺跡が破壊されてしまったからである。

これに対してハラッパー遺跡の発掘とほぼ同時期に発見されたモエンジョ・ダーロの場合は保存状態は悪くない。この遺跡には，すぐれた都市計画のもと，中心部（城塞部）に大建造物があり，下水施設と同様に，洪水に備えたすぐれた排水設備をもち，全住民のための公共沐浴場や街灯の設備もあった。モエンジョ・ダーロの発見は世界有数の壮大な古代遺跡として，一躍インダス文明を世界的なものとした。

インダス文明は前2000年頃を境に衰退をはじめ，前1900年から前1800年頃までに既存の都市の活動は段階的に停止してしまう。衰退の原因としてアーリヤ人侵入説があったが，さまざまな証拠の検討から現在では否定されている。現在のモエンジョ・ダーロ周辺の地域は砂漠であるが，インダス文明の時代にはゾウ，サイ，ワニなどの野生生物も棲息し，森林にも恵まれた環境にあったともいわれることから乾燥化説（砂漠化が進行したとする）もあり，そのほか洪水説，地殻変動によるインダス川の流路変更説，塩害の影響説，西方との交易の途絶説などの諸説があり，衰退過程すら解明途上であり，決定的な説はない。

## アーリヤ人の来住

インダス文明がすでに衰退した前1500年頃，中央アジア方面から移動してきたアーリヤ人がパンジャーブ地方にはいり，半農半牧の定着生活をはじめた。彼らは自然現象を神格化した多数の神々を信仰していた。それらの神々への賛歌と祭式の方法とを編集したものが，バラモン教の根本聖典ヴェーダである。

アーリヤ人は，先住民との混血・融合を深めながら，前1000年頃から肥沃なガンジス川流域に進出し，農業社会を完成させた。やがてこの地でヴァルナ（種姓）制度が成立し，社会はバラモン（司祭者）・クシャトリヤ（王侯・武士）・ヴァイシャ（農・牧・商に従事する庶民）・シュードラ（隷

5　インド・東南アジアの古代国家　37

属民)という四つの基本的身分にわけられた。これはのちのカースト制度の基本をなしたといえるものである。

## 新思想の発生

前6世紀頃になると，ガンジス川流域の各地で都市が発達し，それぞれの都市を本拠とする諸国がたがいに争うようになった。それらのうち，やがてマガダ国が強力となり，周辺の諸国を征服・併合していった。

ちょうどそのころ，ガンジス川の中流域に多数の思想家がでて，宗教の革新運動をおこした。彼らのうちの代表者が，仏教の開祖ガウタマ・シッダールタと，ジャイナ教の開祖ヴァルダマーナ〈前549頃～前477頃〉である。両者ともバラモンの権威とヴァルナ上の差別に反対したため，その教えは，都市で身分制度にとらわれずに活動していたクシャトリヤやヴァイシャのあいだに広まっていった。

## 統一国家の成立

前4世紀後半，マガダ国にマウリヤ朝(前317頃～前180年頃)がおこり，初代のチャンドラグプタ〈位317頃～前296頃〉から第3代のアショーカ王〈位前268頃～前232頃〉までにインドの大半を統一した。アショーカ王は，征服活動の際に多くの犠牲者を出したことから仏教に帰依するようになり，武力によらない「法」(まもるべき社会倫理)を統治の理想としてかかげ，その理想を各地の岩石や石柱にきざませた。仏典の結集や各地への布教もおこない，このころ仏教がスリランカ(セイロン)に伝えられた。

このころすでに，南インドのドラヴィダ人は，いくつかの国家をたてていたが，その後，バラモン教や仏教をはじめとする北インドのアーリヤ系文化の影響をうけながら，独自の文化を発達させていった。

## 西北インドの繁栄

西北インドは，マウリヤ朝の衰退後に，バクトリアのギリシア人勢力をはじめとする異民族のあいつぐ侵入で混乱したが，1世紀にイラン系のクシャーナ朝(1～3世紀)によって統一された。この王朝は2世紀なかばにでたカニシカ王〈位130頃～170頃〉の時代に最盛期となり，その領土は西はパルティア，東は後漢の中国と接し，南は北インド中部にまでお

よんだ。クシャーナ朝の繁栄は、東西交通路の中心に位置していたことによってもたらされた。同じ頃デカンではサータヴァーハナ朝（前1〜後3世紀）が海路をつうじての東西貿易、とくに対ローマ貿易で栄えていた。

クシャーナ朝時代の西北インドでは、万人の救済を理想とする大乗仏教が確立した。また、仏教では仏像をつくらなかったが、1世紀末頃ガンダーラ地方で、神の姿を彫像に表現するギリシア・ローマ美術の影響をうけて、はじめて仏像がつくられた。ギリシア彫刻の手法もみられるこの様式の仏教美術をガンダーラ美術とよぶ。

## 仏像の成立

原始仏教の段階では、仏が人間の姿で表現されることはなかった。仏の存在を暗示するものとしては菩提樹、台座、仏足跡、法輪などが使われている。これが変化するのは紀元前後から展開した大乗仏教の成立以後のことである。

クシャーナ朝は西北インドを中心に中央アジアやアフガニスタンからガンジス川流域にいたる地域を支配したが、王の保護もあってこの王朝のもとで仏教が大いに栄えた。これを背景に神を擬人化する発想をもっていたギリシア（ヘレニズム）彫刻の影響を受けて、如来や菩薩を具象化する仏像が成立した。この仏教美術をガンダーラ美術という。彫りが深く鼻筋がとおった楕円形の顔、ウェーブのかかった頭髪、等間隔の衣の襞などにギリシア彫刻の影響があり、その一方で僧衣をまとい、耳朶は長く、眉間に白毫（眉間にある白色の旋毛）

をつけ、顔の表情が哀調を帯びた諦観の雰囲気を漂わせている点に仏教の影響がある。

一方、ガンダーラ仏（写真）を最初の仏像とする考えには異説もある。というのは、ほぼ同じ時期からガンジス川上流域の古都マトゥラー周辺で多くの仏像が製作されたからである。マトゥラーはクシャーナ朝の中部インド支配の拠点（カニシカ王の時代に副都）となっていて、仏教が西北インドに伝播するさいの中継地として重要な都市であった。マトゥラーでは赤砂岩を材質とした独自な彫像制作活動がおこなわれていた。作風はガンダーラ仏とは異なり、純インド的でヒゲがなく、頭上に巻貝形の肉髻があり、この地の伝統的な技法を継承したものであった。

# ヒンドゥー教

インドやネパールで多数の人びとが信仰する宗教は，ヒンドゥー教とよばれる。現在の信者数は，およそ9億人で，開祖はおらず，地域や集団によって信仰のかたちは多様である。

ヒンドゥー教とは，19世紀にイギリス人がインドの人びとの信仰の総称として用いた名称で，インド現地では，自分たちの信仰としてサンスクリット語の「永遠の法」(サナータナーダルマ) が用いられる。アーリヤ人のヴェーダにもとづく伝統と先住民の信仰が融合し，地域ごとにしだいに現在のかたちができあがってきたものである。教義は多様だが，あらゆる生き物は輪廻転生すると考えられている点と，神への信心と人の業 (行為) によって人の来世が決まるとされている点は共通している。

ヒンドゥー教徒はさまざまな神を偶像としてまつり，水・食物・花・香をそなえて祈る。神々のうちでとくに人びとの信仰が

あついのがヴィシュヌ神とシヴァ神である。ヴィシュヌ神は世界を創造し維持する神である。この神は10の姿に変身してあらわれ，人びとを救うと信じられている。『ラーマーヤナ』の主人公ラーマや，『マハーバーラタ』の英雄クリシュナ，それにブッダはこの神の化身とされる。ヴィシュヌ神の妃のラクシュミーは，美と幸福の女神である。

一方，シヴァ神は世界を破壊しつくす凶暴な一面をもちながら，破壊した世界をふたたび創造し，人びとに恩恵をあたえる神であり，舞踏や芸術の神でもある。シヴァ神をまつる寺院には，その創造のエネルギーを象徴するリンガ，すなわち直立する男性性器の像が神体としておかれていることが多い。象の頭と太鼓腹をもつユニークな風貌のガネーシャは，シヴァ神と豊饒の女神パールヴァティーの息子で，知恵・富・幸運の神である。

## ヒンドゥー国家の盛衰

4世紀にはいると，マガダ国にグプタ朝 (320頃～550年頃) がおこり，北インドの大半を統一した。この王朝の最盛期は第3代のチャンドラグプタ2世〈位376頃～414頃〉の時代で，国内はおおいに繁栄したが，5世紀に中央アジアの遊牧民族エフタル (5～6世紀) の侵入をうけておとろえた。

グプタ朝時代はインド古典文化の黄金時代であり，宮廷を中心にサンスクリット文学が栄えた。仏教・バラモン教の教理研究もさかんにおこなわれ，またバラモン教に民間信仰が加わったヒンドゥー教が，支配者

や民衆のあいだに広まりつつあった。美術の分野では，アジャンター石窟寺院の壁画や優雅なグプタ様式の仏像など純インド的な作品がうまれた。一方，医学・天文学・数学なども発達した。ゼロを用いた計算法を発見したのも，古代のインド人である。

　7世紀にはいると，ハルシャ・ヴァルダナ王〈位606〜647〉が北インドを再統一したが(ヴァルダナ朝)，その統一も王の死とともに崩壊した。この王の時代に玄奘がインドを旅行している。以後の数世紀間，北インドでは諸王国が分立抗争する時代が続いた。この間，商業は衰退し，商人や王侯の援助を失った仏教も急速におとろえた。これに対し，ヒンドゥー教は，インド人の宗教として完全に定着した。

## 東南アジアの諸国家

　東南アジアの諸民族が，インド文化の影響のもとに国家をつくりはじめたのは1〜2世紀のことであり，まず半島部の東南に扶南とチャム人の国家チャンパー(2〜17世紀)がおこった。その後クメール人(カンボジア人)は扶南をほろぼしてカンボジア(6〜15世紀)をたて，9世紀以後アンコールに都をおいて富み栄えた。半島部ではミャンマー人(ビルマ人)とタイ人が，それぞれ11世紀と13世紀に最初の民族国家を建設した。ベ

**アンコール・ワット**　カンボジアの王都アンコール・トムの南にある。12世紀にたてられ，ヒンドゥー教寺院がのち仏教寺院となった。

5　インド・東南アジアの古代国家

## インド洋ネットワーク

インド洋を中心とする，東西に広がる交易ネットワークのことをいう。紀元後のローマ帝政期になると，季節風を利用してエジプトから亜大陸のインド洋沿岸諸港にむかう商船が増加した。1世紀にギリシア語で書かれた商業案内書が，『エリュトゥラー海案内記』である。そこには航海の状況のみならず，各港での貿易品や各地の特産品，西方商人の活動などについて詳しく記述されている。一方，インド文化の東南アジアへの到達は，遅くとも紀元前後まで遡ることができる。このネットワークをとおし，5世紀を画期として東南アジアの「インド化」が進み，インド的王権概念やヒンドゥー教・仏教の伝播，インド系文字の使用などがみられるようになる。ただし，完成された「インド文化」がそのまま輸入されたわけではなく，東南アジア側の主体的な選択がなされたことが指摘されている。

東南アジア・インド・ペルシア・アラビアなどを結ぶこの交易ルートが南シナ海と結合する際，当初マレー半島をクラ地峡で横断するルートが主流であった。そのため，扶南やチャンパーが東南アジア物産の集散地となった。その後，7～8世紀にペルシア船・アラブ船が来航するようになると，マラッカ海峡を経由するルートにかわり，シュリーヴィジャヤやシャイレンドラが栄えた。

海上貿易の活発化は陸の貿易路をしのぐようになり，交易拠点となった地域では港市を基盤として成立した港市国家（扶南・チャンパー・シュリーヴィジャヤ・マジャパヒト・アユタヤ朝・マラッカ王国など）が形成され，通行税の徴収や中継物資の独占がおこなわれるようになった。15世紀になるとマラッカを拠点として，さらに活発な東西交易がおこなわれた。

トナム人は，漢の武帝の征服（48ページ参照）以後ほぼ中国の支配下におかれていたが，五代から宋初の混乱期に独立した。諸島部では，7世紀頃おこったシュリーヴィジャヤ（7～14世紀）が，スマトラ島を中心に海上貿易で栄え，その後ジャワ島でマジャパヒト（1293～1520年頃）が強勢をほこった。

東南アジアに伝わったインド文化は，はじめ大乗仏教とヒンドゥー教を主体とするものであり，ジャワ島にボロブドゥール，カンボジアにはアンコール・ワットなどが造営された。その後，11世紀にスリランカ系の上座部仏教がミャンマー人にうけいれられ，さらにタイ人・カンボジア人の国々に広まった。

# 6　中国古代統一国家の成立

### 封建制の成立：殷・周

　20世紀の初めから，河南省で殷墟の発掘がおこなわれた。その結果，前2千年紀中頃の黄河下流域には，多くの集落（邑という）があり，これを統率する王朝のあったことがわかった。殷墟は，中国の古い記録にみえる殷王朝後半の都のあとであった。そこからは，宮殿・墓・住居のあとが発見されたほか，占いに使った文字をきざんだ亀の甲や牛の肩甲骨（この文字を甲骨文字という），みごとな青銅器具などが出土した。文字の解読などから，邑の居住者は，氏族集団を中心としており，殷王は占いや祭事をおこなう特権をもつことによって諸邑を統率するようになったと考えられている。当時の生産は農耕を主としたが，牧畜や狩猟もおこな

---

## 新 常 識　黄河文明から中国文明へ

　1990年代までの世界史教科書では一般に「黄河文明」というタイトルが使われてきた。その理由は，殷・周などの初期王朝が黄河流域で成立したことから，『史記』をはじめとする中国古代の史書が「中原」（黄河中流域の現在の河南省およびその周辺の地域）を中心に中国の歴史のはじまりを描いていること，そうした歴史観の影響をうけて，20世紀なかばまでの考古学的調査が黄河流域を中心におこなわれてきたことによる。その結果，中国文明はまず黄河流域に発生し，それが周辺にしだいにおよんでいったという一元的な中国文明発生史観が普及した。そのため教科書では「黄河文明の発生」という表現が採用された。

　しかし，1970年代から中国各地で進め

られた発掘調査により，各地の農耕文明がかならずしも黄河流域の文明の影響をうけて発生したものではなく，それぞれの地域で独自に発達したものであることが明らかになった。

　長江下流域（揚子江）の河姆渡遺跡や良渚遺跡にみられる稲作文化の遺跡の発掘が進み，この地域の文明が同時期の黄河文明に劣らない水準をもっていたこと，四川地方の三星堆遺跡では独特な青銅仮面文化が発達したことなど，これにより中国文明の発生については「一元論」から「多元論」への転換が進行し，世界史教科書でも黄河文明と並んで長江文明についても言及し，あわせて「中国文明の発生」という表現に転換した。

われていた。

　殷は前11世紀頃，現在の陝西省渭水流域から進出してきた周（前11世紀〜前256年）にほろぼされた。周は都を鎬京（現在の西安付近）におき，洛邑（現在の洛陽付近）を東の基地としたほか，一族や功臣を東の要地に配置して土地をあたえ，世襲の諸侯とした。諸侯は周王室の祖先をまつり，周王室に貢物をおさめ，軍事にしたがう義務をおった。周王や諸侯のもとには卿・大夫・士という世襲の支配層がいて土地をあたえられ，農民はそのもとで農耕生産にしたがい，養蚕などもおこなっていた。使用する用具は石器や木器を主とし，青銅器は支配層の使用する武器や祭器が中心であった。

　周の支配組織を封建制というが，それは血縁関係を中心とする氏族社会の要素をとりいれて，周王室を中心とした血縁や身分による支配秩序としてととのえたものである。また封建制の秩序を維持するために，本家や分家のあり方などを規定する宗法を定めた。このように周の封建制は血縁秩序を基準としており，ヨーロッパの封建制や日本の封建制とはもともとちがうものであった。

## 郡県制の発生：春秋・戦国

　周は前9世紀頃から諸侯の反乱や周辺民族の侵入によっておとろえ，前8世紀前半に首都鎬京を占領されて洛邑に移った（東周）。以後は，有力な諸侯が5世紀あまりにわたって統一のための激しい争いをくりひろげた。一般にこの時期の前5世紀末までを春秋時代（前770〜前403年），以後を戦国時代（前403〜前221年）という。

　春秋の諸侯は，はじめ周王室を守ろうとし，その名目で諸侯を結集した有力者は覇者とよばれた。しかし，やがて周王室は無視されるようになり，有力な諸侯が王と名のって争いあう戦国の時代となった。

　戦国の諸王は富国強兵に役立つ人物を求めた。このため実力のあるものは，血縁に関係なく要職につくようになり，世襲を重視する封建制の秩序はくずれはじめた。各国は，支配領域を広げると，領内を郡・県にわけ，王の任命する官吏に土地・人民を統治させるようになった。これを郡県制という。

## 儒家を批判 墨子

　戦乱が続いた中国の春秋・戦国時代に登場し、儒家とならぶ勢力を誇った墨家、その積極的な集団行動、「兼愛」と「非攻」を唱えて社会的な差別と大国の侵略に反対した独特な主張は注目に値する。ただ墨家の創始者である墨子(墨翟)の人生については、わずかに司馬遷の『史記』にあるくらいで詳細はわかっていない。宋または魯の出身で、最初は儒家の学問を修めたと推測され、孔子と同時代かあるいはそれ以後の人とされている。

　墨子は、孔子がめざした人間の倫理的向上による社会改革の精神は形骸化し、儒家は領主の寄生者となったとしてこれを痛烈に批判した。そして家族や国家の枠をこえた平等無差別な人間愛（兼愛）こそが戦国の対立・抗争を終結させることができるとし、さらに大国による小国への侵略を非難し（非攻）、厳格な規律のもとに組織化された武器技術者や戦術に長けた集団を編制し、自衛のための戦争を是とし、小国の防衛の任にあたらせた。

　墨子は、実生活において一切の奢侈を排除し、粗衣粗食にあまんじ、昼夜を分かたず働き続けた。「墨突くろまず」（墨子の家の煙突は黒くなるときがない）、「墨子煖席なし」（墨子の席はあたたまるいとまがない）などの言葉はそうした墨子の行動力を示している。遊説家としても行動半径は広く、縁故関係や財産、身分、容貌にこだわることなく、能力や人格によって人材を登用し（「尚賢」）、人類全体の利を追求して人民に利益をもたらさない無益な出費に反対して、葬儀の簡略化を主張する「節葬」、官能の喜びしかもたらさない音楽を否定した（「非楽」）。こうした墨家の主張に対して戦国時代の儒家である孟子は「父を無みし（無視する、あなどるの意）、君を無みする禽獣同然の」思想として激しく非難している。これは宗族的社会を基盤とし、権力に接近した儒家にとって大きな脅威となったからである。

　しかし墨子が死んだあと「鉅子」とよばれる最高指導者のもと義侠的な性格を強めつつ、厳格な規律と独自の法のもと墨家の活動は戦国時代になっても続いていたが、3派に分裂し、相互に「別墨」とよんで異端視し、秦が全国統一を成し遂げたあとの思想弾圧である「焚書坑儒」や前漢時代の儒学の官学化によって「絶学」となり、この世から事実上消滅した。

## 社会と思想界の発達

　統一をめざす激しい争いのなかで、社会や経済は急速に発達した。農業では、治水・灌漑の発達、鉄製農具の使用、鉄製の犂を牛にひかせる農耕法の発明などが生産力を高めた。商業・手工業もさかんになり、青銅貨幣が使用されるようになった。塩や鉄の売買で利益をあげた商人は

高い地位につき，財力のある農民は私有地をふやした。その反面，兵役や納税に苦しめられて没落する農民も多く，貧富の差が拡大した。

　個人の能力を重視したこの時代には思想界も活発となり，儒家・道家・法家・墨家など多くの学派がうまれ，諸子百家とよばれた。儒家は礼による秩序を説いた孔子を祖とし，孟子らがこれを発展させた。老子らの道家は儒家に反対して無為自然を説き，商鞅らの法家は法秩序を重視し，墨家は兼愛を説いた。このほか兵家・縦横家・農家・名家などがあらわれた。文学では『詩経』や『楚辞』が知られる。

## 古代統一国家の成立：秦・漢

　戦国の世は，咸陽（現在の西安付近）を都にして発展した秦（前8世紀頃〜前206年）により前221年に統一された。秦王の政は，皇帝の称号（始皇帝〈位前221〜前210〉）を使用して権威を示したほか，法家の思想をとりいれ，郡県制を全国に実施し，官制をととのえ，文字や貨幣を統一するなど，支配体制を確立するための諸政策をおこなった。また思想を統制して技

**始皇帝陵の兵馬俑**　中国陝西省，始皇帝陵の外城の東にある土坑には，ほぼ等身大の兵士や軍馬などの陶俑（兵馬俑）が多数，埋納されている。

## 中国の礎を構築 始皇帝

　始皇帝とはいったいどんな人物だったのだろうか。司馬遷が残した『史記』には「爲人蜂準長目，摯鳥膺，豺聲，少恩而虎狼心」（始皇帝は鷲のような鼻をもち，眼は細く，鷹のような胸をして，声は山犬（豺）のようである。しかも恩は少なく，虎か狼の心をもっている）とある。実際のところ始皇帝は反乱をおこしたかどで実の母の愛人を車裂きの刑に処して一族を抹殺しているし，また数百人ともいわれる儒学者を生き埋めにして殺害している（坑儒）。これだけでも充分，冷酷非情な性格を推測させる。

　さらに，猜疑心が強かったことでも知られる。そのため有力な将軍の1人であった王翦は始皇帝の性格を見抜いていたので，命令を受けて楚にむかう際に何度も最上の田地・邸宅を賜りたいとくりかえし懇願した。これに対して部下の1人が，「将軍のおねだりも度が過ぎます」と忠告したところ，王翦は「わからぬか，王は冷酷で，他人を信頼できない人間だ。私に全軍をあずけたいま，不安をもっているにちがいない。財産ばかり気にかけているようにみせかけねば，疑われてしまう」。

　しかし，こうした記録に残る負の側面は後世の儒学者による作為がみられ，そのまま信頼することはできない。事実，始皇帝は従来の慣習にとらわれない，進取の気質をもっていたし，上奏された問題に対して事の軽重を問わず，始皇帝みずからがすべてを決済し，それを処理しおわらねば休憩することがなかった。灌漑用水路の建設によって国力を増加させ，身分ではなく実力主義を優先し，李斯・蒙恬などの有能な官僚や軍人を登用し，兵馬俑にみられるように多種多様な民族を採用し，長い戦乱に苦しむ民衆の平和への希求に答えたことなど，中国が一つの国家としてその後2千年以上続く礎をきずいたのである。この点始皇帝の業績は高く評価されねばならない。ただ始皇帝は，晩年，死に対して恐怖をもったらしく，神仙思想に傾倒し，仙術をおこなう方士である徐福（徐市）に命じて童男童女数千人をひきいて東方の海中の蓬萊・方丈・瀛州の3神山に派遣し，不老不死の仙薬を探させている。

　術書などをのぞく民間の書物を焼いたり（焚書），学者を弾圧したり（坑儒）した。対外的には，北の匈奴を討ち，長城を修築してその侵入にそなえ，南はベトナム北辺までを支配下にいれた。しかし，外征や大土木事業は民衆を苦しめ，諸改革は戦国以来の旧勢力の反感を強め，始皇帝の死後まもなく，陳勝と呉広を指導者とする農民の反乱などがおこって，秦はほろんだ。

**漢代のアジア**

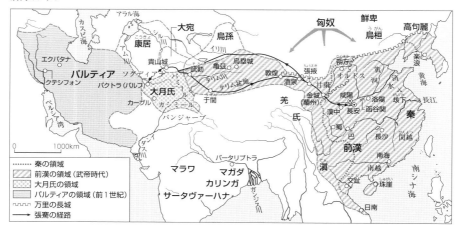

　秦にかわって統一を実現したのは漢の高祖劉邦〈位前202～前195〉である。農民出身の彼は、楚の項羽〈前232～前202〉を破って帝位につき、長安を都とする漢(前漢)王朝(前202～後8年)をたてた。高祖は、急激な改革をさけ、郡県制と封建制をくみあわせた郡国制をおこなった。諸侯には、はじめ一族や功臣をあてたが、やがて一族でかため、さらに一族諸侯の実権もうばった。このため諸侯の反乱(呉楚七国の乱、前154年)を招いたが、これを平定して国力を充実し、武帝〈位前141～前87〉時代に中央集権体制を確立した。

　武帝は、はじめて元号(年号)を定めたほか、郷挙里選という推薦制の官吏登用法をおこない、董仲舒の意見で儒学を官学とするなど諸制度をととのえ、治水・灌漑を進めて土地の開発や生産の向上につとめた。対外政策も積極的に進め、高祖以来和親策をとってきた匈奴を攻撃して北にしりぞけた。このとき武帝は、中央アジアの大月氏と同盟して匈奴をはさみうちにしようと考え、張騫を派遣したが同盟は成功しなかった。しかし、彼の報告によって西域の事情を知った武帝は、使者や遠征軍を送り、西域経営のもとをひらいた。武帝はまた南越を討ってベトナム北部を支配したほか、朝鮮半島北部を支配して楽浪などの4郡をおくなど各地に遠征して領域を広げた。

　しかし、大規模な外征は多くの経費を必要とし、財政は急速に悪化した。また、これをきりぬけるための増税は民衆を苦しめ、物価の安定をめざ

## 張騫と絹の道

　張騫の西域への旅は困難の連続であった。地図もなく，事情もわからず，敵である匈奴が出没し，旅宿があるわけでもなく，食糧や水の補給が保証されているわけでもなかったからである。第1回目の派遣である大月氏国への旅は，従者100人余りをしたがえて出発した。一行には騎馬がしたがい，食糧や月氏への礼物を運ぶ馬車などが仕立てられた。しかし，100人余りの馬車の隊列が目立たないわけはなく，まもなくして匈奴の軍隊にとらえられた。抑留10余年ののち脱出し，ようやく大月氏に到達した。張騫の使命は匈奴挟撃のための同盟結成にあったが，すでに肥沃な土地に平和裡に居住していた大月氏国の女王は匈奴との戦いに消極的で，同盟結成は不首尾におわった。

　帰途ふたたび匈奴にとらわれたが，内紛に乗じて脱出し，前126年長安に帰着した。この帰国の際，『漢書』には張騫は匈奴人であり，張騫の探検に大いに協力した甘父だけを連れて帰国したとあるが，『史記』には帰国の際に捕虜の期間，家庭生活を共にした「胡妻」（匈奴人妻）をつれて帰ったとある。もしこれが事実とすれば，「胡妻」と張騫との仲は想像以上にむつまじかったと推測できる。帰国後，西域の情報通であることから重用され，インド（身毒）へのルート開拓のプラン策定もおこない，さらに烏孫との同盟を強化し，彼らを河西回廊に移住させるための使節として派遣されたが，烏孫の拒否にあって失敗におわった。

　こうして張騫の探検によって西域の事情が中国に伝えられ，その結果，東西貿易が開花し，多くの西方の物産，たとえば「汗血馬」やウマゴヤシ（苜蓿），ザクロ（石榴），ブドウ酒，さらに「胡」と名づけられた物産であるキュウリ（胡瓜），クルミ（胡桃），ニンニク（胡蒜または葫），ゴマ（胡麻），コショウ（胡椒）など多くの物産がもたらされた。これらの商品は張騫が直接もって帰ったとの記録もあるが，大月氏国への旅の場合，内紛に乗じて脱出して命からがら帰国したことを考えると，植物の種子や商品をもち帰る余裕はなかったろう。張騫の西域への旅の衝撃が大きかったからこそ，後世にも長く伝えられ，張騫が直接もたらしたとされたと推測される。

した均輸・平準のような政策や塩・鉄などの専売は国が利益を独占するものとして社会の非難をあびた。そのうえ，武帝の死後は，官僚・宦官・外戚の権力争いが激しくなり，地方の豪族も力をのばして漢の支配力を弱め，前漢は外戚の王莽にほろぼされた（8年）。

　王莽は，国号を新（8〜23年）と改め，周の制度を手本とする復古政策

6　中国古代統一国家の成立　49

を進めた。しかし，土地制度の改革・貨幣の改鋳・専売の強化などは，社会の実情にあわず混乱を増した。そのうえ飢饉にみまわれ，農民の反乱（赤眉の乱，18〜27年）などもおこって新はまもなくほろんだ（23年）。新にかわって統一を実現したのは，後漢（25〜220年）の建国者光武帝劉秀〈位25〜57〉である。漢の一族であった彼は，豪族たちの支持をえて帝位につき，洛陽に都を定めた。

　後漢の初期には内政がととのい，匈奴の征討や西域経営も進められた。また西域都護の班超が部下の甘英を大秦（ローマ）の東方領に派遣し，2世紀に大秦王安敦の使者と名のるものが海路中国に到着するなど，東西の交渉もみられた。しかし，1世紀末頃からは，外戚や宦官・官僚の政権争いがおこり，宦官の横暴を批判した官僚が弾圧されるなど政治の乱れが激しくなった。そのうえ2世紀末には宗教結社の太平道が指導する農民反乱（黄巾の乱，184年）がおこり，これを機に豪族や武将たちを主とする群雄も各地でたちあがり，後漢は混乱のうちに滅亡した（220年）。

## 統一国家の社会と文化

　統一の実現によって農業生産は向上し，商業や手工業も発達したが，繁栄のなかで社会はしだいに変化した。中小農民は人頭税や財産税を負担し，労役や兵役にもあたったので，外征や増税は，生活を苦しめ，没落するものが多くなった。一方，財力のあるものは没落農民やその土地を手にいれ，一族を中心に地方で豪族とよばれる勢力をきずいた。しかも，彼らの多くは郷挙里選によって官僚となり，政治を動かすようになった。新や後漢は，こうした豪族の支持と協力のもとに成立したといわれ，漢の支配力はしだいにおとろえた。

　この時代には，秦が法家，漢が儒家の思想をとりいれたように，思想の統一と固定化が進んだ。このため後漢では，儒学の古典に注釈を加える訓詁の学が栄えた。また統一の実現によって歴史への関心も高まり，前漢で司馬遷〈前145頃〜前86頃〉の『史記』，後漢で班固〈32〜92〉の『漢書』などすぐれた歴史書がつくられた。後漢の時代に製紙技術が改良されて紙が普及し，これが文化の普及と発達に貢献した。また美術・工芸では，すぐれた青銅器具をはじめ漆器や絹布などがつくられた。

## 7　内陸アジア

**遊牧と隊商**

　モンゴル高原から南ロシアにかけての草原地帯は，家畜を追って移動する平和な遊牧民の居住地であった。彼らが戦闘的な騎馬民族となったのは，イラン系遊牧民のスキタイ人がうみだした武器・馬具などに代表される騎馬文化をうけいれてからである。前3世紀頃，モンゴル高原から中国北辺やタリム盆地周辺に進出した匈奴は最初の代表的な民族である。匈奴がおとろえたのちも騎馬民族の活動は続いた。4～5世紀には中国をおびやかした五胡（匈奴・鮮卑・羯・氐・羌）とよばれる民族や柔然，ヨーロッパに侵入したフン，6～9世紀に内陸で活動したトルコ系の突厥やウイグル，東ヨーロッパに侵入したマジャール，10世紀頃から中央アジアや西アジアなどで活動したトルコ系諸民族，13世紀に大帝国をきずいたモンゴル人などはその例である。彼らは周辺の農耕文化圏をおびやかしたが，各文化圏の交流や文化の発達をうながすうえで大きな役割もはたした。

**遊牧の世界**　モンゴル高原8月のゴビアルタイの大地。すがすがしいさわやかな空気のなか，陽が昇り，搾乳をおえたヒツジとヤギが放牧される。左にゲル，右奥にはアルタイ山脈の連なりがみえる。

# 東西交渉 I

## 文明間の交渉

　ユーラシア・北アフリカの各地には、豊かな農業生産に基礎をおく古代文明が誕生し、いくつかの文明圏が形成された。各文明圏は相互に遠くはなれ、また海・山・砂漠などの自然の障壁で囲まれている。したがって、それぞれの圏内では独自の文化の発達をみたが、他方で、そうした障壁をこえた文明間の交渉も、とだえることなく続けられてきた。

　文明間の交渉は、征服・民族移動・旅行といった人間の移動、交易活動にともなう物資の移動、仏教・キリスト教・イスラーム教をはじめとする宗教や思想の伝播、文字の使用・製紙法・印刷技術などの知識や技術の伝達というかたちをとり、そうした交渉によりしばしば歴史上のあらたな展開がもたらされた。

## 草原の道・絹の道

　文明間の交渉の動脈となったのは、ユーラシア大陸の東と西を結ぶ陸上・海上の交通路であり、北から「草原(ステップ)の道」「絹の道」(オアシスの道)「海の道」という3系統の道にまとめることができる。このうち、モンゴルからアルタイ山麓をへて南ロシアにいたる「草原の道」では、遊牧騎馬民族の活動がみられた。スキタイ・匈奴・トルコ民族・モンゴル民族をはじめとする諸民族は、侵略や征服によって農耕社会の諸国家をおびやかすこともあったが、一方では物資の移動や文化の伝播の仲介者としての役割もはたした。中国の長城地帯の各

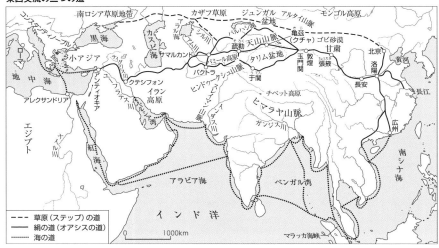

東西交流の三つの道

**正倉院に伝わるイランの工芸品** 活発な東西交渉を示している。左からササン朝の水瓶、隋の鳳首瓶、正倉院にある漆胡瓶。

地には、はやくから遊牧・農耕両民族の物資交換の場としての交易都市（胡市）がもうけられていた。

「草原の道」の南には、乾燥地帯のオアシス都市を結ぶ「絹の道」が通じている。これは隊商の往来する道であり、中央部で天山北路と天山南路（北道と南道がある）にわかれている。絹や製紙法が西方世界にもたらされ、仏教・ゾロアスター教・景教（ネストリウス派キリスト教）・イスラーム教などが中国に伝わったのは、この道をつうじてであった。日本はこの道の延長線上にあり、正倉院に伝わるイランの工芸品は、古代における活発な東西交渉のあかしである。しかしこの道も、15世紀以後、海の道に役割をうばわれて衰退した。

## 海の道

「海の道」もはやくから利用されてきた。1～2世紀になると、インド半島の諸港を中継地とし、東アジア・東南アジアと西アジア・ヨーロッパとを結ぶ航路と、そこにおける貿易活動のようすが明らかになる。全盛期の古代ローマ世界では香辛料・絹・宝石など東方の産物の需要が高まり、大量のローマ金貨が国外へ流出したという。8世紀以後、海の道による貿易はイスラーム教徒の商人によってさらに発展し、彼らの居留地がアフリカ西海岸から東南アジア・中国にいたる各地の港にもうけられた。その活動はまたイスラーム教の伝播をもたらした。

海上の道は、重くこわれやすい陶磁器の輸送に適しており、宋・元時代以後、中国産の陶磁器が大量にイスラーム世界・ヨーロッパ世界に運ばれた。このため「海の道」は「陶磁の道」ともよばれる。15世紀末になると、ヨーロッパ人が喜望峰をまわって来航し、イスラーム商人から海上貿易の主役の座をうばった。

## 草原の民の生活と文化

草原の遊牧民は，中国の約2倍の土地に住み人口は40分の1にすぎない。水資源が乏しい草原では農業はできず，馬や羊の飼育が経済をささえている。農業地やオアシスの定住民との交易で自給のために最低必要な穀物・織物・茶・武器の材料などが手にはいれば，彼らの生活は成り立つ。この世界では都市は育たず，文字や文学の発達もかぎられ，精神面ではシャーマニズムという天地万物の精霊への信仰が彼らの世界観の底にあった。

遊牧民は，羊皮で上着やズボンをつくり，羊肉を食べ，馬乳や羊乳でチーズやバターをつくり，馬を放牧や交通・戦争に使った。動物こそは衣食住の貴重な資源であり，基本財産である馬や羊を養うために，組立て式のテント（ゲル）をたずさえて夏営地と冬営地のあいだを定期的に移動し，同一祖先の家族集団（氏族）が共同生活をおこなった。この巡回移動をめぐって草地の使用の権利がうまれ，秩序をあたえる首長が求められた。不安定な経済にゆとりをもたらすために，首長は商業の増大と軍事の拡張をめざした。

もともと自立性と適応力に富む草原の民は，こうした首長のもとで日常の社会組織と緊急の軍事組織を結びつけた部族社会組織をつくりだし，これらが連合統一して遊牧国家がうまれた。鉄あぶみと強い弓矢をそなえる草原の騎兵は，15世紀に火器が登場するまで戦闘で猛威をふるい，一方，中国などから行政技術を吸収していくつかの大帝国（匈奴，鮮卑，柔然，突厥，ウイグルなど）をつくった。

---

中国西北辺からタリム盆地周辺をとおって西方にいたる帯状の地域は，オアシス農耕に適し，かつ東西を結ぶ内陸交通の要路であった。このため，イラン系の先住民たちはオアシス都市をたてるとともに，ソグド人のように隊商民として東西間の中継商業に活躍するものもいた。この道は，絹の道（シルク・ロード）とよばれているように，東西の交易がさかんであったため，農耕社会や遊牧社会の諸民族が進出し，交易の利益を求めて激しく争う地域ともなった。

### 諸民族の興亡

中央アジアでは，イラン（アーリヤ）系の先住民族がはやくから活動していた。しかし，前6世紀には西アジアからアケメネス朝がこの地域に進出し，ついでアレクサンドロス大王による東方遠征後の前3世紀にギ

リシア系のバクトリア(前255頃〜前145頃〈前130年頃説もあり〉)が成立するなど，新しい動きがはじまった。前2世紀になると東方から移動してきた月氏が大月氏国をたて，漢による西域経営もさかんにおこなわれた。2世紀になると，イラン系のクシャーナ朝が栄え，4世紀には西域諸国が繁栄した。5世紀になると，トルコ系ともイラン系ともいわれるエフタル(5〜6世紀)が強力となったが，6世紀には，これをほろぼした突厥の支配が進み，この地域のトルコ化がはじまった。その後は，唐の西域経営が進み，ついでアラブ人の進出をみたが，9世紀にモンゴル高原からウイグル人が移動してきたことによって，中央アジアのトルコ化は決定的となっていった(トルキスタンの成立)。

# 8　南北アメリカ文明

### 諸文明の変遷

　スペインによる征服以前のアメリカ大陸には，二つの文明が栄えていた。メキシコ高原のアステカ文明と，アンデス地方のインカ文明である。これらの文明の担い手は，コロンブスがインディオ（インディアン）と名づけた人びとで，彼らは，ベーリング海峡がまだアジアと地続きであっ

インカ帝国の遺跡マチュ・ピチュ　ペルーのアンデス山中にあり，建築技術の優秀さがわかる。

た古い時代にアメリカへ渡来したと推定される,モンゴロイド系の人種であった。

両文明の共通点は,トウモロコシ栽培を主とする農業を土台としていたことであり,このほかジャガイモ・サツマイモなども独自の農産物であった。彼らは,牛馬も犂や車も用いずに,人力だけで耕作をおこなった。両文明とも,金・銀・銅は用いていたが,まだ鉄器の製造を知らなかった。社会・政治の面では,祭政一致の神権政治,階層的分業,大規模な公共建造物など古代オリエントと似たところがある。

メキシコ湾岸では,メキシコ高原のテオティワカン文明やユカタン半島を中心とするマヤ文明が栄えた。そこでは巨大な神殿・ピラミッドがたてられ,また複雑な文字,二十進法による計算,精密な暦法などが考案された。こうした背景のうえに,14世紀なかばアステカ人がテノチティトランを首府とするアステカ王国を建設した。

アンデス地方北部では15世紀なかば以来南ペルーから台頭したケチュア人が大征服をおこない,コロンビア南部からチリにおよぶインカ帝国を建設した。彼らは高度の石造技術によって大きな神殿・宮殿・灌漑施設・道路などをつくり,宿駅や飛脚の制度ももうけ,また文字はなかったが縄の結び方で意味や数量を示す方法(キープ)を知っていた。国王は太陽の子として絶大な権力をふるい,太陽神のためには人身御供の儀式がおこなわれた。

→シャルトル大聖堂のステンドグラス 建築技術の進歩により,ゴシック様式では窓が広くなり,色彩豊かなステンドグラスが使われるようになった。写真は隣人愛と永遠の命についてイエスが語ったとされる「善きサマリヤ人のたとえ」を描いている。

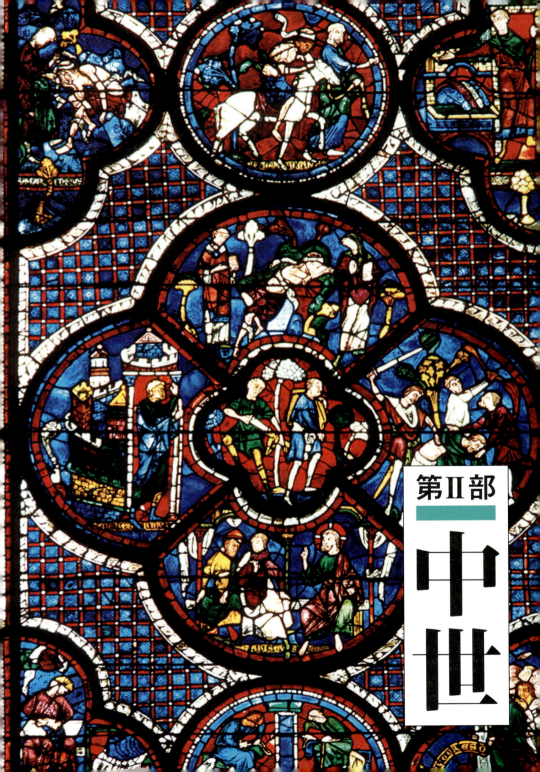

第Ⅱ部

中世

## 人びとの移動と宗教の広がり

中世の時代，人や民族の移動によって現代につながる特色ある地域社会が形成された。宗教の面では，ヨーロッパではキリスト教，西アジアではあらたに登場したイスラーム教，インドではヒンドゥー教，中国では儒教などが，人びとの社会生活の規範を規定した。そして各地域社会は交易活動をとおして経済的・文化的に密接に結びつき，都市が発達した。

**メッカ巡礼のミニアチュール（細密画）** ユダヤ教やキリスト教の影響をうけて7世紀にイスラーム教が誕生した。巡礼の一行には護衛がつき，にぎやかなキャラヴァンを編成してメッカにむかう。

↑バイユーのタペストリ（綴織）　イングランドの地に，ヴァイキング船でノルマン軍がむかう場面。108ページのコラム参照。

↓インドのヒンドゥー寺院　4世紀になると，インドでは仏教にかわって，ヒンドゥー教が社会に定着するようになった。写真はインド東部，オリッサ州コナーラクの太陽神殿。『リク・ヴェーダ』に登場する太陽神スーリア（日輪）を祀る。

聖母子像を描いたイコン（聖画像）　イコンはビザンツ文化の特徴である。コンスタンティノープルのギリシア正教会からキエフ大公におくられたと伝えられる「ウラディミルの聖母」。12世紀。

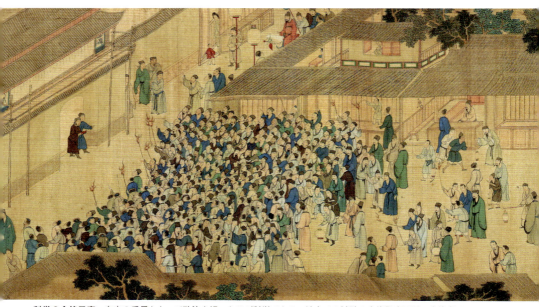

**科挙の合格発表** 皇帝の手足となって政治を担ったのが科挙である。地方での試験の合格発表風景，合格者はさらに中央の統一試験と殿試（皇帝の面前での試験）をうけなければならなかった。69ページのコラム参照。

**宋代の都市の繁栄** 船の航行の便をはかったアーチ形の虹橋の上には多くの露店がでて，にぎわっている。北宋末の張択端『清明上河図』より。

第**2**章

# 東アジア世界

## 東アジア世界と中国史の大勢

　東アジア世界の文化的中心をなしてきた中国の歴史は，長いあいだ，分裂の時代と統一の時代とをくりかえしながら展開している。

　その間には，北方諸民族との激しい戦いもくりひろげられ，彼らの支配下におかれる事態を招いてもいる。こうした形勢のなかで，分裂の時代には，新しい思想や文化がおこっているし，統一の時代には，儒教を思想的なささえとする官僚制の王朝国家の体制を確立してもいる。しかも，その制度や文物は，中国に隣接する諸民族や国家に伝わり，その影響のもとに，それぞれが独自の文化をうみだすとともに，中国文化を中心とする東アジア文化圏をつくりだした。また北方民族などの侵入や支配をうけながらも，中国世界は，時代の経過とともに広がりを示し，隣接諸地域との交渉をつうじて，多くの民族とその文化的要素をふくむ現在の多民族国家中国の領域を形成したのである。

## 1　中国貴族社会の成立

### 分裂と諸民族の侵入：魏・晋・南北朝

　後漢末に華北で勢力をのばした曹操〈155 ～ 220〉の子の曹丕〈位220 ～ 226〉が後漢をほろぼして魏（220 ～ 265年）をたてると，劉備〈位221 ～ 223〉が四川で蜀（221 ～ 263年）を，孫権〈位229 ～ 252〉が江南で呉（222 ～ 280年）をたて，中国は三国分立の時代となった。その後，魏が蜀をほろぼし，魏の武将司馬炎（武帝〈位265 ～ 290〉）が魏をほろぼして晋（265 ～ 316年）をたてた。晋は呉をほろぼし，中国を統一したが（280年），まもなく一族

1　中国貴族社会の成立　**61**

の争い(八王の乱，290 ～ 306年)によっておとろえた。

　そのころ，北辺では，匈奴をはじめとする諸民族の勢力が強くなっていた。彼らは，匈奴が南下して晋をほろぼすと，いっせいに華北に侵入し，1世紀あまりにわたってあい争う五胡十六国の時代(304 ～ 439年)となった。一方，晋の一族は江南で東晋(317 ～ 420年)をたて，これに対抗した。華北の戦乱は，山西省の平城(現在の大同)を都とする鮮卑系拓跋氏の北魏(386 ～ 534年)によって5世紀に統一された。そのころ，モンゴル高原では柔然が強力となって北魏と対抗し，江南では東晋にかわって宋(420 ～ 479年)が成立していた。これ以後の中国を南北朝時代(439 ～ 589年)といい，北朝で5王朝，南朝で4王朝が興亡した。

## 貴族社会の成立とその文化

　混乱のなかで統一をめざした諸王朝は，支配体制を強化するために人材の登用や財政の確保につとめた。魏が九品中正という官吏登用法や屯田という土地政策をおこない，晋が占田法や課田法をおこなったのは，その例である。しかし，その政策は，豪族の社会的地位を強める結果となった。ことに九品中正は，有力な豪族が門閥貴族となるもとになった。こうしたなかで，北朝では皇帝中心の中央集権支配がおこなわれ，南朝では華北から移住した貴族たちが社会的実力をもち，皇帝の権力は弱かった。このため，北魏の孝文帝が洛陽に都を移し，財政を確保するために均田制をおこない，皇帝権を強化したような動きは，南朝では弱かった。しかし，南朝では，貴族社会のもとで江南の開発が進み，やがて中国の経済的中心となるもとがひらかれた。

　自由な気風をもつ貴族社会の発達した江南は，文化の中心となり，詩(田園詩人陶淵明や『文選』の編者梁の昭明太子など)・書(書聖王羲之など)・画(『女史箴図』で知られる顧愷之など)などに代表される貴族文化が栄え，六朝文化とよばれた。この時代には漢代に重視された儒学はふるわず，老荘思想がうけいれられ，貴族社会では，哲学的な談論(清談)が好まれた。

　政治的に不安定な社会では宗教がうけいれられ，漢代に伝わっていた仏教がさかんとなり，鳩摩羅什は仏典の翻訳に従事し，敦煌・雲崗・竜門には石窟寺院が造営された。一方，古くからの神仙思想や道家思想などを源流とし，現世利益的な道教が確立した。

## 書芸術の新展開 王羲之と顔真卿

中国における書芸術（書道）が，いつからはじまったのかは定かではない。殷代の甲骨文にも様式美があるとの指摘がある一方で，前漢時代でも書芸術は成立していなかったとする説もある。ただ一般的には魏晋南北朝時代頃に書芸術が成立したとされ，そこで注目されるのが東晋の王羲之と唐の顔真卿である。

4世紀に活躍した王羲之（307頃～365頃）は東晋の書家・政治家で，漢・魏以来の諸家の書を集大成し，さらに楷書・行書・草書の各体で格調高く調和のとれた書体を確立し，書芸術の新天地を切り開いた。その書風は南朝からさかんにおこなわれたが，唐の太宗に尊崇されるにいたって伝統的な書法の主流となり，書聖とあおがれた。真筆の作品は現存しておらず，現在みることができるのは王羲之の書を学んだ者たちが書き写した「臨本」や，原本に紙を乗せて字形をなぞった「摸本」のみで，その作として名高い『蘭亭序』も何度も模写を経

て伝えられたものしか残されていない（ただ唐の太宗が自分の陵墓である昭陵に『蘭亭序』を副葬させたという話が残っている）。

彼は東晋の貴族出身の官吏だったが，中央政治になじむことができず，首都の建康を離れて地方官となった。しかし以前から犬猿の仲だった王述が上司になったことから辞職を決意し，退任後は，悠々自適の生活を送った。

これに対し顔真卿（709～785頃）は8世紀に活躍した唐の忠臣で，755年の安史の乱に際しては従兄らとともに義勇軍を組織して戦ったが，宦官や宰相にうとんじられ，数度の地方転出の憂き目にあった。書家としての彼は，中国の主流をなしてきた典雅な王羲之の技法に反発して書の革新をめざし，「蚕頭燕尾（蚕の頭のような丸い書き出しと燕の尾のように広がった右払い）」とよばれる，力強い直筆のなかに美しさを秘めた独特の楷書を確立した。2人は中国書跡の双璧として讃えられている。

# 2 律令国家の成立

### 律令体制の成立と動揺：隋・唐

南北朝の分裂は，北朝からでた隋（581～618年）の楊堅（文帝）〈位581～604〉によって統一された（589年）。文帝は長安付近に新都（大興城）をきずき，官制を改め，貴族を地方官に任命することをやめ，試験による官吏の登用（科挙）をおこなうなど，皇帝権の強化をはかった。また均田制

**隋・唐時代の中国**

による財政の確立，府兵制による軍事力の強化をはかり，華北と江南を結ぶ大運河の建設に着手した。大運河は煬帝〈位604〜618〉のとき完成し，南北を結ぶ政治・経済・軍事上の大動脈として重要な役割をもつようになった。しかし，社会がまだ安定しないうちに，諸制度の改革や大規模な土木事業を進めたうえ，突厥など周辺諸国に遠征したことは，民衆の苦しみを増し，貴族の反感をも強めた。このため，煬帝が3回にわたる高句麗遠征に失敗すると，各地で反乱がおこり，隋はほろんだ（618年）。

　隋にかわって帝位についたのは，山西で挙兵し，大興城（長安）を占領していた唐（618〜907年）の李淵（高祖）〈位618〜626〉である。唐の支配体制は，つぎの李世民（太宗）〈位626〜649〉の治世にかけて確立され，均田制，租（田税）・調（絹などの税）・庸（中央政府の労役）の税制，兵農一致の府兵制を基礎におく律令政治がおこなわれた。三省・六部の中央官制や律（刑法）・令（行政法など）の整備，科挙制の強化などは，この基礎のうえに成り立っていた。対外的には，突厥や西域諸国，東北の諸部族，ベトナム北部などをしたがえ，その地に都護府をおいて統治した。

　唐の支配は7世紀末に動揺し，則天武后〈位690〜705〉が政権をにぎって帝位につき，周と号した。混乱は玄宗〈位712〜756〉初期の改革によっておさまったが，晩年には楊貴妃の一族を用いて政治をみだし，地方軍

## 女性皇帝 則天武后

　中国の歴史上唯一の女性の皇帝，それが則天武后（または武則天）である。「則天」とは広大無辺の天空をわがものにした絶大なる存在という意味である。そもそも則天武后は中国の正史である『旧唐書』，『新唐書』，『資治通鑑』などでは権力欲に満ちた「悪女」とされ，新唐書では「君を弑し国を簒った主」という表現さえみえる。事実，権力を獲得するために陰謀を何度も仕掛け，密告制度を多用して政敵を殺害・処刑・流刑にするばかりでなく，夫の高宗の一族はもとより，身内である実子や姉とその息子などにもためらうことなく手をかけた。

　それでは本当に悪女だったのだろうか。彼女はいわばゼロから出発して，おのれの才覚と知力だけで権力の頂点にたった人間である。男性でも皇帝になることは難しいのに女性蔑視の強い当時にあって，それを実現したことは驚嘆に値する。その過程で生じた権謀術数や殺人は世界の歴史では一般的で，則天武后だけのものではない。しかも古い家柄の有力貴族官僚を排除し，冷静な知力を持つ狄仁傑，不屈の闘志をもつ魏元忠，廉直な徐有功，勇気のある宋璟などの人材，とくに寒門（貧しい家柄）階層の有能な人材を積極的に登用し，一つの転機をつくりだした。則天武后は，人物を見抜く眼識を備えていたのである。

　また文化面では文化人を保護するとともに則天文字という独自な文字を作成し，道先仏後（道教を優先し仏教を後にする）を仏先道後にあらためて仏教を保護し，各地に寺を造営した。また多くの著述もおこなった。政治的には夫である高宗が病みはじめた660年頃から本格的に政事にあたり，均田制や租庸調が課題をもちつつあった時代にあって，内外の問題を解決して体制の安定を実現した。従来使われてきた用語である武后と韋后による「武韋の禍」（政治の混乱）の「禍」ではないとして，最近では「武周革命」という表現が使われている。則天武后の主導のもとに唐にかわって，古来理想とされていた周の時代を実現するべく国号を改め，都を長安から洛陽に遷都し，人心を一新したからである。

団の長官である節度使の安禄山・史思明による乱（安史の乱，755〜763年）を招いた。乱後の唐は，宦官の横暴，節度使の反抗，隣接諸民族の侵入などによってしだいにおとろえた。また増税などによって均田農民が没落し，貴族による大土地所有（荘園）が進み，律令体制の基礎もくずれはじめた。府兵制は募兵制にかわり，租・庸・調の税制は現有財産に課税する両税法となり，塩などの専売もおこなわれるようになった。こうしたなかで，9世紀末には塩の闇商人である黄巣や王仙芝を指導者とする

農民反乱（875 〜 884年）もおこり，唐は節度使朱全忠にほろぼされた（907年）。

## 貴族文化の成熟

　一大帝国をきずいた唐では，国際色の豊かな貴族文化がうまれた。しかもそれは隣接する諸国に伝わり，その影響下にそれぞれ独自の文化をうみだしながら，唐を中心とする東アジア文化圏が成立した。詩は李白・杜甫・白居易（白楽天）らがあらわれ，唐詩とよばれるほど栄えたほか，書では顔真卿，画では山水画で著名な呉道玄らが活躍し，新しい書法や画法もうまれた。文章では古文の復興がとなえられたりしたが，儒学は訓詁の学にとどまった。

　宗教では仏教・道教がますますさかんとなった。ことに仏教では，7世紀にインドにわたった玄奘や義浄が経典をもちかえることによって教理の研究が進み，多くの宗派もうまれた。また首都長安や広州・揚州などの港にはイランやアラブの商人などがさかんに往来し居住もしたので，西方のゾロアスター（祆）教・マニ教・ネストリウス派キリスト（景）教・イスラーム（回）教などが信仰された。工芸の発達も著しく，唐三彩などのすぐれた陶器がつくられた。

## 隣接諸国の自立

　北アジアでは，6世紀中頃にトルコ系の突厥（552 〜 744年）が柔然をほろぼして勢力をのばし，中央アジアを支配する大国家をたてた。しかし，同世紀末にはモンゴル高原の東突厥と中央アジアの西突厥とに分裂し，7世紀に唐の征討をうけておとろえた。かわって8世紀にはウイグル（744 〜 840年）が強力となったが，9世紀にほろんだ。突厥もウイグルも独自の文字をもつ騎馬民族の国家であった。

　西方のチベットでは，7世紀に吐蕃がおこり，インドや唐と交流してチベット仏教をうみ，独自のチベット文字もつくった。また雲南では，8世紀に南詔（？〜 902年）が独立したが，10世紀からは大理国（937 〜 1254年）が栄えた。

　朝鮮では，漢の武帝が前2世紀末に衛氏の朝鮮をほろぼして4郡をおいてから漢文化が広がった。4世紀には高句麗（前1世紀頃〜 668年），

## さまざまな復元船

　世界各地で独自な帆船が造り出されたが、それらのほとんどは失われた。しかし万国博覧会などの世界的な行事や地域振興施策を目的に、歴史上有名な帆船を復元する試みが各地でおこなわれている。万博などの行事に関連して復元された実物大帆船の一つとして、遣唐使船がある。角川文化振興財団が2010年の上海万博を記念して「遣唐使船再現プロジェクト」をたちあげ、これによって復元したもの、平城遷都1300年祭の開催を記念して平城京歴史館の屋外に復元したもの、そのほか広島県呉市長門の造船歴史館にある地元の船大工が復元したものなどがある。

　1992年開催のセビリヤ万国博覧会の際には、アメリカ到達500年を記念してコロンブスの大西洋横断航海のときに使われたサンタ・マリア号が復元され、また、サンタ・マリア号という名称の帆船型の観光船が大阪の天保山で運行されている。そのほ

**オランダ東インド会社の船**　遠方への航海がふえ、西ヨーロッパでは長い航海に耐えうる船の建造技術が発達した。写真は復元されたオランダ東インド会社の船。

か復元された帆船には、マゼランが世界周航に使ったヴィクトリア号、ロンドンのグリニッジに係留されていた帆船時代の最後を飾る高速帆船カティサーク号（2007年の火事でいったんは全焼したが復元された）などがある。

　地域振興策の一環としても、実物大帆船が復元されている。日本では今から約400年前ヨーロッパにわたった仙台藩士支倉常長ら慶長使節を乗せて太平洋を往復した木造帆船サン・ファン・バウティスタは宮城県慶長使節船ミュージアム（愛称はサン・ファン館）、オランダ東インド会社の復元帆船である「バタビア」はオランダのレリスタッド、1868年に沈没した徳川幕府所有の開陽丸は北海道江差町に復元されている。

**遣唐使船**　広島県呉市の音戸の瀬戸を渡る復元された遣唐使船。

2　律令国家の成立　67

新羅（4世紀なかば〜935年）・百済（4世紀なかば〜660年）などが分立したが，7世紀後半に新羅が唐と協力して百済・高句麗をほろぼし，ついで唐の勢力をしりぞけて統一を実現した。新羅は唐の制度を採用し，高度の仏教文化をうんだ。また中国東北には高句麗がほろんだのち渤海（698〜926年）がおこり，唐や日本とも通交して栄えた。

**慶州仏国寺** 新羅仏教の中心である仏国寺の紫霞門には青雲橋と白雲橋がかけられ，仏の世界にはいる段階を示す。

　日本と大陸との交渉は古く，漢代の歴史書に倭の名でみえ，『魏志』倭人伝には3世紀頃の邪馬台国の記事がみえる。4世紀以後は大和政権による統一が進み，5世紀には東晋や南朝の宋に使者を派遣している。また6世紀頃までには，儒学や仏教なども流入している。7世紀の初めから遣隋使・遣唐使を送るようになり，留学生や留学僧の往来もはじまり，中国の制度や文化をとりいれ，645年に大化の改新をおこなって律令国家へと進んでいった。

# 3　中国社会の新展開

### 武人政治の興亡：五代

　唐末，地方で勢力をふるっていた節度使は，唐がほろぶとそれぞれ独立したので，中国はふたたび分裂状態におちいった。この時代を五代（907〜979年）といい，わずか半世紀あまりのあいだに多くの国が興亡した。これらの諸国では武力を背景とした政治（武断政治）がおこなわれ，部下のものが武力で君主を倒して政権をとることがくりかえされた。

　五代の時代は，中国社会の転換期でもあった。唐末以来の戦乱によって，これまで政治や経済の実権をにぎっていた貴族が没落し，かわって新興地主が登場してきた。彼らはつぎの時代に，支配層として大きな役割をはたすようになる。

## 官僚制国家の成立：宋

　五代最後の王朝の節度使であった趙匡胤（太祖〈位960〜976〉）は部下におされて960年に宋（960〜1276年。北宋は960〜1127年）をたて，開封に都した。宋はやがて中国を統一したが，文治主義政策をとり，節度使を廃したりその実権をうばったりして文官の官僚を重用し，中央集権をおこなって皇帝の権力を強化した。官僚はおもに新興地主や富商の子弟が科挙によって任命されるようになり，官僚をだした家は官戸として徭役

# 科挙の功罪

　科挙は隋の時代に創設されたが，官吏登用法の主要な方法となるのは，宋代になってからであった。

　科挙の第1の特色は，出身を問わず男性であればほとんどだれでも受験できる，という点にある。 長期間にわたる受験のためには才能以外に相当な経済力が必要であり，新興地主・富商などの富裕な階層の子弟に有利であったが，受験資格が一部の階層に制限されることはなかった。第2の特色は，実務的な知識でなく，儒学の経典の理解を問うものであったということである。この理由は当時の通念からすれば当然のことであった。官僚の監督下で実務作業をおこなう役所の事務員や，官僚に雇われて法律や財政の知識を提供する実務顧問にとって実務的な知識は必須のものであったが，本当に優れた人物は細々とした規則にとらわれず，柔軟かつ臨機応変に大局的な判断をくだすものであり，儒学経典の内容を体得していることは，徳の高い人物であることの証明とみなされた。かりに実際に官僚にならなくても，賦役の徴収や裁判の際に優遇措置をうけ，地方社会の名士として尊敬をえることができ，土地を買い集めるにも有利であった。官僚になった場合も，俸給以外に賄賂や付け届けなどの収入の機会は多く，科挙は富と勢力をえるためのもっとも確かな道であった。そのため，科挙の競争は激しく，白髪頭になるまで科挙をうけつづけても合格せず，一生を受験勉強についやす人びともいるほどであった。たとえば，唐の詩人として有名な杜甫は何回も失敗したすえ，40代なかばでやっと官位につくことができた。

　東アジアでは，朝鮮やベトナム，琉球が科挙の制度をとりいれた。ヨーロッパでは，試験による官吏登用制度は近代以前にはほとんどみられず，中国の科挙をヒントに官吏登用試験がおこなわれるようになったのは，18世紀なかば以降のことである。清朝末期に欧米の思想が中国に紹介され，政治制度の近代化が課題となると，実際の統治に直接関係のない儒学経典の理解を問う科挙は時代にあわないと考えられるようになり，1905年に廃止された。

（労役）の免除などの特権があたえられた。

宋では文治主義が徹底し，文化や経済は発達したが，武力は弱く，異民族のたてた遼や西夏の侵入に苦しんだ。こうした異民族への対策や官僚機構の拡大による支出がふえ，やがて財政難におちいった。そのうえ土地の集中化や大商人の圧迫により自作農や中小商工業者が没落し，社会的矛盾が大きくなった。そこで11世紀後半，神宗が登用した宰相の王安石は財政再建と富国強兵をめざして政治の改革をおこなった。これが新法といわれるもので，農民に低利資金を融通する青苗法，小商人に融資する市易法などを実施した。これは大地主や大商人の利益をおさえる政策であったため，司馬光ら保守派官僚の反対にあい，いたずらに新法党・旧法党両派の党争を激化させる結果となって，政治の再建に失敗した。

## 南宋の推移

12世紀初め中国東北で金がおこると，宋の首都開封をおとしいれ，皇帝をとらえてつれさった（靖康の変，1126 ～ 27年）。そこで難をのがれた皇帝の弟が江南で即位して南宋（1127 ～ 1276年）をたて，臨安（杭州）に都した。南宋ははじめ金と戦いを続けたが，やがて和を結び，国境を定めた。その結果，宋は淮河以南を領有するだけになったが，長江下流域（揚子江）の開発がさらに進み，平和にめぐまれて繁栄した。しかし13世紀にはいると国力がおとろえ，1276年モンゴル帝国にほろぼされた。

## 社会・経済の発展

宋代には新興地主を母体とする官僚が政治的・社会的に大きな力をもったが，その基礎は広大な荘園にあった。荘園は主として佃戸（農奴的小作人）によって耕作され，重税に苦しむ中小自作農には没落して佃戸となるものも少なくなかった。

宋代には産業がおおいに発達し，経済は成長した。長江デルタ地帯の水田稲作が技術的にも進み，米の生産が急激に高まったほか，桑・麻・茶などの栽培がふえ，農作物の商品化が著しくなった。また絹織物や陶磁器などの手工業も発達し，商業がさかんになり，遠隔地間の大規模な取引もおこなわれた。外国貿易はとくにイスラーム教徒との海上貿易がめざましく，広州・泉州・明州（寧波）などの大貿易港が繁栄した。商業

## 飲茶（喫茶）風習

日本で茶を飲む風習は中国から伝わり，9世紀初頭の日本の歴史書にも登場している。12世紀末には臨済宗を日本に伝えた禅僧・栄西が粉末にした茶葉を湯に注ぐ「抹茶」を紹介し，その薬効を説いた。その後，周知のように16世紀に千利休が登場して茶の湯をきわめることになった。

その原点となった中国で，茶を飲む風習がはじまったのは，正確にはわかっていないが，時期については魏・呉・蜀が並立した三国時代の頃，場所としては原産地に近い現在の四川省あたりといわれている。そして唐の時代に飲茶（喫茶）の風習が，中国全土にそして庶民から宮中にいたるまで広がった。8世紀なかばに『茶経』をあらわした陸羽は，中国における茶の普及に貢献した人物であったが，玄宗皇帝にも謁見し，当時，眠気を覚まして身体に活力をあたえてくれる「薬」として用いられていた茶について，その飲み方・作法を伝えたといわれている。

しかし当時飲まれていた茶は，現在われわれが親しんでいた茶とはかけ離れていたものであった。陸羽の『茶経』のなかには，そのころの製茶法と，喫茶の手順が，ともに詳細に記されているが，それによると，おもに飲まれていたのは，円形もしくは四角形の平たい固形茶（餅茶）で，それは摘んだ茶の葉を蒸してから，臼でひき，平たく固め，乾燥させてつくったものであった。飲み方としては，餅茶を炙ってから，碾（やげん）で挽いて粉末とし（この粉末にしたのが抹茶），釜で湧かした湯に投じ，味のでた茶湯を汲み出して飲むものであり，当時の言葉で「煎茶」とよばれた。この際，湯のなかに味付けとして塩が加えられた。しかし，この飲み方は日本にも遣唐使の時代に伝えられたが，その後衰微した。宋代以降になると，茶葉をすりつぶして粉にするようになり，塩を入れる習慣は衰退する。

がさかんになるにつれて銅銭を主とする貨幣経済が発達し，紙幣（交子・会子）も使用された。また大小多くの商業都市がおこり，唐代に存在した商業に対する制限も廃止され，都市在住の庶民の生活が向上し，商工業者は同業組合（行・作）をつくって相互の利益をはかった。

### 庶民文化の発達

宋代には社会の変化に応じて，文化にも新しい傾向がうまれた。官僚を中心とする新興地主が文化の担い手となったので，従来の優雅な貴族文化とは異なる個性の強い簡素なものがたっとばれた。学問・思想では，

儒学に宋学がおこった。それは南宋の朱熹（朱子）が大成したので朱子学ともいわれ，儒教の真髄を求めて，四書（『大学』『中庸』『論語』『孟子』）を重んじ，宇宙の原理や人間の本質など哲学上の諸問題を論議した。これに対し陸九淵（陸象山）は人間の心性を重んじ，その説は明代の陽明学の源流となった。また宋代にはたえず北方民族の圧力をうけていたので民族意識が高まり，大義名分論がとなえられ，歴史学が重んじられ，司馬光の『資治通鑑』などの歴史書がつくられた。文学では欧陽脩・蘇軾（蘇

## 唐と宋の時代の都市のちがい

　唐代までの都市は，州・県などの官庁所在地などの行政の中心地であり，政治的・軍事的色彩の強いものであった。城壁にかこまれた都市の内部にも坊というブロックがあり，それぞれ夜には閉門し，人びとの行動が束縛されていた。たとえば唐の首都である長安城は，周囲を高さ5m余りの城壁でかこまれ，その長さは東西10km，南北8km余りもある大規模なものであった。城内は，碁盤の目のようにきちんと区画され，宮城をはじめ，皇城とよばれた官庁街や各種の寺院（景教や祆教など）がたてられていた。また東西に市（商業の場）が設けられていたほか，東側には王侯貴族や官僚の住居，西側には商人や外国人の住居があった。全盛期の人口は100万を数えたといわれ，胡人とよばれる西方イラン系の人びとがさかんに往来してその風俗や文化をもたらしたので，異国情緒あふれる国際都市のにぎわいをみせた。

　これに対して唐中期頃から宋代にかけて都市の性格は変化し，大運河の北と南で，物資の集積センターだった開封と杭州が北宋と南宋の都となった。宋代では，商品経済（貨幣経済）の発達にともない，都市も経済的性格が強くなった。しかも坊制による閉鎖性はなくなり，城内の庶民は夜間でも自由に繁華街に出入りすることが多くなり，開放的であった。開封・杭州は人口100万とも150万ともいわれ，宮城や役所の周辺には金融街，倉庫，グルメ街，医師・薬局街，商店街，住宅街がひしめいて豊かな都市生活が展開された。

　早朝4時頃には衣服や書画・骨董品の市がたち，夜明けになると食べ物の店や屋台，やがて菓子屋や工芸品の店舗となり，時々刻々あらゆる種類の商品が庶民の消費生活をうるおした。この庶民的で明るい雰囲気は，程度の差こそあれ，宋代の都市の一般的な傾向で，農村と都市の結び目や交通の要衝に誕生した「鎮」「草市」といった準都市が大都市と網の目状に結びついて，宋代の商品経済システムが全国に機能していた。

第2章　東アジア世界

東坡）など文章の大家が多数あらわれ，絵画では写実的な画風で職業画家を中心に発達した院体画とともに，主観的表現をたっとぶ知識人が描いた文人画（南宗画として発展）がおこった。なお仏教では禅宗や浄土宗が栄えた。

　宋代は都市の庶民の生活が向上したので，詞（一種の歌謡）・小説・戯曲など庶民文芸が発達した。また自然科学的な知識も進んで，羅針盤や火薬が発明され，印刷術が普及した。陶磁器の製造技術も向上し，精巧な青磁・白磁（宋磁）がつくられた。

# 4　北方諸民族の活動

## 遼と西夏

　10世紀は中国の変革期であったばかりでなく，東アジア全体の形勢の転換期でもあった。周辺の諸民族は，唐の刺激をうけて文化的に向上し，民族意識にめざめて独立しはじめたが，とくにモンゴル高原と中国東北からは強い勢力があらわれ，一時期をのぞき，20世紀初めまで，中国内地の一部，または全部を支配した。

　モンゴル高原では9世紀中頃ウイグルが分散し，トルコ系民族の勢い

**12世紀頃のアジア**

が弱まると、遼河の上流で遊牧していた契丹人が勢力を強め、10世紀初め遼(契丹、916～1125年)をたてた。遼はモンゴル高原をおさえて、渤海をほろぼし(926年)、華北の一部(燕雲十六州、現在の北京周辺)を領有して大勢力となった。遼は北方の狩猟・遊牧民には固有の部族制を、漢人などの農耕民には州県制を用い、二重の体系で統治した。また独自の契丹文字をつくり、民族意識を高めた反面、中国文化をとりいれ、仏教を尊崇して『大蔵経』の印刷までおこなった。しかし11世紀末にはおとろえ、宋と結んだ金にほろぼされた(1125年)。

11世紀前半には、中国西北の寧夏地方にチベット系のタングートが独立して西夏(1038～1227年)をたてた。西夏は小国ながら、宋と遼の対立を利用して勢力を保ち、東西陸上貿易の要路をおさえて、経済的利益をあげた。また中国の文化・制度を採用し、西夏文字をつくり、仏教をさかんにしたが、13世紀にモンゴル帝国にほろぼされた。

## 金の盛衰

中国東北に住み、おもに狩猟をいとなんでいたツングース系の女真は、遼の支配をうけていたが、12世紀初めその一部族長が統一して金(1115～1234年)をたてた。金は宋と同盟して遼をほろぼすと、華北に侵入して宋の首都を占領し、宋を江南に追いやった。金は女真文字をつくり、はじめ原住地に本拠をおいていたが、やがて華北に進出し、中国化していった。金の治下の華北では儒教・仏教・道教の三教を調和した全真教がおこった。12世紀末頃から金は国力がおとろえ、モンゴル帝国にほろぼされた(1234年)。

## モンゴル帝国の成立

はじめ遼・金に服属していたモンゴル系諸部族はしだいに勢いを増し、13世紀初めチンギス・ハン(テムジン〈位1206～27〉)が高原を統一してモンゴル(蒙古)帝国(1206～1388年)をたてた(1206年)。当時アジアは分裂していて強大な国がなかったので、モンゴルの強力な騎馬兵はたち

チンギス・ハン

**モンゴル帝国の最大領域**

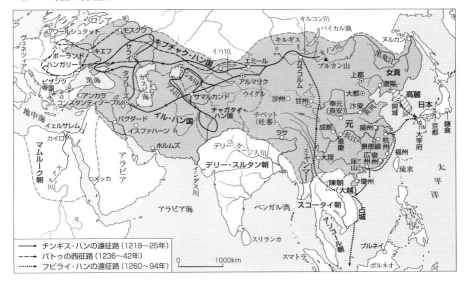

まち各地を征服し，東西にまたがる大帝国をきずいた。東方では西夏・金を倒し，高麗を服属させ，西方では中央アジアのホラズム・シャー朝（1077～1231年）をほろぼし，バトゥはロシアから東欧にせめいった。またフラグは西アジアに進出して，1258年アッバース朝を倒した。

モンゴル帝国の領土は広大で，遊牧と農耕の地域にわかれ，民族や宗教も複雑多様であったので，全体を画一的に統治することは不可能であった。チンギス・ハンが占領地を息子たちに統治させたことから，ロシアにキプチャク・ハン国（1243～1502年），中央アジアにチャガタイ・ハン国（1227～14世紀後半）が形成され，さらにイラン・イラク方面にイル・ハン国（1258～1353年）が成立した。フビライ・ハン〈位1260～94〉の代になると，各ハン国はそれぞれ独立し，大ハンのもとにゆるやかに連合した。

### 元の中国支配

フビライ・ハンは都をモンゴル高原のカラコルムから大都（現在の北京）に移し，国号を元（1271～1368年）と称した（1271年）。ついで南宋をほろぼして（1276年），中国全土を完全に支配し，さらに日本・ベトナム・ジャワなどに遠征軍をだしたが，これは失敗した。

4　北方諸民族の活動　75

元は中国支配にあたり服属した順に協力者とし，高級官僚はモンゴル人や中央アジア・西アジア出身の色目人が独占した。儒学は軽視され，科挙もはじめはおこなわれず，中国の知識人は大打撃をうけた。

遊牧民のモンゴル人は商業の利益を重視し，駅伝制を設けるなど交通路の整備につとめたので，貿易が陸・海ともにさかんになり，泉州・杭州などの海港都市はさらに繁栄した。元はまた江南の豊かな物資を北方に輸送するため，大運河の整備や沿海の海運をひらくことにつとめた。商業がさかんになり貨幣の流通も広がり，交鈔(紙幣)が普及した。

元はやがて王室の相続争いや，財政の悪化などでおとろえ，14世紀中頃白蓮教徒による紅巾の乱(1351〜66年)などの農民反乱のなかから明がおこり，大都を攻略したので，元はモンゴル高原にしりぞいた（北元，1368〜88年)。同じ頃西方の諸ハン国も衰亡し，モンゴル民族の支配時代はおわった。

## 東西交流と元代の文化

モンゴル帝国は広大な地域を支配したので，東西の交通が発達した。そのころ十字軍を西アジアに送っていたローマ教皇らが，使者をモンゴル帝国へ派遣したこともあり，交流は東西から進められた。こうして元代にはローマ・カトリックが伝えられ，マルコ・ポーロらがおとずれた。また西方からイスラーム教も伝えられ，イスラームの自然科学の影響で中国の天文学や数学が発達した。一方，中国の絵画は，イランのミニアチュール（細密画）に影響をあたえ，火薬・羅針盤はイスラームに伝えられた。

元ではモンゴル語を公用語とし，ウイグル文字やチベット文字系のパスパ文字が用いられた。中国固有の学問・思想はふるわなかったが，戯曲や小説などの庶民文芸はモンゴル人にも好まれ，宋代に続いて発達した。ことに戯曲は元曲とよばれるように多くの傑作がつくられた。

## 隣接諸国の動向

**朝鮮** 唐がおとろえると新羅もおとろえ，10世紀前半高麗(918〜1392年)が成立し，開城に都した。高麗は五代の各政権や宋と通交し，中国文化を輸入したので，官制がととのい，仏教がさかんになり，独特の青磁

# 『世界の記述』(『東方見聞録』) と日本

マルコ・ポーロが作家ルスティケロに口述筆記させたとされる『世界の記述』(通称『東方見聞録』) にジパング (日本) が登場することはよく知られている。

中国の歴史書を除いて、ヨーロッパでは16世紀以前でジパングについて言及した書は存在しない。その意味で『世界の記述』は貴重な文献である。「その島の人間は色が白い。彼らは夥しい量の黄金をもち、王宮の屋根は金の板で覆われ、床も指二本分の厚さの金にタイルが敷きつめられている」。こうした「黄金の国」日本に関する情報がコロンブスの情熱に火をつけ、アメリカ航路の発見への動機につながったとされている。実際セビリヤにあるコロンブス文庫にはコロンブスが所有していた印刷本が残されていて、署名もあり、そこにはコロンブス自身が書いた余白への書きこみがある。ところがこの書きこみの筆跡を鑑定すると3種類の筆跡が認められ、すべてがコロンブスのものでないことが明らかになっている。さらにイギリスの港町ブリスト

ルの商人ジョン・デイが1497年から98年の間に送ったコロンブス宛の手紙にはコロンブスの依頼に応じて「『見聞録』の写本をお届けしましょう」とあり、コロンブスはアメリカへの航海 (1492年) 以前に見聞録を読んでいないことを示している。15世紀のヨーロッパではすでにアジアの富に関する情報は広く伝えられていて、かならずしも見聞録を読む必要はなかったので、コロンブスは『見聞録』を本当に読んでいなかったかもしれない。

ちなみに『世界の記述』のなかの日本に関しては、礼儀正しい偶像崇拝教徒、大量の真珠の産地、元寇 (蒙古襲来) の話 (京都まで攻め入ったとの誤った記述がある)、秘密の石を皮膚と肉とのあいだに忍びこませた。その魔法により、刃物による殺害ができなかったので太い棒で撲殺したとか、捕虜の身代金が支払われないと人を殺してその肉を料理し会食する習慣の記述など、まさに事実と非現実が混じり合った幻想的・空想的世界が記述されている。

もつくられた。しかし12世紀末から武官が権力をふるうようになり、13世紀にモンゴル帝国の激しい侵入をうけて屈服すると、元は朝鮮北部を直轄領とし、高麗の内政に干渉した。

**ベトナム**　漢代以来、その北部が中国の直轄領となっていたが、10世紀の五代・宋初の混乱期に独立し、11世紀に大越国と称した。また13世紀におこった陳朝 (1225～1400年) は国力がさかんで元の侵入を撃退した。陳朝では民族意識が高まり、漢字をもとにした独自の文字 (字喃) が普及

4　北方諸民族の活動　77

した。

**日本** 9世紀末に遣唐使を廃止して以後,中国との正式な国交はもたなかったが,宋・元時代をつうじて多くの僧侶や商人が往来した。中国からあらたに伝えられた禅宗は,鎌倉時代の仏教界に大きな影響をあたえた。元は2度,日本へ遠征したが(元寇〈蒙古襲来〉,1274,81年),失敗した。

# 5 中華帝国の繁栄

### 明の統一

元末の反乱のなかから勢力を増した貧農出身の朱元璋は,1368年に明(1368〜1644年)をたて,南京に都して洪武帝〈位1368〜98〉となり,ただちに元をモンゴル高原に撃退して,中国を統一した。彼は諸制度を改め,以後20世紀初めまで約500年間の皇帝専制の政治体制の基礎をつくった。すなわち宰相を廃止して皇帝の独裁権を強化し,朱子学を採用して科挙を確立し,新しい律令(明律・明令)を制定し兵制として衛所を編制した。

**明代のアジア (15世紀頃)**

**紫禁城の太和殿** 太和殿は明・清時代の宮殿であった紫禁城（現在の故宮）の正殿。三層の大理石の基壇をもち，儀式などをおこなった。

また農村の経済的困窮を回復し，治安維持や徴税に便利なように里甲制をしき，道徳の基準を示す六諭を発布した。

15世紀初め帝位についた永楽帝〈位1402～24〉は，都を北京に移し，対外的に積極策をとった。彼はたびたびモンゴル高原に遠征し，東北の女真を支配下におき，ベトナムを直轄領としたほか，宦官の鄭和をつかわして東南アジア・インド洋方面の多くの国に朝貢をうながした。

## 明の衰亡

永楽帝のあとは幼少の皇帝が多く，明の国力はまもなくおとろえた。明は国内体制を維持する必要から，貿易をすべて朝貢体制で統制し，自由な活動を許さなかったので，それに不満をもつ諸国としばしば衝突した。15世紀なかばモンゴル高原のオイラトが北辺にせまって皇帝をとらえ（土木の変），16世紀にはモンゴル（韃靼，タタール）が華北へ侵入して略奪をくりかえした。そのころ東南海岸では日本人も加わった倭寇の侵入が激しかったので，あわせて北虜南倭といった。

そののち北虜南倭の侵入はおさまったが，16世紀末から豊臣秀吉の侵略に苦しむ朝鮮への援軍の派遣，女真との戦争などで軍事費が増大し，明は財政難におちいった。そのうえ官僚は党争をくりかえし，宦官も権

5　中華帝国の繁栄　79

## 新 常 識 　倭寇

　14世紀から16世紀まで中国や朝鮮の沿岸で活動したいわゆる「倭寇」の問題は，単に歴史上のトピックというのみならず，近代ナショナリズムと結びついて人びとの関心の的になってきた。

　戦前の日本では「日本人の海外雄飛」という観点からさかんに倭寇研究がおこなわれた。一方，中国や朝鮮では，もっぱら「日本の侵略とそれへの抵抗」という観点で倭寇をとらえる見方が主流であった。この両者は，倭寇に対する価値は逆であるが，いずれも「倭」を日本と同一視し，そこに近代のナショナリズムを投影して論じているという点では，同じ土壌に根差すものといえる。

　それに対し，近年の日本の学界では，現代人の考え方の枠組みを規定する近代的な国家概念に対し，これを相対化しようとする方向から，倭寇への関心が高まっている。16世紀に中国沿岸で活動した「倭寇」のなかには多くの中国人が交じっていたことは，中国史料にもしばしば登場し，実際，両親が朝鮮半島出身といいながら，史料上「倭」とされている人たちもいる。当時，東アジア海域で活動していた「倭」とよばれる人びとが，はっきりとした国家的帰属意識をもっていたとはかぎらないという点に注目すべきだろう。

　中世史家の村井章介はこれらの人びとに注目し，彼らを民俗学の用語を用いて「マージナル・マン（境界人）」とよんでいる。「なかば日本，なかば朝鮮，なかば中国といった（略）境界性をおびた人間類型を〈マージナル・マン〉とよぶ。彼らの活動が，国家的ないし民族的な帰属のあいまいな領域を一体化させ〈国境をまたぐ地域〉を創り出す」（『中世倭人伝』）。海賊の標識とされている「倭服」や「倭語」は，かならずしも日本の服装や日本語とまったく同じというわけではなく，この海域に生きる人びとの共通のいでたち，共通の言語であったという。

---

力を乱用したので，政治がはなはだ乱れた。その結果，農民反乱がおこり，1644年反乱軍の指導者李自成〈1606～45〉に北京を攻略され，明は滅亡した。

## 清の統一

　中国東北の女真は多くの部族にわかれ，明の間接統治をうけていたが，その一部族長ヌルハチ（太祖〈位1616～26〉）は17世紀初め女真を統一し，1616年に建国して国号をアイシン（満州語で金の意）を定めた。彼は明と

**清代のアジア（18世紀後半）**

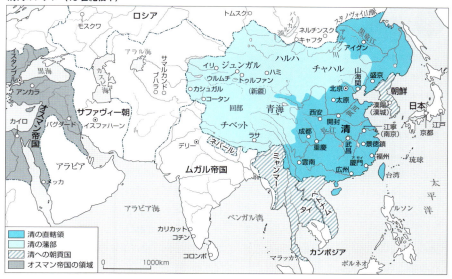

戦って遼東地方を占領し，つぎのホンタイジ（太宗〈位1626〜43〉）は内モンゴルを併合し，1636年に国号を清（1616〜1912年）と改めた。ここに女真すなわち満州（洲）人を中心に，モンゴル・漢の3民族からなる複合民族国家が成立した。清はついで朝鮮を属国とし，1644年，李自成を追放して北京に都を移し中国の王朝となった。

清は中国を平定するのに明の武将の呉三桂らを利用したので，彼らの勢力が強大となり，清がこれをおさえようとすると，反乱（三藩の乱，1673〜81年）がおこった。清は1681年これを鎮定し，ついで台湾で抵抗を続けていた鄭氏もほろぼした（1683年）。こうして康熙帝〈位1661〜1722〉の代に清の中国支配が確立し，雍正帝〈位1722〜35〉・乾隆帝〈位1735〜95〉の時代にかけて全盛期をむかえた。

清は1689年ロシアとネルチンスク条約を結んで，アムール川（黒竜江）流域を確保したのをはじめとして，その領土をおおいに広げた。その結果，乾隆時代には中国内地のほか東北・台湾を直轄領とし，内外モンゴル・青海・チベット・新疆を藩部として間接統治し，朝鮮・ベトナム・タイ（シャム）・ミャンマー（ビルマ）を属国とした。しかもこの広大な領土はたくみに統治された。

5　中華帝国の繁栄　81

## ひと 清朝の名君 康熙帝

清朝第4代皇帝聖祖康熙帝は康熙大帝ともよばれ，帝国の平和と安定を実現したばかりでなく，中国史上の皇帝のなかでも名君のひとりとして知られている。61年もの長きにわたる治世のなかで，政治・軍事の面では三藩の乱の鎮圧，台湾の占領，ロシアとの境界線画定と通商関係を決めたネルチンスク条約の締結，3度にわたる北方親征など帝国領土の安定と拡大に成功し，さらに文化的には『康熙字典』や『古今図書集成』の編纂（完成は雍正帝の時代）など文化事業に関しても大きな功績を残した。

康熙帝は学問好きであった。少年の頃から儒学の勉学に励んで精通しただけでなく，イエズス会宣教師がもたらす西洋の学問，たとえば幾何学・天文学・物理学，化学・音楽理論にも興味を示し，宣教師を厚遇した。その結果フェルビーストは康熙帝の命令で大砲を鋳造し，三藩の乱の鎮圧に貢献した。ロシアとのネルチンスク条約の交渉ではイエズス会宣教師もその任にあたり，ネルチンスク条約は漢文・ロシア文・ラテン文で記され，ラテン文が正式なものとされた。また宣教師を各地に派遣して中国を

測量させ，地図を作製した。これが中国最初の実測地図『皇輿全覧図』である。

宮廷生活は質素であった。ルイ14世の命で中国に派遣されたフランス人宣教師ブーヴェは「康熙帝はもっとも普通の食べ物で満足し，想像以上に食べる量は少なかった」と伝え，酒を飲まず，たばこも吸わなかった。宮廷費や燃料費の大幅削減も実施した。宮廷の使用人の数も激減させている。浮いたお金は減税に回し，庶民の負担を軽減し，さらに「盛世滋生の人丁」を制定して人頭税を定額とし，その後人口が増えても課税しないことを決めた。これはのちの地丁銀制へつながる税制上の大きな変革につながった。

ただ皇帝の権威すなわち国家権力に批判的な場合は，寛容性をみせていない。反清思想をふくむ図書の発行禁止（禁書），民間宗教の取り締まりなど，思想統制はきびしかった。いわゆる「文字の獄」である。康熙帝の時代の荘廷鑨や戴名世の事件では，進取的名君である康熙帝といえども国家の方針に逆らう考えにはきびしい態度でのぞんだ。

## 清の中国支配

清は元とちがい建国当初には西方の文明に接することもなかったため，中国支配にあたって漢人の官僚・知識階級の協力を必要とした。官制は最高政治機関の軍機処や藩部の事務を統轄する理藩院など独自のものもできたが，ほぼ明代のものをうけつぎ，朱子学を政治理念とし，科挙を実施して漢人をも官僚に用いた。しかし，満州風俗の辮髪を強制し，禁

82　第2章　東アジア世界

## 銀による世界の結びつき

　中国において銀が貨幣的な役割をしたのは明にはじまるものでない。すでに唐代貴族層に使用されており、宋代では大取引に利用されている。モンゴルでも紙幣とともに使用された。明以後、銀の流通がとくに重視されるのは、その流通が広く各地域、各層にわたったことや、このため納税を銀に一本化する変革（一条鞭法の実施）にまでいたった事情によるところが大きい。

　明代前期には雲南・浙江・福建などで銀が生産されていたが、その量は多くなく、また政府も社会不安を招きやすい鉱山開発に消極的だったため、16世紀以降の中国の銀経済はもっぱら外国銀に依存することになった。その外国銀の生産地がアメリカ大陸と日本であった。

　16世紀以降、中国ではヨーロッパ人との交易がさかんとなったが、それは中国産品（生糸や陶磁器など）の一方的輸出のかたちをとり、このためスペインはアメリカ大陸の銀をもってこれと交換した。メキシコ銀はアメリカ大陸（とくにメキシコのアカプルコ）よりスペインの東アジアの根拠地マニラを経由してもたらされた。この貿易は大型の帆船であるガレオン船が太平洋をわたる際に使われたのでガレオン貿易ともよばれ、さらにこのときの太平洋のルートを「シルバー・ロード（銀の道）」とよぶこともある。

　日本銀の流入も少なくない。とくに日本銀の主要鉱山が石見銀山（世界遺産）で、海禁政策により正式には貿易がなされない日明間を「ソーマ銀」（銀山のある島根県佐摩村にちなむ）と生糸が後期倭寇を介して交わっていた。この密貿易に従事して有名になったのが、後期倭寇の徽州商人の頭目の1人だった王直で、貿易で巨額の富をきずき、16世紀なかばに舟山群島から日本の五島列島と平戸に根拠地を移し、西日本の諸大名と結びついて「徽王」と自称した。

16～18世紀の銀の流れ

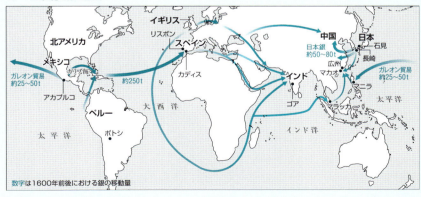

数字は1600年前後における銀の移動量

5　中華帝国の繁栄　83

書や「文字の獄」で思想を統制し，征服者の威信を強く示した。満州人は八旗という軍事組織に編制され優遇されたが，漢化はさけられなかった。康熙〜乾隆時代には歴代皇帝も有能で政治が充実し，財政も豊かになった。

## 社会・経済の発達

明・清時代には，長江下流域を中心とする社会・経済の発達がますます著しくなった。とくに16世紀頃からその傾向が強まり，18世紀に頂点に達した。

明・清時代にも佃戸制がおこなわれたが，佃戸の地位は以前より向上し，抗租運動もおこった。農村では農家の副業として綿織物業や絹織物業などがおこり，都市の手工業も大規模に発達した。商業も活発で，同郷人や同業者の組合の会館や公所が各地に設立された。

15世紀頃から中国では銀の流通が激しくなり，その後日本やヨーロッパとの貿易で多量の銀が流入すると，さらに流通の度を高めた。そのため税制も16世紀なかばから両税法にかわって，地税・丁税（成年男子に対する賦役）を銀で計算しまとめて納める一条鞭法がはじまり，18世紀前半にはそれを簡易化した地丁銀が成立した。地丁銀は地税に丁税をくりこみ土地所有だけに課税したもので，以後，人丁を課税対象としなくなった。

経済界の好況によって中国の人口は激増した。18世紀にはすみずみまで開発が進み，そのためこれまでミャオ（苗）族など少数民族の居住地であった中国南部の奥地も内地同様になった。また明代から海外渡航の禁令をおかして東南アジアに移住し，華僑となるものが多くなった。

**景徳鎮の陶器工場** 景徳鎮は中国の代表的な陶磁器の生産地で，明・清時代には政府の専用工場もつくられた。図は窯入れの場面。

## 新 常 識　華僑・華人・華裔

華僑という言葉は華人と僑民を一つにしたもので，華は中華，僑は僑寓，すなわち仮住まいを意味する。一般的には海外に居住する中国系の人びとのなかで，中国国籍を有する者を華僑，居住国の国籍を有する者を華人とよぶことが多いが，中国から海外へ渡った一代目を華僑，華僑の子孫を華裔とよぶこともあり，華僑と華裔を使い分けないで，両者をまとめて華人と表現することもある。

華僑・華人とよばれる海外に在住する中国系の人びとは，東南アジアにはすでに宋代には存在し，16世紀後半以降の東アジアにおける海上貿易活性化のなかで，福建・広東からの商人を中心とした移民は増大した。清代においても，17世紀末以降，中国の対東南アジア貿易の拡大とともに東南アジアへの移民は増大を続けた。しかし，19世紀なかばから20世紀なかばまでの時期は，中国系の移民が全世界に広がり，また交通の発達によって人数としてもかつてないほど大規模となった点で，その前後の時期とは大きなちがいがある。当該期の移民の送り出し地域が主として福建と広東であったことについてはそれ以前と大きなち

がいはない。一方で移民先は，19世紀前半における奴隷貿易の廃止による黒人奴隷の代替としての肉体労働者の需要増大にともない，中南米に拡大し，また鉄道建設や鉱山建設が進んだ北アメリカやオセアニア，アフリカにも広がった（アジア系外国人移民労働者を苦力とよぶ）。しかし，数量的に圧倒的だったのは，東南アジアむけの移民であった。これは東南アジアの植民地化にともない，東南アジアにおいてプランテーションや水田開発，鉱山開発が進み，労働力需要が急速に拡大したからである。

東南アジアへの移民の多くは出稼ぎであり，短期間で帰国したが，そのなかには成功して東南アジアを基盤とする者も増大した。彼らの故郷への送金や，中国各地への投資は中国経済に大きく貢献していくことになる。20世紀なかばになると，中国の社会主義化や東南アジア諸国の独立にともない，中国からの海外移民が減少し，東南アジア諸国におけるナショナリズムが高まると，華僑・華人の現地化が進展した。しかし，1980年代以降に中国が改革・開放政策を採用すると，中国系の移民は世界的な規模で激増し，現在にいたっている。

## 文化の発展

明・清時代には，社会・経済の発達を背景に文化もおおいに栄えた。朱子学は国家の教学となり固定化したので，明の中頃，王陽明（王守仁）が心即理，知行合一を説いて実践を重んじる陽明学を主張した。明末の思想界は活気にあふれ，実用的な学問が重んじられたが，清代には思想

5　中華帝国の繁栄　85

統制がきびしくなり，明末・清初の黄宗羲や顧炎武にはじまる古典の実証的研究の考証学が発達した。清代には国家の文化事業として，『四庫全書』など大部の書物が多数編集された。それは一面，学者の政治批判を封じるための懐柔策でもあった。

　庶民文芸も，庶民生活の向上とともにいっそう栄え，明代に『西遊記』『金瓶梅』，清代に『紅楼夢』『儒林外史』などの口語小説や戯曲がつくられた。絵画は文人画から発展した南宗画がさかんであった。

## ヨーロッパとの接触

　インド航路を発見したポルトガル人は16世紀初め中国に到達し，マカオに居住権をえて中国貿易を開始した。ついでスペイン人，ややおくれてオランダ人・イギリス人も中国貿易に加わった。16世紀以降のヨーロッパ人の進出によって，アジアでは植民地となったところもあるが，18世紀まで中国は日本・朝鮮などと同じく，ヨーロッパ人によって政治や社会がゆりうごかされることはなかった。むしろヨーロッパ人との貿易によって，中国にはつねに銀が流入して産業を刺激し，経済的繁栄がもたらされていた。

　当時貿易船に便乗して多数のカトリックの宣教師が布教のため中国に渡来したが，とくにマテオ・リッチ，アダム・シャール，フェルビースト，カスティリオーネらイエズス会の活躍がめざましかった。彼らは天文・暦学・地理・数学などの学術や西洋画法を伝え，中国文化に大きな影響をあたえた。その一方で中国の情報が西洋に伝えられ，当時の政治や文化に影響をあたえた。18世紀になると典礼問題がおこり，キリスト教の布教は禁止された。

## 隣接諸国の動向

　**モンゴル**　モンゴル高原では，明に追放された元が北元（1368〜88年）としてしばらく存続したが，15世紀中頃オイラトのエセン・ハンが高原をおさえた。16世紀にはモンゴル（韃靼，タタール）が強力となったが，17世紀前半，清にほろぼされた。一方，オイラトでは17世紀にジュンガルが発展し，18世紀なかばまで清と抗争を続けたすえ，ついに征服された。モンゴル人の武力は，16世紀からのチベット仏教の浸透と清の巧妙な支

配によりふるわなくなった。

**チベット** 15世紀初めツォンカパは現世利益の呪術を排し，戒律を重んじて，チベット仏教を改革した。この改革派を黄帽派(こうぼうは)といい，最高権力者であるダライ・ラマの勢力は17世紀に強大になったが，18世紀中頃清の支配下にはいった。

**朝鮮** 明がおこると，李成桂(りせいけい)〈位1392～98〉が高麗を倒し朝鮮(1392～1910年)をたて(1392年)，漢城(かんじょう)(現在のソウル)に都した。朝鮮王朝は明の属国となり，朱子学を国教とし，土地制度を改革し，15世紀には全盛期をむかえた。このころ朝鮮文字(訓民正音(くんみんせいおん)，ハングルともいう)がつくられ，銅活字の印刷が発達した。李朝では両班(ヤンバン)が官僚階層として政治的・社会的に大きな勢力をもっていたが，やがて党争が激化し国力はおとろえた。さらに16世紀末に日本軍，17世紀前半に清軍の侵入をうけて清の属国となった。

**ベトナム** 15世紀初め一時明の直轄領となったが，まもなく独立して黎朝(れい)(1428～1527, 1532～1789年)がおこり，ハノイに都した。はじめさかんであった黎朝も，内紛が続き，19世紀初め阮朝(げん)(1802～1945年)が成立した。

**亀甲船(きっこうせん)** 亀甲船は朝鮮の倭寇対策の特殊軍船で，上部を鉄板でおおい，鉄鋲(てつびょう)を一面に植え付けられていた。豊臣秀吉の派遣した水軍を撃退した李舜臣(りしゅんしん)の水軍にも用いられ，威力を発揮した。

5 中華帝国の繁栄 87

**日本** 15世紀初め室町幕府は勘合貿易をおこない，倭寇をとりしまった。しかし16世紀になると勘合貿易はくずれ，ふたたび倭寇がおこった。同世紀末には豊臣秀吉が朝鮮を侵略し，明軍と戦いをまじえ，その後は日中間に正式の国交がなかったが，貿易はさかんにおこなわれた。

**琉球** 15世紀初め中山王が琉球を統一すると，明に朝貢して中国文化をとりいれ，日本・朝鮮・東南アジアの諸国とも通交した。17世紀初め日本の薩摩藩の支配下にはいったが，なお中国への朝貢を続けた。

---

## 新 常 識　琉球王国

琉球王国（1429～1879年）は現在の沖縄本島とその周辺の島々に存在した王国のことで，初期の表記は「流求」，正式には琉球國という。

**（1）第一尚氏王統時代（1406～69年）**

沖縄本島には14世紀以降，三山（北山・中山・南山）が分立していたが，1429年，尚巴志王（第一尚氏王統）が北山・中山・南山を統一し，琉球王国が成立した。三山の時代からすでに中国への朝貢がおこなわれていたが，この時代以降，中国だけでなく日本本土や朝鮮半島はもとよりジャワやマラッカなどとの交易を積極的に拡大した。

**（2）第二尚氏王統時代（1469～1879年）**

金丸（尚円王）が，尚徳王の薨去後，1469年に王位を継承し，第二尚氏王統が成立した。尚真王の時代に地方の諸按司（琉球の地方首長）を首里に移住・集住させ，中央集権化に成功し，彼の治世に最大領土が形成された。経済的には中継貿易を重視し，中国の明に朝貢しつつ（進貢貿易），日本，東南アジアと広く交易した。

**（3）薩摩藩の侵攻・支配の時代（1609～1871年）**

1609年，徳川家康の許可をえた薩摩藩の島津氏は，兵をひきいて琉球に侵攻した。琉球王国は抵抗したが敗れ，これ以降は薩摩藩の従属国となり，薩摩藩への貢納を義務づけられた。一方で，琉球王国は明にかわった清にも朝貢を続け，薩摩藩と清への両属という体制をとりながら，独立国家の体裁を保ち，独自の文化を維持した。

**（4）2回の琉球処分（1872・1879年）**

1871年，明治政府は廃藩置県によって琉球王国を鹿児島県の管轄としたが，72年には琉球藩を設置し，尚氏を藩王とした（第一次琉球処分）。明治政府は，清国との冊封関係・通交を絶ち，明治の年号使用などをせまったが，琉球はしたがわなかった。そのため79年武力的威圧のもとで廃藩置県を通達，琉球藩の廃止および沖縄県の設置がなされた（第二次琉球処分）。こうして沖縄県令が派遣されて日本の国家体制のなかに組み込まれ，琉球王国は滅亡した。

第**3**章

# イスラーム世界

### 普遍性と多様性

　7世紀のアラビア半島に成立したイスラーム世界は，その後，時をへるにしたがって拡大し，今日では東南アジアから西アフリカにいたる広大な地域がこの世界にふくまれる。イスラーム世界は，初期をのぞいて政治的に統一されることはなく，10世紀頃からは，シリア・エジプト，イベリア半島・北アフリカ，イラン，トルコ，インドなどの地域がそれぞれ独自の歴史的発展をとげてきた。しかし，一方ではイスラームという共通の信仰と法をうけいれることにより，一つの世界としてのまとまりをも維持してきた。この世界では，交易・巡礼・遊学などをつうじて人や物の移動，学術・情報の交流がさかんにおこなわれた。社会は開放的で柔軟性にとみ，さまざまな出自の人びとが民族の枠にとらわれることなく活躍した。イスラーム世界は，ギリシア・ローマ・イラン・インドなどの古代文明の伝統を継承して融合し，独自のイスラーム文化を発展させたのである。

## 1　イスラーム世界の成立

### 預言者ムハンマド

　7世紀の初め，唯一神アッラーの啓示をうけたと信じ，神の使徒であることを自覚したムハンマド（570頃〜632）は，アラビアのメッカで，偶像崇拝をきびしく禁ずる一神教をとなえた。これがイスラーム教のはじまりである。その聖典『クルアーン（コーラン）』は，ムハンマドにくだされた啓示を，彼の死後あつめ，編集したものである。

1　イスラーム世界の成立　**89**

# イスラーム教の特質

イスラーム教はユダヤ教・キリスト教の流れを汲む一神教であり、『クルアーン（コーラン）』の内容も『旧約聖書』・『新約聖書』の物語に近い。モーセやイエスも預言者として登場し、両聖書も『クルアーン』と同様に聖典とされる。ただし、最後の預言者ムハンマドを最良の預言者とし、最後にくだされた啓示『クルアーン』を最良の啓示とする。

教義は、正しい信仰をもつだけでなく、その信仰が行為によって具体的に表現されなければならないとするもので、「六信五行」といわれる。「六信」とは (1) アッラー、(2) 神の啓示を運ぶ天使、(3) 神の啓示を書き留めた啓典、(4) それを人びとに伝える預言者、(5) 最後の審判後にやってくる来世、(6) 神の予定の実在を信じることで、「五行」とは (1) 信仰告白、(2) 礼拝 (1日5回メッカにむかっておこなう)、(3) 喜捨 (富者が貧者にほどこしを与える)、(4) 断食 (ラマダーンとよばれるイスラーム暦の月に、1カ月間、夜明けから日没までのすべての飲食と性行為を断つ)、(5) 巡礼 (義務ではなく余裕のあるものがおこなえばよい) を実行することである。六信の成立は10世紀後半、五行の成立は8世紀初頭とされる。

以上は神と人間の関係における規定であるが、信者同士の人間関係の規範も定められている。そこでは、売買、契約、利子、婚姻、離婚、相続にはじまり、賭け事の禁止、禁酒や豚肉を食べないなどの飲食物の禁忌、殺人をしない、秤をごまかさない、汚れから身を清める、女性は夫以外の男性に顔や肌をみせないようにするなどの倫理的徳目や礼儀作法などが問題とされる。たとえば「禁酒」の場合、イスラーム発生期のメッカの住民がことあるごとに酒を飲むようになり、その弊害が目につくようになったことからムハンマドは禁酒の啓示を何回かうけたあと、ついに全面禁酒の啓示 (『クルアーン』の5章90～91節) をうけることになった。

　多神教を信じるメッカの人びとの迫害をうけたムハンマドは、622年、メディナに移住 (ヒジュラ〈聖遷〉) し、この地に彼自身を最高指導者とする信徒の共同体 (ウンマ) をつくった。この622年はイスラーム暦の元年とされている。その後ウンマの拡大に成功したムハンマドは、彼にしたがう信徒をひきいてメッカを征服し、多神教の神殿カーバから偶像をとりのぞいて、これをイスラーム教の聖殿とした。こうしてムハンマドが死ぬまでには、アラビア半島のほぼ全域がその共同体の支配下にはいった。

## アラブ帝国

　ムハンマドの死後，イスラーム教徒（ムスリム）は全員で新しい指導者を選んだ。この指導者のことをカリフ（後継者，代理の意）とよぶ。最初の4人のカリフは選挙で選ばれ，正統カリフとよばれる。カリフの指導のもとでアラブ人ムスリムは征服活動（ジハード〈聖戦〉）を開始し，7世紀のなかばまでにササン朝をほろぼし，シリア・エジプトをビザンツ帝国からうばった。多くのアラブ人が新しい征服地に移住した。征服地が広がると，カリフ位をめぐって争いがおこった。その結果，第4代カリフのアリー〈位656～661〉が暗殺され，彼と対立していたウマイヤ家のムアーウィヤ〈位661～680〉がカリフとなって，ダマスクスを首都とするウマイヤ朝（661～750年）をたてた。ムアーウィヤは息子を後継カリフに指名し，以後カリフ位は世襲されるようになった。

　ウマイヤ朝は8世紀の初め，東方では中央アジアの西半分とインダス川下流域，西方では北アフリカを征服し，やがてイベリア半島に進出して西ゴート王国をほろぼした（711年）。さらにフランク王国にまで進出したが，トゥール・ポワティエ間の戦いに敗れ，ピレネー山脈の南側に領土はかぎられた。この広大な領土をもつ帝国では，征服者アラブ人のムスリムが特権的な地位にあり，膨大な数の被征服民を支配していた。国

**イスラーム帝国の領域**

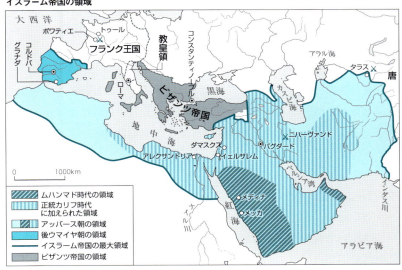

## スンナ派 (スンニー) とシーア派

イスラーム教には，大別すると，スンナ派とシーア派という二つの宗派がある。今日，全イスラーム教徒のうちの9割はスンナ派に属する。この両派の対立は，元来，アラブ帝国のカリフの位をめぐる政治的なものだったが，その後，教義の解釈をめぐって宗教的にも意見の相違がみられるようになった。スンナ派は，ムハンマド死後の代々のカリフの政治的な指導権を認めるいっぽう，イスラーム教徒の行動の是非はイスラーム教徒全体の合意によって判断されるべきだと考える。その際，判断の基準として用いられるのが，『クルアーン（コーラン）』と伝承として残されているムハンマドの言行（スンナ）である。この伝承の範囲，解釈の仕方のちがいによって，スンナ派内部に四つの学派がある。

これに対してシーア派は，アリーおよびその子孫のうちの特別な人物だけが，『クルアーン』を真に解釈することができ，政治的にも宗教的にもイスラーム教徒の最高指導者であるとする。彼らには一般の人びとにはない神秘的な力がそなわっていると考えられ，カリフの権威やイスラーム教徒の合意は認めない。シーア派は，このように，アリーの血統を重視するため，最高指導者の地位が子孫のうちのどの人物に伝えられたと考えるかによって，多くの派閥にわかれた。

このうち，今日のイランを中心とした地域に広まっている十二イマーム派では，9世紀の後半に姿をかくした12代目の最高指導者が，正義を実現するために，いつかふたたびこの世にあらわれると信じられている。また，この指導者がかくれているあいだは，徳が高く，学識の豊かな法学者・宗教学者がその権限を代行するものとされている。1979年の革命後のイランで，ホメイニをはじめとする法学者・宗教学者が大きな権限をもっているのはこのためである。

---

家財政をささえる地租(ハラージュ)と人頭税(ジズヤ)は征服地の先住民だけに課され，彼らがイスラーム教に改宗しても免除されなかった。その意味で，正統カリフとウマイヤ朝カリフが統治した国家はアラブ帝国ともよばれる。

## イスラーム帝国

シーア派の人びとやイスラーム教に改宗してもなお不平等なあつかいをうけていた被征服民など，ウマイヤ朝の支配に反対する人びとは，8世紀初め頃から反ウマイヤ朝運動を組織した。ムハンマドの叔父の子孫

92　第3章　イスラーム世界

アッバース家はこの運動をうまく利用してウマイヤ朝をほろぼし，イラクを根拠地としてあらたにアッバース朝（750 ～ 1258年）をたてた。まもなく建設された新首都バグダードは国際商業網の中心として発展し，王朝はハールーン・アッラシード〈位786 ～ 809〉の時代に最盛期をむかえた。

　9世紀頃までに，宰相を頂点とする官僚制度が発達し，行政の中央集権化が進んだ。イラン人を主とする新改宗者が政府の要職につくようになり，アラブ人ムスリムだけが支配者とはいえなくなった。イスラーム教徒であればアラブ人以外でも人頭税は課されず，征服地に土地を所有すればアラブ人にも地租が課されるようになった。イスラームの信仰のもとでの信徒の平等という考えが徐々に浸透していった。また，イスラーム法（シャリーア）の体系化も進み，この法を施行して，ウンマを統治することがカリフのもっとも重要な職務となった。アラブ人だけではなく，イスラーム教徒全体の指導者となったカリフが統治するこの時期のアッバース朝国家は，イスラーム帝国ともよばれる。

# 2　イスラーム世界の変容と拡大

### イスラーム世界の政治的分裂

　アッバース朝の成立後まもなく，後ウマイヤ朝（756 ～ 1031年）がイベリア半島に自立した。一つの政治権力が支配するにはイスラーム世界は拡大しすぎていた。9世紀になるとアッバース朝の領内でも各地で地方王朝が自立するようになった。このうち，中央アジアに成立したサーマーン朝（875 ～ 999年）は，トルコ人奴隷貿易を管理し，経済的に繁栄した。また，この王朝のもとでペルシア語がアラビア語とならんで用いられるようになり，のちに発展するイラン・イスラーム文化の芽生えがみられた。チュニジアにうまれ，のちエジプト・シリアを征服して新都カイロを建設したシーア派のファーティマ朝（909 ～ 1171年）の支配者は，建国当初からカリフと称し，アッバース朝と正面から対立した。

　このような政治的分裂にくわえ，9世紀頃からカリフの親衛隊として用いられるようになった，トルコ系の奴隷であるマムルークが，やがてカリフの位を左右するようになりアッバース朝カリフの威信は低下した。

2　イスラーム世界の変容と拡大　93

## 国家と社会の変容

946年，シーア派のブワイフ朝（932〜1062年）がバグダードを征服し，カリフから大アミール（軍事司令のなかの第一人者）に任じられて政治・軍事の実権をにぎった。アッバース朝カリフはこれ以後実際の統治権を失い，イスラーム教徒の象徴としての役割をはたすだけとなった。

ブワイフ朝の時代，軍隊への俸給支払いがむずかしくなると，俸給にみあう額を租税として徴収できる土地の徴税権を軍人にあたえる制度がうまれた。これをイクター制という。イクター制は，セルジューク朝（1038〜1194年）にひきつがれ，やがて西アジア・イスラーム社会でひろく用いられるようになった。

元来ユーラシア草原の遊牧民であったトルコ人は，10世紀頃からしだいに南下し，11世紀には，その一派で，イスラーム教スンナ派に改宗したセルジューク朝が西アジアに進出した。1055年，ブワイフ朝を追ってバグダードにはいったトゥグリル・ベク〈位1038〜63〉に，カリフはスルタン（支配者）の称号をあたえた。セルジューク朝はビザンツ帝国領だった小アジアを征服し，以後，小アジアはしだいにイスラーム化・トルコ化していった。彼らは領内の主要都市にマドラサ（学院）を設けてスンナ派の法学・神学を奨励した。しかし，王族のあいだでの権力争いが激しく，統一は長続きしなかった。

11世紀以後の西アジア・イスラーム社会では，修行によって神との合一をめざす神秘主義思想が力をもつようになった。12世紀になると，神秘主義者（スーフィー）とその崇拝者たちを中心として各地に神秘主義教団が組織され，都市の手工業者や農民のあいだに熱心な信者をえた。教団は貿易路にそってアフリカやインド・東南アジアに進出し，これらの地域にイスラームの信仰を広めていった。

## 東方イスラーム世界

13世紀初め，東方からモンゴル人が西アジアに進出してきた。フラグにひきいられたモンゴル軍は，1258年，バグダードをおとしいれて，アッバース朝をほろぼし，イル・ハン国（1258〜1353年）をひらいた。イル・ハン国は，モンゴル人やトルコ人など軍事力をもつ遊牧民を支配者とし，これにイラン人の都市有力者が行政官僚として協力して成り立っていた。

このような国家体制は，これ以後サファヴィー朝（1501 ～ 1736年）にいたるまで同じ地域に成立した諸国家にうけつがれていく。ただし，遊牧民支配者間での争いがたえず，総じて国家の寿命は短かった。イル・ハン国のモンゴル人支配者は，ガザン・ハン〈位1295 ～ 1304〉のときまでにほぼイスラーム化し，イラン・イスラーム文化の成熟に寄与した。

　1370年，チャガタイ・ハン朝の混乱に乗じてサマルカンドで位についたティムール〈位1370 ～ 1405〉は，その後西アジアにはいってイラン全域を征服し，オスマン帝国やマムルーク朝領，北インドやキプチャク草原にまで兵を進めた。ティムール朝（1370 ～ 1507年）の時代，成熟しつつあったイラン・イスラーム文化と中央アジアの伝統文化が結びつけられ，文学・建築などの分野で特色あるティムール朝文化が花開いた。16世紀の初め，分裂していたティムール朝は北方の草原から南下したトルコ系のウズベク人によってほろぼされた。ウズベク人は，ブハラ，ヒヴァ，コーカンドなどの都市を中心に19世紀なかばまで続く国家をたてた。

　16世紀初め，イラン高原にサファヴィー朝が成立した。この国家も，トルコ系遊牧民とイラン系都市有力者の協力のうえに成り立っていたが，シーア派を国教とし，住民の改宗を強要した点がそれまでのこの地域の国家とは異なっていた。イラン人の多くがシーア派をうけいれるのは，サファヴィー朝時代のことである。

　1587年に即位したアッバース1世〈位1587 ～ 1629〉は，多くの政治・軍事改革をおこなって王朝の最盛期をきずいた。この王の時代に首都となったイスファハーンは，絹・綿織物・香料などの国際交易の中心として「世界の半分」といわれるほど栄え，モスク（礼拝所）・マドラサ（学院）・キャラヴァンサライ（隊商宿）・橋・庭園などが数多くつくられた。


## エジプト・シリアの諸王朝

　11世紀の末，シリアの沿岸に十字軍（115ページ参照）が進出してきた。セルジューク朝の一侯国の武将サラーフ・アッディーン（サラディン〈位1169 ～ 93〉）は12世紀後半に自立してアイユーブ朝（1169 ～ 1250年）をひらき，エジプトのファーティマ朝を倒して，スンナ派を復興させた。彼は十字軍のイェルサレム王国を攻撃してイェルサレムの奪回に成功した。

　1250年，アイユーブ朝のマムルーク（奴隷出身の軍人）軍団が権力をう

ばい，マムルーク朝（1250〜1517年）が成立した。この国家では君主の位が世襲されることは少なく，有力なマムルークがあいついで君主となった。マムルーク朝は軍事制度と農村支配の体制をととのえ，モンゴル軍や十字軍勢力へのジハードを進めた。また，アッバース朝カリフの一族をカイロにむかえて保護するとともに，メッカ・メディナを領有して，イスラーム世界の中心であることを自認した。首都のカイロはバグダードにかわってイスラーム世界の政治・経済・文化の中心地として栄え，東西の香辛料貿易に活躍する商人もあらわれた。

## イベリア半島とアフリカの諸王朝

　イベリア半島の後ウマイヤ朝（756〜1031年）は，10世紀のなかばに最盛期をむかえ，その文化は中世ヨーロッパ世界に大きな影響をあたえた。しかし，この王朝がおとろえた11世紀以後は，小王国が分立し，しだいにキリスト教徒の国土回復運動（レコンキスタ）が進展した。

　これに対抗して，11世紀なかばベルベル人のあいだでおきた熱狂的な宗教運動を背景に，北西アフリカを拠点として誕生したムラービト朝（1056〜1147年），そして同じベルベル系のムワッヒド朝（1130〜1269年）がイベリア半島に進出することもあった。1492年，グラナダのナスル朝（1232〜1492年）がほろびると，イスラーム教徒の政権は，イベリア半島

**アルハンブラ宮殿の中庭**　華麗な装飾文様が名高い。グラナダ，14世紀の建造。

96　第3章　イスラーム世界

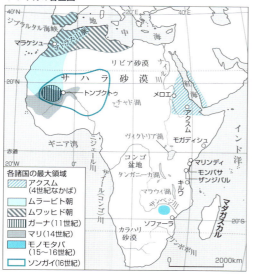

アフリカの古王国

から姿を消したが、アルハンブラ宮殿にみられるようなイスラーム文化の影響は、その後も長く残った。

ナイル川上流には、前8世紀に一時エジプト王朝をほろぼしたアフリカ人のクシュ王国（前920年頃～後350年頃）があり、メロエに都をおいた時代には製鉄と商業で栄えた。しかしエチオピアのアクスム王国（紀元前後頃～12世紀）によってほろぼされた。

西アフリカでは、ガーナ王国（7世紀頃～13世紀なかば頃）が金を豊富に産したことから繁栄し、イスラーム商人との交易もおこなった。そのためイスラーム商人の居留地ができていたが、ムラービト朝の攻撃によってガーナ王国が衰退すると、住民のイスラーム化がいっそう進み、マリ王国（1240～1473年）やソンガイ王国（1464～1591年）などの黒人イスラーム教徒による国家が、北アフリカへ金・奴隷を輸出して発展した。とくにソンガイ王国の中心都市トンブクトゥは黄金の都、イスラームの学問都市として有名である。

東・東南アフリカの海岸には、ザンジバル・マリンディ・キルワなどの海港都市がインド洋貿易の拠点として存在した。9世紀頃からはイスラーム教徒の商人がこれらの町に住みつくようになり、アラビア・イラン・インドなどとの交易に従事した。

## オスマン帝国

13世紀末、トルコ化・イスラーム化が進んでいた小アジアにおこったオスマン帝国は、バルカン半島のキリスト教世界に進出し、1453年にはコンスタンティノープル（以後イスタンブルの呼称が一般化した）を征服して、ビザンツ帝国（111ページ参照）をほろぼした。その後、マムルーク朝をほろぼしてシリアとエジプトをあわせ（1517年）、メッカ・メディナをそ

# 多民族・多宗教国家オスマン帝国

オスマン帝国は，長いあいだ「オスマン・トルコ」とよばれてきた。オスマン帝国はトルコ人の国だと認識されていたのである。しかし，現在は，「オスマン・トルコ」ではなく，「オスマン帝国」や「オスマン朝」という呼称が用いられるようになっている。

オスマン帝国の全臣民は，民族単位ではなく，宗教単位で識別されることが多かった。オスマン帝国内の大多数の非イスラーム教徒（非ムスリム）はギリシア正教徒であったが，そのほかにも，バルカン諸民族，アラブ地域のマロン派・ネストリウス派などが存在していた。各集団は，それぞれ属する教会組織のもとで従来の信仰が認められてきた。もともと，イスラーム（ムスリム）諸王朝においては，キリスト教徒やユダヤ教徒は，啓典の民として保護民（ズィンミー）と位置づけられ，人頭税（ジズヤ）の支払いを条件に信仰の自由が認められてきた。オスマン帝国もこの原則を踏襲したのである。

広大な領域を支配したオスマン帝国はさまざまな人材を登用することにより，その支配を盤石にしていった。当初，オスマン帝国軍の主力を担っていたのは，トルコ系遊牧民軍人であったが，それに並んで君主に忠誠を誓う官僚・軍人が必要とされた。15世紀になると，これらの人材には，組織的な人材登用方法が考案された。それが，デヴシルメ制である。オスマン帝国は，バルカン半島における8〜20歳のキリスト教徒を，容姿・身体・才能などを基準として，イスラーム教に改宗していないことを条件に徴用した。その後，イスラーム教に改宗させたうえで，トルコ語とムスリムとしての生活習慣を身につけさせた。そのなかで頭脳明晰な者は宮廷官吏に，身体屈強な者は軍人に選出されるなど，オスマン帝国の国政にとって必要不可欠な存在となった。1453年から1600年までに大宰相を務めた36名中，トルコ人と思われる者がわずか5名にすぎないという事実は，オスマン帝国の多民族国家としての特質を象徴している。

の保護下において，スンナ派イスラーム世界での指導的立場をかためた。

スルタンを頂点とする中央集権的な行政機構がしだいに整備され，スレイマン1世〈位1520〜66〉のときにオスマン帝国は最盛期をむかえた。彼は南イラクと北アフリカに領土を広げるいっぽう，ハンガリーを征服し，1529年にはウィーンを包囲してヨーロッパ諸国に大きな脅威をあたえた。またプレヴェザの海戦（1538年）でスペイン・ヴェネツィアの連合軍を破って地中海の制海権をにぎった。これ以後，オスマン帝国はフラ

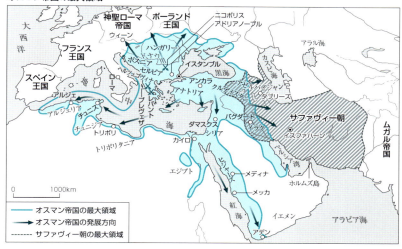

オスマン帝国の最大領域

ンスと同盟しつつ、ヨーロッパの国際関係と密接なかかわりをもつようになった。

しかし、17世紀にはいると国内政治に乱れがみえはじめ、同世紀末の第2次ウィーン包囲に失敗して以後は、対外的にもヨーロッパ諸国に対してしだいに守勢にたつようになった。

オスマン帝国では、領土の拡大にともなって大幅に増大した領内のキリスト教徒やユダヤ教徒を、それぞれの信仰に応じて宗教別の共同体（ミッレト）に組織し、これに自治をあたえた。また、キリスト教徒の少年を徴発して宮廷で専門教育をおこない、高級官僚やイェニチェリ（新軍）とよばれるスルタンの常備軍に採用した。これらは、異民族・異教徒をもひろくうけいれて共存をはかり、活用してきた西アジア・イスラーム世界に伝統的な政策の特徴をよく示している。

## 3 イスラーム文化の発展

### イスラーム文化の特色

ギリシア・イラン・インドなど古代の先進文化が栄えた地域に成立したイスラーム文化は、征服者のアラブ人がもたらしたイスラーム教とア

ラビア語を縦糸，征服地の諸民族が祖先からうけついだ文化遺産を横糸として織りあげられた新しい融合文化であった。インド・イラン・アラビア・ギリシアなどに起源をもつ説話が，16世紀初め頃までにカイロで現在のようなかたちにまとめられた『千夜一夜物語』はその典型的な作品といえる。

　固有の学問として，伝承学・法学・神学・歴史学・アラビア語学などが発達するいっぽう，ギリシア語文献の翻訳をつうじて，哲学・論理学・地理学・医学・天文学など外来の学問も積極的にとりいれられ，それらはやがてギリシアの水準をはるかにこえるようになった。11〜12世紀，イブン・シーナーやイブン・ルシュドに代表される哲学者は，とくにアリストテレスの哲学を研究し，合理的で客観的なスンナ派神学体系をうちたてるとともに，中世ヨーロッパのスコラ学派(124ページ参照)にも影響をあたえた。また，インド起源のゼロの観念と十進法・アラビア数字の導入によって発達した数学は，錬金術・光学で用いられた実験的方法とともにヨーロッパに伝えられ，近代科学の発展をうながした。

　イスラーム教徒の学者はあらゆる学問につうじた知識人で，広大なイスラーム世界の政治的国境をこえて活動することが多かった。詩人として名高いウマル・ハイヤームは，同時にすぐれた天文学者であったし，北アフリカにうまれ，シリア・エジプトで活躍した14世紀の歴史家イブン・ハルドゥーンは，政治家・法学者としても有能だった。大旅行家で『三大陸周遊記』をあらわした法学者のイブン・バットゥータもこのような知識人の一例である。

## イスラーム文化の多様性

　アラブ人の征服とともに成立した普遍的なイスラーム文化は，9世紀以後，イスラーム世界の政治的分裂にともなって，全体としての統一は保ちながらも，地域ごとに独自の発展をとげた。文化の基調となる言語を例にとると，エジプト・シリアや北アフリカでは，『クルアーン（コーラン）』の言葉，アラビア語が日常生活でも使用され続けたのに対して，10世紀以後のイラン・中央アジアではペルシア語，オスマン帝国ではトルコ語が使われるようになり，これらの言葉で書かれた歴史書・文学作品が数多く残された。

# イスラーム教と男女の平等

イスラーム教を批判する際によく用いられるのが，男女が不平等で，女性は家のなかに押しこめられ，外出する際には髪や肌を隠すためにヴェールを身に着けなければならない，という類の言説である。

歴史的にみて，イスラーム教徒（ムスリム）の女性の社会的な立場は決して低かったわけではない。たとえばもっとも初期の事例としてムハンマドの妻ハディージャ（619年没）があげられる。彼女は富裕な商人として知られ，その経済的・精神的援助によりイスラーム教がおこったといっても過言ではない。また彼女は，もっとも早くイスラーム教の教えをうけいれた信者であった。

その一方で，『クルアーン（コーラン）』には「男は女の擁護者（家長）である」（第4章第34節）とあり，男女の社会的な役割のちがいを強調している。イスラーム法によれば，婚姻は男女間の個人の契約とされるが，夫は婚姻時の婚資の支払いと妻・家族を扶養する義務を負うかわりに，妻は夫に服従することが求められる。しかし，20世紀にはいると，女性の法的・社会的な地位の向上を求める運動が各地域でもりあがり，管理職の女性や企業家としての経済活動はもちろんのこと，医者や弁護士，大学などの教員として活躍する女性も多い。このような背景のもとで，イスラーム法の規定の合理的執行が模索されている。

イスラーム教と女性に関する問題の象徴の一つとしてよくとりあげられるのが，女性のヴェール着用の問題であるが，現在トルコやエジプトをはじめとする多くの国では，ヴェールを着用するか否かは個人の判断にゆだねられている。実際に女性のヴェール着用が義務づけられているのは，サウジアラビアやイランなどのいくつかの国だけである。しかし，そのような状況にあるにもかかわらず，1990年代以降イスラーム復興の潮流のなかで，ヴェールを着用する女性の数は増加傾向にある。そこにみられるのは，西洋的な文明や生活様式に触れるなかでこれに対して疑問をもち，イスラーム教徒としてのアイデンティティを主張する象徴としてヴェールを着用するという傾向である。

イスラーム世界全域でみられる建築物であるモスクも，共通の特徴を保ちながら，各地域ごとに異なった素材や様式が用いられた。素朴で重厚な石造アーチ式回廊をもつアラブ型（古典型）モスク，サ-サン朝以来の伝統をもつ煉瓦造りのドームと青や黄の彩色タイルが美しいイラン型モスク，ビザンツの影響をうけた石造大ドームととがった光塔（ミナレット）が特徴的なトルコ型モスクなどはその例である。

3 イスラーム文化の発展 101

イスラーム教は偶像崇拝を禁じたため，彫刻は発達しなかったが，装飾文様としてのアラベスクがうまれ，各地で独特のデザインをもった文様が建築物の表面を飾るいっぽう，じゅうたんや陶磁器の図柄としても用いられた。13世紀以後発達するミニアチュール（細密画）も，地域ごとに特有の主題と画風をもっていた。

# 4 インド・東南アジアのイスラーム国家

## イスラーム教徒のインド支配

インドでは，8世紀初めにウマイヤ朝のアラブ軍がインダス川下流域を占領したが，それ以上の進出はみられなかった。イスラーム教徒の組織的なインド征服がはじまったのは，アフガニスタンにガズナ朝（977〜1187年）とゴール朝（1148頃〜1215年）があいついでおこってからである。これら両王朝は10世紀末からインド侵入をくりかえし，ヒンドゥー教徒の諸王国を破って，しだいにインド支配の足場をかためた。そして13世紀初めに，ゴール朝の解放奴隷出身の将軍アイバク〈位1206〜10〉によって，デリーにインド最初のイスラーム王朝（奴隷王朝，1206〜90年）が創始された。

その後の約3世紀間，デリーには五つのイスラーム王朝が興亡し（デリー・スルタン朝），14世紀初めには，半島最南端部をのぞくインド亜大陸の大部分がその支配下にはいった。イスラーム勢力進出の初期には仏教を弾圧しヒンドゥー教の寺院を破壊することもあったが，信仰を強制することはなく，経済・文化面など，のちのムガル帝国の基礎をつくった。

## ムガル帝国

中央アジア出身のティムールの直系子孫であるバーブル〈位1526〜30〉は，アフガニスタンから南下し，1526年にデリーに入城してムガル朝（1526〜1858年）を創始した。彼の孫で第3代のアクバル〈位1556〜1605〉は，アグラに都城を建設し，中央集権的な統治機構をととのえ，税制改革を実施し，四方に領土を広げるなど，支配者として有能であった。彼はまた，ヒンドゥー教徒の登用や人頭税（ジズヤ）の廃止など，ヒンドゥー教徒と

102 第3章 イスラーム世界

の和解策を積極的に進めた。アクバル以後、ムガル帝国の繁栄は続き、宮廷を中心に華麗なインド・イスラーム文化が栄え、イラン式のミニアチュール（細密画）が流行し、タージ・マハル廟に代表される壮麗な建築物がたてられた。

　第6代のアウラングゼーブ帝〈位1658〜1707〉は厳格なイスラーム教徒であり、人頭税の復活などヒンドゥー教徒抑圧策にかたむいたため、彼らの反抗を招き、また財政も悪化したので、治世の末年に帝国は崩壊しはじめていた。この皇帝以後、帝位継承の争いや諸侯の離反があいついだ。またヒンドゥー国家の建設をめざすマラーター同盟やシク教徒の反抗、イラン人・アフガン人の侵入、イギリス勢力の進出などもかさなって、帝国の領土は縮小していった。

**アクバル**　年代記の挿し絵で、象に乗ってガンジス川をわたる場面。

## 東南アジア諸国

　東南アジアの諸民族のうち、ミャンマー人（ビルマ人）は、13世紀末に元朝の遠征軍に敗れたあとはふるわなかったが、16世紀にふたたび全土を統一した。タイ（シャム）では14世紀なかばにアユタヤ朝（1351〜1767年）がおこり、日本をふくむアジア諸国やヨーロッパとの貿易で栄えた。この王朝は18世紀後半にミャンマー人に倒されたが、その後の混乱期をへて現在のラタナコーシン朝（チャクリ朝、1782年〜）が成立した。ベトナム人は15世紀初めに明に征服されたが、まもなく黎朝（1428〜1527、1532〜1789年）のもとに独立を回復した。半島部のこれらの国家では、ベトナムをのぞき上座部仏教が民衆の生活にまで深く浸透した。

　諸島部ではイスラーム教がそれまでの宗教にかわっていった。イスラーム教は西アジアやインドの商人によって伝えられ、マラッカ海峡に面する沿岸諸都市で信者をふやしたが、14世紀末頃マラッカ王国（14世紀末頃〜1511年）がたてられると、急速に力を強めた。そして、ジャワ島に波及し、この地のヒンドゥー教を衰退させ、さらに近くの島々へと広まっていった。

# ヨーロッパ世界

**ヨーロッパ世界の形成**

　5世紀に西ローマ帝国が滅亡してからのち，15世紀までの約10世紀間のヨーロッパ史は，ふつう中世とよばれる。これは古典古代と近世・近代の中間期という意味である。この時期にヨーロッパ史の主要な舞台は，地中海からアルプス以北の西ヨーロッパに移った。しかし西ヨーロッパが独自の文明世界として成立するのは，西ローマ帝国の滅亡と同時ではなく，長い過渡期をへたのちであった。

　地中海を内海としたローマ帝国は，中世前期のあいだに三つの世界に分裂した。すなわち，西アジアからアフリカ北部・イベリア半島にかけては，イスラーム教を奉じるアラブ人が進出してイスラーム世界を形成した。またビザンツ（東ローマ）帝国が長く命脈を保ったバルカン半島からスラヴ人の地域にいたる東ヨーロッパには，ギリシア文化とギリシア正教会を基礎にもつビザンツ世界が成立した。この世界にはまた東方からのアジア系の侵入が著しかった。

　この両世界に対して，ゲルマン人が移動・定着した西ヨーロッパは，ローマ文化とローマ・カトリック教会およびゲルマン人の伝統の融合のなかに，8〜9世紀頃には独自の文明世界にまとまっていき，これを共通の母体として，近代以後の西ヨーロッパ諸国が成立するのである。

## 1　西ヨーロッパ世界の成立

**ゲルマン人の大移動**

　西洋中世は，ゲルマン人の大移動をもってはじまる。彼らはバルト海

沿岸を原住地として，独自な文化を展開した先住のケルト人を圧迫しながら四方に広がり，紀元前後頃にはローマ帝国と接するようになった。彼らは多くの部族にわかれていたが，その社会ではすでに氏族制がくずれはじめ，貴族・平民・奴隷の区別もはっきりしていた。農業が進み土地が不足してくると，土地を求めて移動するようになり，これが民族移動の内的原因となった。こうして彼らはローマ帝国への侵入をくりかえし，また傭兵や小作人として平和的に帝国内に移住していた。

　4世紀後半，アジアの遊牧民フン人の西進に圧迫されて，ゲルマンの西ゴートが移動をおこし（375年），翌年ローマ帝国に侵入した。これをきっかけに，ゲルマン諸族はあいついで帝国内に移り，西欧は民族大移動の混乱におちいった。そのなかで，西ローマ帝国はゲルマン人の傭兵隊長オドアケルにほろぼされた（476年）。その後，東ローマ（ビザンツ）帝国は一時地中海周辺を回復したが，7世紀からはイスラーム勢力が地中海に進出してきたため，西洋の重心は内陸のゲルマン世界に移った。

## フランクの発展

　西ローマ帝国滅亡後に建国された大半のゲルマン諸王国はまもなくほろんだが，ライン川東岸から北ガリアに拡大したフランクだけは着実に発展した。5世紀末フランク王国を建設したメロヴィング朝（481〜751年）のクローヴィス〈位481〜511〉は，ゲルマン人の多くがなお伝統的多神教や異端のアリウス派キリスト教を信仰していたなかで，いちはやく正統派キリスト教のアタナシウスの説に改宗した。このためフランクだけが，はやくローマ人と親密な関係をもつことができた。

　フランクと協力して勢力を拡大したのがローマ教会である。ローマ末期の帝国内には多くの教会が成立していたが，やがてローマとコンスタンティノープルの2大教会がもっとも有力になった。とくにローマの教会は使徒ペテロがつくったという伝説をもち，その司教は教皇と尊称されて特別な権威を主張し，そのためコンスタンティノープル教会との関係が悪化した。反面，ローマ教会は西ローマ滅亡後，政治的にはビザンツ皇帝に従属しなければならなかった。

　6世紀末の教皇グレゴリウス1世は，ゲルマン人の改宗を進め，キリスト教世界を拡大した。8世紀にはいり，ローマ教会は聖像禁止問題から

1　西ヨーロッパ世界の成立　105

ビザンツ皇帝と対立したため，これにかわる有力な政治勢力を求めた。このころイベリア半島のイスラーム教徒がガリアに侵入したが，フランクの宮宰カール・マルテルは，732年トゥール・ポワティエ間の戦いでこれを撃退し，キリスト教世界の危機を救った。そこでローマ教皇はフランクに接近し，751年カールの子ピピン〈位751～768〉の即位を認め，ここにカロリング朝（751～987年）が成立した。ピピンはイタリアのランゴバルド（ロンバルド）王国を討って教皇に領地を献上し，こうして両者はかたく結びついた。この領地は教皇領の起源となった。

## カール大帝

ピピンの子がカール大帝（シャルルマーニュ〈位768～814〉）である。彼は武力で西欧の主要部分を統一し，東方から侵入したアヴァール人を撃退し，内政の整備や文化の興隆につとめ，ビザンツ帝国に対抗する強国を建設した。そこで教皇レオ3世はカールに帝冠をあたえ（800年），ここに西ローマ帝国が復興した。カールの帝国は，古代ローマ帝国の復興を意味しただけでなく，正統派キリスト教の拡大という任務を教会からあたえられたゲルマン人を皇帝とする国家であった。つまり彼の戴冠は，古典古代・キリスト教・ゲルマンの3要素が融合し，西欧が独自の文明世界にまとまったことを象徴するものであった。こうしてキリスト教会も，ビザンツ皇帝が支配するギリシア正教会と，ローマ教皇をいただくローマ・カトリック教会とに二分される状況となり，のちの11世紀になって分裂は決定的となった。

## 第2次民族大移動と西欧諸国の起源

カールの帝国は中央集権的な組織をもっていたが，役人を統制する確実な手段がなかったため，有能な皇帝でないと広大な領土の統治は困難であった。そのため彼の没後に紛争がおこり，ヴェルダン条約（843年）とメルセン条約（870年）により東・西フランクとイタリアに分裂した。しかもこのころ，イスラーム勢力だけでなく，ヴァイキング（ノルマン人）・マジャール人などの侵入があいつぎ，西欧はまたも混乱におちいった。これを第2次民族大移動という。こうしたなかで，各地の人びとは自分をまもるため地方の有力者を中心にまとまり，地方分権が進んで，西欧は

## ひと 尊厳で残酷 カール大帝

左手にもつ球は世界をあらわし,皇帝権の象徴。

　カール大帝(シャルルマーニュ)の歴史的な意義を要約すれば,800年にローマ皇帝の戴冠をうけたことで,ゲルマン・ローマ・キリスト教の3要素を融合して西ヨーロッパ中世世界を成立させ,ドイツ・フランス・イタリアにまたがる大きな国家を形成し,中央集権制度を整備し,厚い信仰心を背景にキリスト教を国内に定着させ,カロリング・ルネサンスとよばれる文化を振興したことにある。ちなみにフランス語で「マーニュ(magne)」は「偉大な」という意味である。

　伝記作家でもあったアインハルトの記録によれば,彼は背が高く,両眼は大きく,いきいきとし,髪は白髪で全体の印象は権威と尊厳に満ちていたという。いつもフランク風の衣服を身につけ,ブドウ酒を3杯以上飲むことはほとんどなく,食事では,とくに焼き肉を好んだ。教養にも強い関心を示し,聖書の詩編を暗唱でき,アウグスティヌスの『神の国』を食事中に朗読させるほど愛好し,文字は読み書きできなかったが,ラテン語は自由に話せた。

　しかし,こうした歴史に残る国家の形成や身近な人間らしい王の性格の背後にあって,征服された民族や戦争に駆り出された人びとにおもいやると,カール大帝の別な一面をみることになる。すなわち征服戦争の過程で,4500人もの異教徒のザクセン人を処刑したこともあり,アヴァール人との戦いの結果,「パンノニアからはすべての住民がいなくなった。(略)貴族はことごとく死に絶え,すべての光栄も地に落ちた。すべての貨幣と長い間に積まされた財宝が奪われた」(アインハルト)とあり,カールの軍隊が殺戮・殺人・略奪を働いたことがわかる。この軍隊に兵や物資を供給したフランク王国内の農村も大変だった。異教徒ザクセンとの長期戦に代表される征服戦争が重なり,多くの農民が戦死し,なかには奴隷にされて二度と故郷をみることのない人もいた。

封建社会に移っていった。

　東フランク(ドイツ)では,カロリング家の系統がはやくたえ,ザクセン公を中心に新しい王権が成立した。オットー1世〈位936～973〉はマジャール人を破り,イタリアに出兵して教皇を助け,962年ローマ皇帝の帝冠をうけた。これがのちの神聖ローマ帝国(962～1806年)の起源である。しかし歴代の皇帝はイタリアに進出をはかり,本国をおろそかにしたた

め、ドイツでは地方の諸侯が有力になり分裂状態となった。西フランク（フランス）でも、10世紀末カロリングの王統が断絶し、カペー家のユーグ〈位987～996〉が王に選ばれた。しかし王権が弱く、典型的な封建社会が展開した。

このほか、民族大移動のときからイギリスにはアングロ・サクソンが王国を形成していたが、1016年にデンマーク出身のクヌートによる王国、66年にはノルマンディー公国出身のウィリアムによるノルマン朝がひらかれた（ノルマン・コンクェスト）。また北欧・東方・地中海でもヴァイキ

## バイユーのタペストリ

58～59ページのタペストリ（壁掛けなどの織物）はフランスのノルマンディー地方の都市バイユーにあるバイユー・タペストリ美術館に保管・展示されているもので、長辺約70m（現存63.6m）、短辺約0.5mのリンネル（亜麻布）に8色の毛糸を使って刺繍されている。イングランドで製作され、北フランス、バイユーの司教座聖堂に伝えられてきた。エドワード懺悔王（在位1042～66）の死から、簒奪者ハロルドから王位をとりもどすまでのヘースティングズの戦い、ハロルド軍が敗走するまでが詳細に描かれている。また当時の服装や武器、軍船、戦闘方法などを伝える貴重な史料でもある。

征服者ウィリアムは国王に即位して（ウィリアム1世）ノルマン朝がはじまり、もともと北フランスにあったノルマンディー公国とあわせて英仏海峡にまたがる「海峡国家」を構成した。彼はイングランドにおいてアングロ・サクソン貴族を駆逐して土地を奪い、ノルマン人の家臣にあたえ、同時

に主君への奉仕義務と結びつけた（「保有権革命」）。さらに1085年には最初の土地台帳ともいうべきドゥームズデイ・ブック（Domesday Book）を作成して税制度を定め、1086年にソールズベリーでイングランドすべての領主を集め、自分への忠誠を誓わせた（ソールズベリーの宣誓）。こうして分権的傾向が強い大陸の封建制とは異なる、集権的な封建制が確立した。

一方で英語の歴史でも変化がおこった。ノルマン・コンクェストの結果、イギリスの支配階級はほとんどフランス語しか話さない人びとによって占められることになり、そのため、上流階級の話すフランス系語彙と、征服された中下層階級のゲルマン系語彙の二系統が混在することになった。たとえばmutton（食用の羊肉）やbeef（食用の牛肉）はフランス系語彙、sheep（家畜の羊）やcow（酪農用の牛）はゲルマン系語彙で、つまり、庶民が養った肉を貴族が食べるのであった。

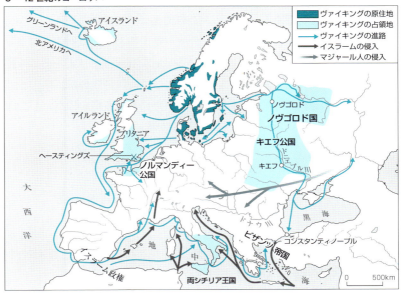

9〜12世紀のヨーロッパ

ングがいくつかの王国を建設した。こうして西欧諸国の歩みがはじまったのである。

## 封建社会

　民族大移動にはじまる混乱のあいだに、商業や交通はおとろえ、自給自足の農業経済が支配的となった。人びとは遠くの皇帝や国王ではなく、近くの有力者にたよるようになり、有力者は武装した騎士をしたがえ、城をかまえて近くの住民を支配し、諸侯（貴族）として各地に自立した。また寄進などをつうじて広い所領をもつにいたった教会・修道院の高位聖職者も諸侯に等しい貴族的地位にたった。こうして封建社会が形成され、11〜13世紀にはその最盛期をむかえた。封建社会は貴族・騎士間の封建制と、領主・農民間の荘園制との二つの社会関係を軸として成立している。荘園とは、土地所有者である聖職者・貴族・騎士が領主として農民を支配する単位で、大多数の農民は領主に賦役や貢納の義務をもち、身分上さまざまな束縛をうける隷属的な農奴であった。

　封建制（フューダリズム）とは、主君が臣下に封土をあたえ、臣下は主君に忠誠をちかって軍役などを奉仕するという主従関係で、西欧のそれは

1　西ヨーロッパ世界の成立　109

日本と比較して一般的に主君と臣下の双方が契約をまもる義務をもつ点（双務的契約）に特徴をもっている。この関係は，異民族の侵入からの自衛のため，皇帝・国王を頂点として貴族・騎士のあいだに網の目のように結ばれていた。しかし貴族は自分の支配地に裁判権やさまざまの特権をもち，王権の介入を許さなかったため，一般に封建社会では権力が分散して王権が弱かった。また聖職者のあいだにも，教皇を頂点とした大司教・司教・司祭など封建制に似た階層制が成立した。

## 修道会のはたした役割

　中世ヨーロッパ世界において，なぜ教会の力が拡大していったのだろうか。その理由は教会が当時の民衆の支持をえるために不断の努力をしたことにあった。その中心的な役割をはたしたのが修道会（修道院）であった。

　封建的分裂が広がったフランスでは，教会は世俗権力の支配下におかれ，封建領主による教会領や農民への略奪があとをたたなかった。10世紀初めからクリュニー修道院は農民の宗教的覚醒を背景に改革運動をおこし，聖ベネディクトゥスの会則（「信仰と労働の重視」）の厳守と貧民の保護を目標にして，大修道会をつくり，俗権に従属する司教と対立しつつ改革運動を進めた。

　南フランスでは10世紀末以来，封建貴族間の私闘をおさえるために，たびたび教会会議で武力行使を禁じることが決議されて，貧民財産の保護と暴行の禁止がめざされた。これが「神の平和」「神の休戦」である。11世紀なかばにはスペインや北フランス，さらにドイツやイタリアにも拡大

したが，しだいに民衆性，宗教性が薄れ，ドイツでは国王に利用され，国内の平和化政策に吸収されていった。

　12世紀にはいると，東方植民運動や国土回復運動（レコンキスタ）とほぼ同時期に活動を活発化させたのが，シトー派修道会らによる大開墾運動であった。森林や沼沢地を効率よく開墾することは農民にとって農業技術の向上や耕作地の拡大につながり，また支配権の拡張や統治基盤の拡充をもくろむ各地の領主・諸侯もこれらの修道院を積極的に誘致した。またこの開墾運動は人びとの心性を変化させ，森は畏怖する対象から，あらゆる可能性を秘めた挑むべき空間となった。

　13世紀には，活発化した托鉢修道会の活動があった。彼らは特定の修道院に定住せず，都市や農村などに居住する民衆のなかをまわって説教をおこない，下層民や異民族の教化につとめた。イタリアのアッシジのフランチェスコ修道会や，スペインのドミニコ修道会がその代表的なものである。

## ローマ教会の発展

　封建社会の盛期は，ローマ教会の権威の最盛期でもあった。教会は信仰の中心だけでなく，広大な土地や農民らを支配する政治権力でもあった。ローマ教皇は全西欧の教会の首長となり，聖職者は貴族とならぶ支配階級として，封建的秩序の維持につとめた。一方で6世紀のイタリアではじまったベネディクトゥスによる修道院運動は「信仰と労働」を基本とし，キリスト教会の浄化につとめた。さらに12世紀からの森林を切り開いた「大開墾時代」ではシトー修道会が先頭にたち，13世紀にはフランチェスコ会などの托鉢修道会が民衆の教化につとめた。

　教会の勢力が強くなると，教皇は聖職者の任命権や教会財産への課税権をめぐり，皇帝や国王と対立するようになった。11世紀後半，クリュニー修道院の改革運動の影響をうけた教皇グレゴリウス7世〈位1073～85〉は，聖職売買を禁ずるなど教会を改革し，またハインリヒ4世〈位1056～1105〉と争い，一時屈服させた（「カノッサの屈辱」，1077年）。そして13世紀のインノケンティウス3世〈位1198～1216〉のときが教皇権の絶頂期で，彼は神聖ローマ皇帝やフランス王をあやつり，イギリス王ジョンを破門して屈服させたほどであった。これらの聖職者の任命権をめぐる教皇権と君主権の争いを叙任権闘争という。

# 2　中世の東ヨーロッパ

## ビザンツ帝国

　西欧で西ローマ帝国が滅亡し，ゲルマン諸国が分立した頃，東欧では民族大移動にあまり影響されなかったビザンツ（東ローマ）帝国（395～1453年）が栄えていた。その皇帝は唯一の古代ローマ皇帝権の継承者として，地中海帝国の復興とキリスト教世界の統一をめざした。6世紀のユスティニアヌス帝〈位527～565〉は，イタリアなどの地中海周辺の旧ローマ領を回復し，一時的に大帝国を再現した。彼は『ローマ法大全』を編纂させ，首都コンスタンティノープルに壮大なハギア（セント）・ソフィア聖堂を建設した。

　しかし，この再統一は長く続かなかった。北イタリアにはランゴバル

## ローマ帝国の復興 ユスティニアヌス帝

農民の子として誕生したユスティニアヌスは、のちに皇帝となった叔父ユスティヌスの養子となり、都へのぼって軍人として輝かしい経歴を積みあげた。彼は叔父の補佐役として活躍し、ユスティヌス死後は単独皇帝となった。低い身分出自であったユスティニアヌスは、彼の周囲でも将軍ベリサリオスをはじめ、低い生まれの者を重用した。皇后テオドラも元は踊り子であったが、法律をまげて結婚し、皇后となって以降は皇帝をよく補佐した。

彼は意外と小心者だったらしく、たとえば、532年の首都市民による「ニカの乱」の際、反乱にうろたえて逃亡しようとした。「女傑」と称された皇后のテオドラはこの逃亡を制し、「そこまでして生き延びたところで、はたして死ぬよりかは良かったといえるものなのでしょうか。私は「帝衣は最高の死装束である」という古の言葉が正しいと思います」と説得し、反乱の武力鎮圧を成功させたとプロコピオスの『戦史』

が現在に伝えている。

皇帝となった彼がめざすのは、かつての強力なローマ帝国の復興であった。東方ではササン朝ペルシアの侵入を食いとめ、将軍ベリサリオスひきいる遠征軍を派遣して北アフリカのヴァンダル王国を征討し、さらにイタリアに遠征軍を派遣し、長期にわたる戦争を経て東ゴート王国をほろぼした。

内政面の業績としては、いわゆる『ローマ法大全』の編纂をあげることが出来る。彼は法学者トリボニアヌスらをして、古代ローマ以来の法律をまとめあげさせた。また彼は、多くの建築事業をおこなったことで知られる。その代表が首都のハギア・ソフィア大聖堂の復旧である。537年に完成したこの大聖堂は、のちにこの地を支配したイスラーム教徒にも影響をあたえ、モスクに改装されたあと、現在は博物館としてイスタンブルに残っている。このほかに商業の振興もおこない、中国から養蚕技術を手に入れて絹織物産業の発展をはかった。

ド人が侵入して領土をうばい、7世紀以後はイスラーム教徒がシリア・北アフリカ・イベリア半島のビザンツ領を支配下におさめた。また聖像禁止問題をきっかけに西欧のキリスト教世界もしだいにはなれ、とくにフランクのカール大帝が西ローマ皇帝として戴冠すると、ビザンツ皇帝も古代ローマ再統一の理想をすてて、西ローマ皇帝権を認めざるをえなくなった。11世紀には東西のキリスト教会は完全に分離し、ビザンツ帝国を中心とする東欧は、政治・宗教・文化の面で、西欧およびイスラーム世界と対立する独自の世界にまとまっていった。

**コンスタンティノープルのハギア・ソフィア聖堂** 西アジア・ギリシア・ローマの建築を融合したビザンツ様式を代表する。四つのミナレットは、のちのイスラーム教徒の占領後につけくわえられたもので、アヤ・ソフィアとよばれるモスクとなった。

　帝国は、政治的には10世紀の末頃からふたたびさかんになり、バルカン半島に侵入したブルガール人を破り、小アジア・シリアを保持し、南イタリアにも勢力をのばした。スラヴ諸族に対するギリシア正教への改宗も進んで、ビザンツ文化圏は北方に拡大した。しかし11世紀後半以後になると、バルカン半島ではスラヴ諸族の自立が強まり、東方ではセルジューク朝のトルコに圧迫されて、帝国はしだいに不振におちいった。とくに第4回十字軍が首都を占領して（1204年）、西欧系のラテン帝国をたてたことは、大きな打撃となった。帝国はまもなく復興したが、以後領土も急速に縮小し、ついに1453年オスマン帝国にほろぼされた。

　ビザンツ帝国は同じヨーロッパとはいえ、多くの点で西欧世界と異なっている。皇帝が完備した官僚機構をもち、ギリシア正教会の首長として支配するなど、オリエントの専制国家に似た性格をもっていた。また現物経済の西欧とちがって貨幣経済がおとろえず、コンスタンティノープルは中世をつうじて世界商業の中心として繁栄した。農奴制の大所領が発展した点は西欧に似ているが、中央集権をはかるため、屯田兵制（農民に一定量の土地をわけあたえて、そのかわりに軍役を課した制度）や軍管区制（テマ制ともいう。全国を軍管区にわけ、軍団長に軍事・行政の権限を付与する地方統治制度）がしかれた点が異なっている。

　文化の面では、ラテン的な西欧に対し、ギリシア古典文化とギリシア

正教を中心に，東方と西欧の文化的影響をうけながら独自のものをうみ
だし，それはまたスラヴ世界や西欧のルネサンスに影響をあたえた。美
術ではドームとモザイク壁画を特色とするビザンツ様式がおこなわれ，
ハギア・ソフィア聖堂がその代表である。また聖母子を描いたイコン美
術は敬虔な信仰を示すものとして知られている。

## スラヴ人の自立

　ビザンツ帝国の影響下に自立していったのがスラヴ人である。彼らは
カルパティア山脈一帯を原住地としていたが，ゲルマン人が民族大移動
で西欧に移ったあとに広がった。西方に拡大した西スラヴ人は，西欧か
らの圧力によってローマ・カトリックに改宗し，ラテン系文化の影響を
うけた。そのうちポーランド人ははやくから自立しはじめ，14世紀末に
はリトアニア人と合同し，ヤゲウォ朝（ヤゲロー朝，1386 ～ 1572年）のも
とで東欧最大の勢力となった。またチェック人の国ベーメン（ボヘミア）は，
11世紀に神聖ローマ帝国に編入され，14世紀以来ドイツ人の王が支配し
た。バルカン半島に南下した南スラヴ人は，ビザンツ帝国の支配下でギ
リシア正教に改宗した。12世紀頃からそのなかのセルビア人が自立しは
じめ，14世紀前半にはバルカン北部を統合する大勢力となった。しかし
同世紀末にはオスマン帝国に征服され，以後南スラヴ人は長くその支配
に服することになった。

　東方ロシアの東スラヴ人に建国のきっかけをあたえたのは，スウェー
デン方面のヴァイキング（ルーシ）である。9世紀後半，その首長リューリ
クは，通商上の要地ノヴゴロドを中心に建国し，ロシアの起源をつくった。
この国は9世紀末に拡大してキエフ公国（9 ～ 13世紀）になり，10世紀末
ウラディミル1世〈位980頃～ 1015〉のとき最盛期をむかえた。彼はギリシ
ア正教に改宗して人民に強制し，ビザンツ風の専制支配をおこなった。
ところが，13世紀にモンゴル人が侵入してキプチャク・ハン国をたてると，
東スラヴ人は約250年間その支配に服したが，15世紀にはモスクワ大公
国が勢力を増し，1480年大公イヴァン3世〈位1462 ～ 1505〉のときにモ
ンゴル人から自立した。彼はツァーリ（皇帝の意。カエサルのロシア語形）
と称して，滅亡したビザンツ帝国皇帝の後継者と主張し，農民の農奴化
を進め，西欧とは異なった専制支配の基礎をかためた。

## 3 中世後期のヨーロッパ

**十字軍とその影響**

　封建社会が安定し，農業生産があがって人口が増加すると，西欧世界には外に拡大する気運が生じた。十字軍がもっとも大規模なものであったが，そのほか修道院を中心とした開墾運動，オランダの干拓，エルベ川以東への東方植民，イベリア半島での国土回復運動，聖地への巡礼などがおこった。

　このころイスラーム教徒のセルジューク朝が小アジアに進出してビザンツ帝国の領土をうばったので，ビザンツ皇帝は教皇ウルバヌス2世〈位1088～99〉に援助を求め，教皇はクレルモンに宗教会議をひらいて，聖地の回復を決議した（1095年）。翌年，多数の諸侯・騎士からなる第1回十字軍が出発し，聖地にイェルサレム王国をたてた。以後13世紀末まで多くの遠征がおこなわれたが，聖地奪回という大目的はほぼ失敗におわった。十字軍自体も，直接に聖地をめざすよりも，第4回十字軍のようにコンスタンティノープルを占領し，ラテン帝国（1204～61年）をたてたような場合もあった。200年間にわたるこの大遠征は，以後西欧の中世社会にさまざまの大きな影響をあたえたのである。

**十字軍の遠征路**

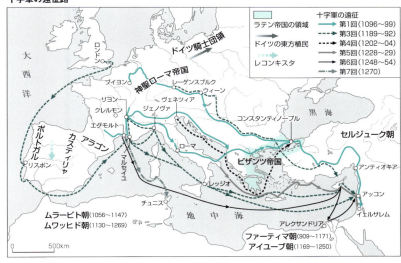

**中世都市** 中世都市の住民は商人と手工業者が中心で，人口はふつう1000〜5000人くらいであった。ほとんどの都市が市門と市壁をもち，このなかに逃げこんで1年と1日たつと，荘園の不自由な農奴も自由な身分となった。写真は南ドイツの都市ネルトリンゲン。教会を中心に周囲を市壁で囲った中世都市のようすをよく示している。

## 都市と商業の発展

　農業に立脚する封建社会は，自給自足の現物経済を基礎としていたが，生産が高まり，余剰生産物を交換する商業がさかんになると，11〜12世紀頃から商人や手工業者があつまって都市が成立してきた。都市は交通や交易に便利なところに成立したが，それらは古代ローマ都市のあと，王侯の居城，多数の巡礼があつまる教会・修道院の所在地が多かった。

　都市の商業の範囲は，はじめ周囲の農村にかぎられていたが，十字軍によって東方との貿易が急速にひらけたため，しだいに遠隔地との取引も発展した。そのさきがけとなったのは北イタリアの諸都市で，アジアとヨーロッパの特産物を交換する地中海貿易を独占して繁栄した。これに続いてバルト海や北海を交通路とする商業も発達し，北ドイツ（リューベックやハンブルクなど）やフランドル（ブリュージュなど）に多くの都市がおこった。この北方貿易圏と地中海貿易圏とを結ぶ主要な通商路にそって，フランス東北部のシャンパーニュ地方には有名な定期市が成立し，ドナウ川上流の南ドイツやライン川流域にも多くの商業都市が栄えた。

　都市は当初封建的領主の保護をうけていたが，商工業の発展とともに自立への道を歩みはじめた。ヴェネツィア・ジェノヴァ・フィレンツェなどの北イタリアの諸都市は，貴族も都市に移って同化する自治都市となり，周辺の農村をも支配する一種の都市共和国を形成した。ドイツでは，皇帝から特許状をえて自治権を獲得し，皇帝直属の自由都市（帝国都市）

となって諸侯と対抗した。この結果，市民は農民と異なって，封建的束縛のない自由な身分を獲得した。また封建領主に対して自己の特権や自由をまもるために，北ドイツ諸都市を中心としたハンザ同盟などのような強力な同盟組織をつくることもあった。

　都市生活の単位はギルドとよばれる共存共栄のための同業組織である。それははじめ手工業者もふくむ商人ギルドのかたちをとり，大商人が運営権をにぎった。これに不満な手工業者はやがて業種別の同職ギルド（ツンフト）をつくって分離し，しばしば市政への参加をかちとった。しかしギルド内では親方・職人・徒弟のあいだに封建的階層制に似た関係が維持されていた。

## 教皇権の動揺

　十字軍時代に絶頂に達したローマ教皇権は，十字軍の失敗や各国の国王が中央集権を推し進めると権威を失っていった。とくに14世紀初め，ボニファティウス8世〈位1294〜1303〉がフランス王フィリップ4世〈位1285〜1314〉と争ってとらえられ，まもなく釈放されたが，屈辱のうちに没した。のちに，教皇庁が南フランスのアヴィニョンに移され（「教皇のバビロン捕囚」，1309〜77年），続いてローマとアヴィニョンに二つの教皇庁ができてたがいに争ったこと（教会の大分裂〈大シスマ〉，1378〜1417年）は，教皇の権威をおおいに傷つけた。こうした状況のなかで，教会改革の声が高まり，イギリスのウィクリフやベーメンのフスは，聖職者の世俗化を非難し，聖書にもとづいた信仰にもどるように主張した。この混乱を収拾するためコンスタンツ公会議（1414〜18年）がひらかれ，フスは処刑され，ウィクリフの説は異端とされた。また教会大分裂も解決されたが，教会改革の声はあとをたたなかった。

## 封建社会の解体

　封建社会は，自給自足を本質とする荘園制のうえに成り立っていた。しかし都市や商業が発達すると，貨幣をのぞむ領主は，しだいに賦役による搾取をやめ，直営地を農民に貸しだし，地代として生産物や貨幣をとるようになった。このため農奴は貨幣を手にいれて経済的に向上する機会が多くなった。領主も貨幣とひきかえに農奴を解放したため，農奴

3　中世後期のヨーロッパ　117

# 黒死病

西ヨーロッパ社会は中世末期にあたる14〜15世紀に，大きな危機と停滞の時代をむかえた。14世紀初めには大規模な飢饉が西ヨーロッパ全域をおそい，14世紀なかばから15世紀なかばまで続いた英仏百年戦争は，戦場となった北フランスやフランドル地方を荒廃させた。しかし，戦争以上に西ヨーロッパ社会に大きな打撃をあたえたのは，1346〜50年に大流行し，その後も断続的に人びとをおそった黒死病（ペスト）であった。このために，西ヨーロッパの人口はほぼ3分の2に減少した。

それでは，黒死病とはどんな病気だろうか。いくつか種類があるが，もっとも頻度の高いのが腺ペストで，ペスト菌に感染したネズミ（おもにクマネズミ）の血をノミが吸い，ついでノミが人の血を吸った結果，その刺し口から菌が侵入して感染する病気である。死亡率は高く，罹患すると皮膚が黒くなることから「黒死病」とよばれた。伝染ルートは，14世紀なかばの大流行の場合，おそらく東方からもたらされたと考えられ，流行は主としてイタリアやイベリア半島などの地中海沿岸からはじまり，しだいに内陸部へと拡大していった。

人口の急激な減少は，都市の労働者の賃金を高騰させ，農村では領主の直営地経営を困難にして，農民の自立化と貨幣による地代の支払いをうながした。領主のなかには地代を重くしたり，農民への抑圧を強めようとした者もいたが，一度地位を向上させた農民は激しく抵抗し，フランスのジャックリーの乱やイギリスのワット・タイラーの乱のような農民一揆をひきおこすことになった。またユダヤ人への襲撃事件が各地でおこった。ユダヤ人が井戸に毒を注いだのが原因であるとするデマが広がり，スイスやドイツの多くの都市では大虐殺によりゲットー（ユダヤ人居住区）が消滅した。さらに黒死病は人びとの心性や死生観にも影響をあたえた。中世末期の絵画には「死の舞踏」とよばれる，グロテスクな骸骨たちが貴賤貧富や老若男女の区別なく，人びとを死の世界へ誘う絵画があらわれた。

は地代を納めるだけの自営農民に向上していった。この動きは，14世紀なかばに西欧をおそった黒死病（ペスト）で農村の人口が激減し，領主が働き手を確保するために農民の地位を改善すると，いっそううながされた。

こうして地位が向上した農民に対し，経済的に苦しくなった領主が，ふたたび農民の負担を重くすると，彼らはしばしば一揆をおこすようになった。フランスのジャックリーの乱（1358年）やイギリスのワット・タイラーの乱（1381年）はその代表的なものである。また貨幣経済の発展は，君主権の拡大にもつながった。君主は租税や大商人から借り入れた貨幣

を使って傭兵を常備し，諸侯の勢力を圧倒した。一方，騎士たちは火砲の使用による戦術の変化のために軍事的意義を失い，農民から地代をとるだけの地主になっていった。こうした荘園制・封建制の崩壊とともに，中世末期から国民的な統合をもつ中央集権国家がうまれてくるのである。

## 西ヨーロッパ諸国の発展

**イギリスとフランス**　君主は中央集権を進めるにあたり，官吏や傭兵に支払う給与をえるために，しばしば臨時の租税をとりたてたが，これには聖職者や貴族・自治都市の同意が必要で，対外政策にも彼らの協力を必要とした。そこで，13〜14世紀以来財政・外交などの重要問題について，君主がこれら有力者と協議する場として身分制議会が各国に成立した。1302年フィリップ4世の招集したフランスの三部会やイギリスの議会などがそれである。

　イギリスでは，ノルマン朝（1066〜1154年）の初めから王権が強かったが，つぎのプランタジネット朝（1154〜1399年）のもとで行政制度が整備されて集権化が進んだ。ところが13世紀初め，ジョン王〈位1199〜1216〉は失政が多かったため，貴族が反抗して，1215年大憲章（マグナ・カルタ）を王に認めさせた。これは貴族がその既得権を国王に認めさせた文書にすぎないが，後世になってイギリス自由主義の出発点をなすものと考えられるようになった。これ以後，たとえばシモン・ド・モンフォールの反乱など王権に対する貴族の闘争をつうじて，議会制度はしだいにかたちをととのえ，14世紀には上下両院からなる二院制の議会が確立し，のちの立憲王制の基礎となった。

　フランスでは，カペー朝の初期には王権がふるわなかったが，フィリップ2世〈位1180〜1223〉はイギリスと戦って王領地を広げ，ルイ9世〈位1226〜70〉は南フランスの異端アルビジョワ派を征服し，さらにフィリップ4世は教皇と争ってこれを屈服させるなど王権をのばした。

**百年戦争**　君主権の拡大とともに戦争の規模は大きくなった。とくに英仏両国間の百年戦争（1339〜1453年）は画期的である。その直接のきっかけは，フランスのカペー朝がたえてヴァロワ朝（1328〜1589年）がついだのに対し，イギリスのエドワード3世〈位1327〜77〉が，フランス王位の継承権を主張したことにあるが，背後には，イギリスの王家はフラン

ス貴族の出であったため，フランス内にも広大な領土を有し，これをめ
ぐってしばしば紛争をおこしていたこと，また中世最大の毛織物工業地
帯フランドル地方の支配をめぐる両国の対立があった。戦場になったフ
ランスは，農民の反乱や貴族の党派争いなどでしばしば危機に直面した
が，ジャンヌ・ダルクの活躍などで，最後にはイギリス勢力を撃退した。
その後フランスでは貴族の勢力がおとろえたのに乗じ，国王は税制を確
立し，官僚と常備軍をそなえて中央集権を進めていった。イギリスでは，
戦後ランカスター家とヨーク家のあいだに王位をめぐるバラ戦争（1455 〜
85年）の大内乱がおこったが，1485年テューダー朝（1485 〜 1603年）のヘ
ンリ7世〈位1485 〜 1509〉が即位し，戦争で没落した貴族をおさえて強力
な王権をうちたてた。

　**スペインとポルトガル**　長いあいだイスラーム教徒の支配下にあった
イベリア半島では，キリスト教徒が小王国をつくって，北方から国土回
復運動（レコンキスタ）をおこし，15世紀までにイスラーム教徒を一掃した。
そのうち有力なアラゴン・カスティリャ両国は1479年合同してスペイン
王国となった。また12世紀にカスティリャから独立したポルトガル（1143
年〜）も，15世紀後半には国家を統一し，以後この両王国は海外への発展
にのりだすことになった。

　**ドイツとイタリア**　西欧諸国が統一にむかったのに対し，ドイツでは
諸侯の力が強く，13世紀には正統な皇帝のいない大空位時代（1256 〜 73年）
さえあって，国内は分裂を続けた。1356年に皇帝カール4世〈位1347 〜
78〉は金印勅書を発布して，皇帝の選出権を7人の選帝侯に認めたため，
皇帝はこれら大諸侯におさえられ，国内は約300の諸侯国（領邦）や自治
都市に分裂した。イタリアもドイツに似て，教皇領やナポリ王国のほかに，
多くの都市国家が分立し，イタリア人のあいだにも教皇党（ゲルフ）と皇
帝党（ギベリン）の激しい争いがおこり，さらにドイツ皇帝のほかにフラン
スなど外国勢力が侵入して，近代まで混乱が続いた。


## 西欧中世の文化

　中世の西欧では，長いあいだ教会の権威が強大で，文化生活のあらゆ
る面を支配した。中世の初期では，ラテン語を読み書きできる聖職者や
修道士が学問の唯一の担い手で，美術も音楽ももっぱら教会用のもので

## ロマネスクとゴシック

**ピサ大聖堂** ロマネスク様式のピサの大聖堂と鐘塔（斜塔）。

中世西欧初期の教会堂はバシリカ様式、ついでビザンツ様式の模倣であったが、11世紀頃からフランス南部・イタリア・スペイン北部でロマネスク様式が生まれてヨーロッパ各地に普及した。ローマ風という意味だが、とくにローマ建築との類似性はない。その代表はピサ大聖堂で、この様式は、地方産の粗末な石材を用いた重厚な石壁とドーム型の半円形アーチを用い、民衆の生活や労働も主題のなかに入れつつ、柱頭・扉口の浮き彫り装飾がつくる厳粛な礼拝空間を特色としている。こうした聖堂の建築ブームの背景にはクリュニー修道院やシトー派修道会の活動や都市の増加にともなう、聖堂需要の高まりがある。そしてこの様式はそれまでばらばらに存在していたローマ・ケルト・ゲルマン・東方の諸伝統を統一した、キリスト教美術の最初の総合であった。

これに対して、パリのノートルダム大聖堂、シャルトル大聖堂、ドイツのケルン大聖堂を代表とするゴシック様式の教会堂は、尖頭アーチを特色とした高い塔をそなえ、壁は薄く窓は巨大となり、柱間にはめられたステンド・グラスの多彩な光で、内部は明るく照らされている。あたかも天と神への憧れを象徴するかのようである。一方、精確な構図と自然・人間の写実的描写も注目され、理性主義の台頭を示している。ゴシック様式の端緒はサン・ドニ修道院（1144年完成）とされ、北フランスを中心に急速に広まり、13世紀前半に最盛期をむかえた。この時期はカペー王権の強化の時期であり、またゴシック教会堂が王の直轄領かその勢力下に分布したことは、ゴシック様式の社会的背景として重要である。

**ケルン大聖堂** ライン川に面したゴシック様式の大司教座聖堂。

3 中世後期のヨーロッパ

# 東西交渉 Ⅱ

## 「三大発明」とアジア

ヨーロッパ近代の幕をあけたルネサンスが, 多くの点でイスラーム文化の恩恵をうけていたことは, よく知られている。とりわけ「三大発明」とよばれるもののうち, 少なくとも羅針盤と火薬 (火砲) は中国起源のもので, それがイスラーム教徒をつうじてヨーロッパに伝えられた。もとより, この過程で羅針盤にはヨーロッパ人の手で改良が加えられ, とりわけ銃砲による弾丸・発射・爆破に必要な黒色火薬 (木炭・硫黄のほか硝石をふくむ) は, 中世末期のヨーロッパで発明されたらしい。いずれにせよ, 「大航海時代」に, ポルトガルがイスラーム商人を駆逐してインド洋の制海権をにぎり, いちはやく東南アジアへと進出できたのは, すでにこのころ, 火砲の威力においてヨーロッパが東洋にまさっていたことの証拠であろう。また, 1543年ポルトガル人の種子島漂着以来, おどろくべき速度で戦国大名のあいだに普及した火縄銃 (マスケット銃) も, 16世紀ヨーロッパにおける金属工業の水準の高さなしには考えられない。

他方, スペインはたくみな策略と火砲の威力でアステカ・インカ両帝国をほろぼしたが, これらの国の主要な農作物であるトウモロコシをヨーロッパに伝えた。もう一つ南アメリカからヨーロッパにもたらされ, 18世紀以来各国に普及したのはジャガイモで, 日本にも, おそらく江戸時代の初期, オランダ船がこれを運んできたといわれている。

## 喫茶と磁器

嗜好品についてみると, すでに13世紀のイスラーム世界でひろく普及し, オスマン帝国の西方進出とともにヨーロッパへ伝わったコーヒーは, 17〜18世紀のイタリア・イギリス・フランスなどで, コーヒーハウスが市民の社交と公論形成の場として大きな役割をはたしただけに, とりわけ注目される。もちろんこれとならんで, 17世紀の初め頃オランダ商人がイギリスやフ

**コルテスのメキシコ征服** スペイン人は大砲を使って, 剣と槍で戦うアステカ人を圧倒した。

**トルコの喫茶店** コーヒーはエチオピアを原産として，イスラーム教の広がりとともにアラビアやトルコに伝わった。

ランスにもたらし，やがて諸国の宮廷から一般庶民にいたるまでひろく普及した茶も重要で，こちらは中国の原産である。

同じくオランダ東インド会社が17世紀以来輸入し，ヨーロッパの上流社会で熱狂的な人気をよんだ物産は，中国・日本の磁器であった。陶磁器の伝統にとぼしいヨーロッパでは，それがあまりにも高価だったため，諸国は磁器の国産につとめた。ようやく18世紀の初め，上質の磁器生産に成功したのはザクセン王国で，同国マイセン産の磁器はいまなお有名である。

## アジア社会への関心

17～18世紀には，イエズス会のマテオ・リッチ，アダム・シャール，フェルビーストらが，ヨーロッパの新しい自然科学や銃砲鋳造の技術を中国に伝え，同じくイエズス会のカスティリオーネは絵画の技法などを紹介した。彼らの本来の目的である宣教自体は，典礼問題のため不成功におわった。しかし，この問題にも触発されて，ヨーロッパでは中国の習俗への関心が高まり，ヴォルテールらの啓蒙思想家は，東西文明を比較しつつ，ヨーロッパ社会の欠陥を批判した。

**中世の大学の講義** 教授の座る講座（カテドラ）は，権威の象徴だった。

あった。しかし封建制が発展して，貴族と教会の結びつきが深まるにつれ，騎士階級のあいだにも，王侯の宮廷を中心に口語の英雄叙事詩や騎士物語・恋愛詩などがもてはやされた。また11世紀頃から，厚い石壁と小さな窓，半円アーチを特色とするロマネスク様式，12世紀からは商人の経済力や国王権力の増大を背景に，尖頭アーチと窓ガラス絵（ステンドグラス）を特色とするゴシック様式の建築が各地におこった。この時代には学問の中心も，都市に成立した大学に移り，アルプス以北では神学，アルプス以南では法学や医学などの実用的分野の研究がおこなわれた。

　神学（スコラ学）は，古代の教父，とくにアウグスティヌスの思想を土台に発展したが，その後イスラーム世界をつうじて伝えられたアリストテレスの哲学をとりいれ，トマス・アクィナスによって大成された。また古代以来最低の水準におちた自然科学も，イスラーム科学の影響をうけてロジャー・ベーコンらがあらわれ，復活の気運をみせるようになった。

→**人権宣言** ラ・ファイエットらが起草し，フランスの新しい体制の原理を明らかにした「人間と市民の権利の宣言」は，1789年8月26日に議会で採択された。その第1条で「人間は自由かつ権利において平等なものとしてうまれ，また，存在する」と定め，さらに，主権が国民にあり，国民は参政権をもつこと，所有権が神聖不可侵であることなどを定めた。

第Ⅲ部

近代

## 世界の一体化

16〜19世紀にかけて世界の一体化が進行した。文化面ではルネサンスにはじまるヒューマニズムが神中心から人間中心の価値観の転換を示し、アメリカ独立革命やフランス革命では人間の基本的人権が提唱された。経済面では大航海時代以降に国際商業が発展し、産業革命以後になると技術的・軍事的優位を背景に、欧米諸国が世界経済における覇権を確立した。そのためアジア・アフリカ地域などは大きな衝撃をうけ、変革を余儀なくされた。

『ヴィーナスの誕生』 15世紀なかば、イタリアのフィレンツェで生まれたボッティチェリの代表作の一つ。金融財閥メディチ家のために描かれたともいわれる。

**1602年の世界地図** イエズス会の宣教師マテオ・リッチが、北京で作製した世界地図『坤輿万国全図』は、新しい地理知識を広め、日本などにも伝えられた。これは江戸時代に仙台藩が模写したもの。

**冊封使行列図** 中国皇帝が朝貢国の君主の代替りに際して，派遣した使節を冊封使という。この図は琉球国に派遣された清の使節およそ500人が，首里城にむかう情景を描いている。琉球国への最初の冊封は15世紀，1866年までに22回を数えた。部分。

**世界経済の中枢** 19世紀なかばのロンドン王立取引所（中央）とイングランド銀行（左）。この時代に，イギリスは資本主義体制を確立した。

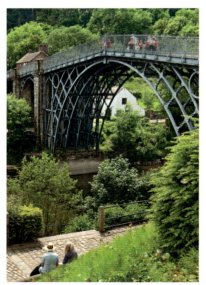

**プランテーション経営** アメリカ南部の奴隷制によるプランテーション。南部では黒人奴隷を使役して，タバコや米を栽培する大農園（プランテーション）が拡大した。

←**アイアンブリッジ** Iron Bridge（鉄の橋）は，イングランド中西部を流れるセヴァーン川に架けられた全長約60mの橋で，正式名称はコールブルックデール橋。世界最初の鉄製の橋で，製鉄業者アブラハム・ダービーが施工している。産業革命を象徴するもので，鉄鉱石や石炭・石灰石などを対岸に運ぶために使用された。世界文化遺産。

# 第5章 近世ヨーロッパの形成

**中世から近代へ**

　ヨーロッパ史上，近代の起点をどこにおくかという問題は，それほど簡単ではない。近代という歴史用語の概念が多様だからである。14世紀からはじまる近代文化の幕あけとしての「ルネサンス」，ヨーロッパ人が海外に進出する15世紀末からの「大航海時代」，カトリックを批判しあらたな教派をつくることになった16世紀からの「宗教改革」が一般的には近代の起点と考えられている。しかし，近代を資本主義経済と市民社会の確立と考えるとき，この間の初期近代ともいうべき近世時代は中世的要素と近代的要素がからみあった過渡期であった。そしてこの過渡期にう

**ヨーロッパ人による航海と探検**

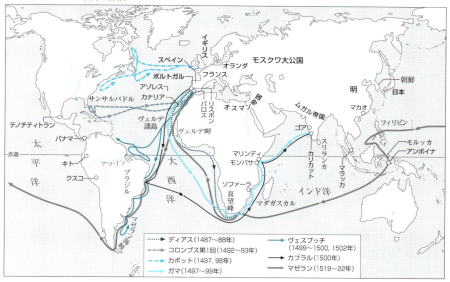

## 近世とは

第二次世界大戦後，近代前半部分の15〜18世紀に関する研究が進展し，これまでの近代の時代区分理解の再検討がなされた結果，近世という概念が導入された。たとえばルネサンス，さらに近年では宗教改革すらも，これまで考えられてきた中世との断絶面だけでなく，連続面があることが明らかにされ，それらをただちに近代の指標とすることへの疑義や批判も強くなった。そうした動きは近代思想や価値観の源流であっても，それによって当時の時代の実態を近代のなかに包摂してよいか，別に考えるべきではないかということである。そうした検討のなかから，15世紀後半〜16世紀初頭から18世紀中期〜19世紀初頭までのほぼ3世紀間を，近代と区別して近世という時代とする考えが浮上してきた。この新時代区分は，ここ30〜40年のあいだに欧米の歴史学会でうけいれられ，現在では広く認められている。

具体的な歴史事象に言及するとすれば，近世の始まりと終わりについて，一般的には，(1)15世紀後半の人文主義とルネサンスの開花，(2)15世紀末からの大航海時代の始まり，(3)活版印刷術の発明，(4)宗教改革の広がり，が近世の指標としてあげられることが多い。終末については，フランス革命がもたらした政治・社会的変革と，イギリスにはじまる産業革命の二つをおもな指標とすることでほぼ一致がある。

なお近世の英語表記（early modern）は直訳すれば「初期近代」であるが，この新時代区分の趣旨は，近世を単なる近代の前史としてではなく，それ自体の独自性をもった時代と認めるところにあることに注意したい。この時期の各国・地域の動向には，絶対王政や重商主義のようにある共通性が認められるが，同時にそれぞれの多様性や相違も大きく，それがその後の各国の近代の性格にも大きな影響をあたえた。

まれた統治体制が主権国家体制で，国境線を画定し，行政制度を整備し，国内の統一的支配をかためた。多くのヨーロッパ諸国は絶対王政とよばれる体制をとりつつ，現在まで続く国際関係の秩序の基礎を形成した。

# 1 ヨーロッパ世界の膨張

## 地中海から大西洋へ

15世紀末から16世紀にかけて，大西洋を経由するヨーロッパ人の海外

進出がはじまった。ヨーロッパではマルコ・ポーロの旅行記『世界の記述』（『東方見聞録』）によって，金への空想にかきたてられてアジアへの関心が高まっていた。また十字軍以来の東方貿易の主要な商品であった香辛料は，イタリア商人に莫大な富をもたらしたことから，君主など多くの人びとの関心をひきつけた。さらに羅針盤の改良などの遠洋航海術の発達や地理学の発達，キリスト教の布教熱の高まりともあいまって，大西洋経由で直接「インド」におもむこうという欲求を強めた。この新しい東方貿易ルート開拓の先頭にたったのが，国土回復運動（レコンキスタ）をつうじて，イスラーム教徒（ムスリム）をイベリア半島から駆逐したポルトガル・スペイン両国であったことは偶然ではない。こうして経済の中心が，地中海から大西洋へと転換したのである。

### インド航路の開拓

小国だけに貿易を重んずるポルトガルは，はやくも15世紀初め頃からアフリカ西海岸の探検にのりだしていた。「航海王子」エンリケ〈1394～1460〉は，イスラーム世界から吸収した天文知識や航海技術の研究を奨励しつつこの探検活動を王室の事業として推し進め，その後の発展を基礎づけた。1488年バルトロメウ・ディアスがついにアフリカ南端の喜望峰

**サンサルバドル島に上陸するコロンブス一行**
インディオは安いビーズの返礼に，黄金の器や装飾品を贈りものとした。

1　ヨーロッパ世界の膨張　131

# 生物交換と「伝統文化」

世界の一体化は，世界各地にさまざまな影響をもたらしたが，このうちもっとも根本的だったのは，未知の生物の到来である。とくに農作物では，ジャガイモやサツマイモ・トウガラシ・インゲンマメ・トマト・ピーナッツ・トウモロコシ・タバコ・カボチャ・カカオなどが「新大陸」からもちこまれて，多くがヨーロッパに根づいた。逆にヨーロッパ人が「新大陸」にもちこんだ農作物にサトウキビ（発祥の地は現在のニューギニア島あたり）やコーヒー（もともとは東アフリカ原産で西アジアの飲みものだった）があり，これらを生産するために大農場が開発されて黒人奴隷が運びこまれた。こうした生物交換は，農作物にかぎらず病原体でもみられ，ヨーロッパ人とともに到来したインフルエンザや天然痘が中南米社会に壊滅的な影響をあたえたいっぽうで，ヨーロッパ人がもちかえった梅毒はアジアでまたたくまに広まって，近世のヨーロッパ人・アジア人を悩ませることになった。

生物交換というかたちをとらなくても，世界の一体化によって各地に「舶来」の物産が到来し，新しい文化の創造をうながした場合もある。その一つが日本および中国からヨーロッパに伝わった茶であり，18世紀に本格化するイギリスの紅茶文化の起源はここにある。また近世ヨーロッパの菓子づくりの文化は，アメリカ大陸からの大量の砂糖の供給があって発達することができた。なお，紅茶や菓子にかぎらず，スペインにおけるココア，イタリア料理におけるトマト，韓国料理におけるトウガラシの役割などを考えると，いわゆる伝統文化には，しばしば外来の要素がはいっていることがうかがえる。

に到達したのち，ヴァスコ・ダ・ガマはさらにこれを迂回し，アフリカ東海岸でやとったアラブ人の水先案内をたよりにインド洋を横断，1498年インド西南海岸のカリカット（現コジコーデ）に着いた。

## アメリカ大陸への到達と世界周航

ライバルのポルトガルに先をこされたスペインは，1492年，ジェノヴァ出身のイタリア人コロンブスの船団を大西洋に送りだした。「インド」へいくには大西洋を西に航海するほうがはやいという地理学者トスカネリの説を信じていた彼は，イサベル女王〈位1474～1504〉の援助でパロス港を出帆し，2カ月余りの困難な航海のすえバハマ諸島の一つの島に上陸，これをサンサルバドル（聖なる救い主）と命名した。コロンブスはその

後も航海をかさね，カリブ海の島々や大陸の一部を探検したが，最後まで この地域を「インド」だと思いこんでいたため，先住民をインディオと名づけた。しかし，やがてアメリゴ・ヴェスプッチの探検で，これがアジアとは別の大陸であることがわかり，彼の名にちなんで「アメリカ」とよばれるようになった。

つづいてポルトガル出身のマゼラン（マガリャンイス）は，スペイン王の命令で，香辛料の宝庫モルッカ諸島を目標に，1519年から西方への大航海にのりだした。彼は南アメリカ南端の海峡（マゼラン海峡）をとおって太平洋にでて西進し，フィリピンに達した。マゼラン自身はここで戦死するが，残った少数の部下はさらに航海を続け，アフリカまわりで1522年帰国した。この最初の世界周航で，大地は球体であることが実際に証明された。

## ポルトガルのアジア進出

インド航路の開拓後，ポルトガルは古くから香辛料貿易を仲介してきたイスラーム商人を排除するため，優越した火砲の威力でマムルーク朝の海軍を破り，紅海からアフリカ東方海域を制圧，1510年にはインドのゴアに総督府をおき，東方貿易の根拠地とした。

つづいてスリランカ（セイロン）・マラッカ・モルッカ諸島などを獲得したポルトガルは，一時東南アジアの香辛料貿易を独占して莫大な利益をあげ，首都リスボンは世界商業の中心として栄えた。さらに1517年広州で非公式ながら明と通商をひらき，57年にはマカオに居住を許された。なお1543年，種子島にポルトガル人の乗った船が漂着したのをきっかけに，平戸・長崎で17世紀初めまで日本とも貿易をおこなった。

## スペインによるアメリカ征服

スペイン王室が探検に続いてアメリカ大陸に送りこんだ「征服者たち」（コンキスタドール）は，先住民の知らない火砲や馬をもった少数精鋭の軍隊で，たちまちインディオの諸国家をほろぼした。コルテスが1521年アステカを破ってメキシコを征服すると，つづいて33年，ピサロがインカ帝国をほろぼし，今日のペルー・ボリビア地域一帯を獲得したのである。その後スペインは，カリブ海諸島をもふくむアメリカの新領土に大々的

1 ヨーロッパ世界の膨張　133

## 伝染病の流行（黒死病・天然痘・結核・コレラ）

医学が未発達でその原因と感染経路を究明できず，有効な治療法が発見されていない段階での伝染病の流行は，多くの人びとを短期間で死亡させ，人類にとって大きな脅威となった。

黒死病は記録の面では6世紀の東ローマ帝国で流行したことがしられている。14世紀の大流行がとくに有名であるが，17世紀にはいっても，1665年のロンドンでの大流行があった。防疫体制と衛生状態の改善が進み，ヨーロッパでは19世紀までにほとんどが根絶された。

天然痘は天然痘ウイルスを病原菌とする伝染病で，その感染力はひじょうに強い。古代エジプトのファラオのミイラから天然痘に罹患した痕跡も発見されており，前430年の「アテネの疫病」は天然痘と推測する識者もいる。15世紀末以降，ヨーロッパ人によるアメリカ大陸への植民が進むと，天然痘がアメリカ大陸にもたらされ，免疫のない先住民（インディオ）の人口は激減した。この伝染病で死亡した人物にはメアリ2世，ルイ15世らがいる。なお天然痘に罹患しながらも命を長らえた人物には，ジョージ・ワシントン，ダントン，スターリンがいる。

結核も古くからの伝染病であり，国王としてはフランソワ2世，シャルル9世，ルイ13世が死亡し，とくに19世紀のイギリスの労働者階層はその生活環境や食生活の劣悪性から結核に罹患するものが多かった。「ピアノの詩人」と知られるショパンも，この伝染病で死亡したと伝えられている。

コレラの場合は，世界的な流行がおこるのは19世紀になってからで，哲学者ヘーゲルは，1826年にインドではじまり，1837年まで続いた大流行のなか，61歳で死亡した。

こういった伝染病の大半は，19世紀にはいってからの近代細菌学や免疫学の進展によって解決された。北里柴三郎はペスト菌を発見して伝染病研究所を創設し，ジェンナーは牛痘を使うことで天然痘ワクチンの開発に成功し，ドイツのコッホは結核菌やコレラ菌を発見して感染症研究の原則を確立している。

---

な植民をおこない，ペルーやメキシコの豊かな銀山をインディオの奴隷労働によって開発し，莫大な富を手にいれた。

南アメリカのうちブラジルだけは，1500年にポルトガルの航海者カブラルがここへ漂着したことから，ポルトガルの植民地として発展した。しかしポルトガルもスペインもカトリックの国であり，他方で植民地人とインディオの混血が進んだ結果，メキシコ以南のアメリカ大陸にはカトリシズムを土台とする独特なラテンアメリカ文化が形成されていった。

## 新常識　近代世界システム

大航海時代以来，西ヨーロッパを中心に発展した経済体制を，われわれは資本主義とよんでいる。資本主義の発展は，重商主義の例が示すように，まずもって国民経済という単位で進行したが，世界史的な立場からもっと大局的にながめるならば，それが根本的にはヨーロッパ世界経済であったことに気づくであろう。この世界経済の基本的性格は，できるだけ大きな利潤の実現をめざす市場むけ生産のために成立した世界的な分業体制と規定される。

ヨーロッパ世界経済は，近代以前の世界システムが，中国やローマなどにみられるような世界帝国のかたちをとったのに対し，政治的な統合を欠く世界的な分業体制という意味で，つまりなによりも経済的な一体性に重点をおいて，「近代世界システム」とよばれる。このシステムは一挙に成立したものではなく，大航海時代における西ヨーロッパの世界進出とともにはじまり，西欧内部での覇権の交代をともないつつ，現

代にいたるまで拡大してきた。その際，世界経済は中核・半周縁および周縁という，三つの構成要素からなっていることに注意しなければならない。まず16世紀のヨーロッパ世界経済では，西欧諸国が中核となり，かつての最先進地域であった地中海地域は半周縁となる。そして，東欧とアメリカ大陸はこの世界経済の周縁を形成した。主要な産業であった農業についていえば，中核地域では，資本家的地主に雇用される自由な賃労働が，半周縁では分益小作制が，周縁では奴隷制（アメリカ）や農奴制の遅咲きともよべる強制労働（東北ドイツや東欧）が，労働管理の形態となる。

以上のような見方は，17世紀以降ロシア・オスマン帝国・アジア・アフリカがしだいに近代世界システムにとりこまれ，「先進国」と「発展途上国」との経済格差が深刻な問題になっている現在，これは世界史の見直しに有力な手がかりをあたえてくれるであろう。

### 近代資本主義の始まり

「大航海時代」をつうじて，ヨーロッパ経済は大きく変化した。第1に世界的規模の商業・貿易のシステムが転換し，その中心が地中海から大西洋に面する国々に移動した（商業革命）。これらの国々が世界商業と植民活動を開始したことは，西ヨーロッパ諸国民の主導による世界の一体化の糸口となった。第2に16世紀のあいだに，ラテンアメリカ銀の流入は急速に増加し，銀で取引するアジア貿易にはずみをあたえ，ヨーロッパでは価格革命とよばれるインフレ現象をひきおこした。すでに西ヨー

ロッパでは手工業段階であり，農村を基盤に問屋制などの方式をとりつつ，市場向けの商品生産が展開していた。商品価格の上昇，人口の増加，アメリカ大陸の市場の開拓がこれに拍車をかける結果となった。第3に世界的な分業体制がうまれたことである。西欧では商工業が活発化したが，エルベ川以東の東欧では農奴を労働力とする西欧向けの穀物輸出をめざす農場領主制が広まり，ヨーロッパにおける西と東の経済的基盤の違いが明確になった。さらに18世紀までに成立する三角貿易（155ページ参照）により，アメリカ・アフリカが西欧中心に再編成された。

## 新 常 識　三つのルネサンス

　ルネサンスとは「再生」や「復興」を意味し，一般的には14世紀頃から古典古代文化の再生をめざす北イタリアではじまる文化運動をさしているが，「カロリング・ルネサンス」や「12世紀ルネサンス」のように，古典古代の思想に範を求めつつ，その社会の知性や感性に革命的な変化をもたらす文化現象にも，この用語は使われている。

　「カロリング・ルネサンス」とはカール大帝〈位768～814〉の治世におこった古典文化の復興運動で，ヨーロッパじゅうからアルクインなどの学者が招聘され，文化事業の指揮をとり，この時期アルファベットの小文字が発明された。

　「12世紀ルネサンス」の場合は，アラブ・イスラーム世界に継承されていた古典古代の学問，たとえばプトレマイオスの地理学・天文学，エウクレイデスの幾何学，アリストテレスの形而上学などのギリシア語やアラビア語で記載されていた文献が，アラブ世界との接点であるスペインのトレ

ドや南イタリアのシチリアのパレルモなどでラテン語に大量に翻訳され，それをヨーロッパが吸収することで新しい文化が発展した。

　一方，14世紀以降イタリアからはじまったルネサンスは，神中心の価値観から人間中心への転換など，従来はその近代的な側面が強調されてきた。しかし，ルネサンス期の文化は，錬金術や占星術など，中世以来の非合理的で後進的な側面を多くふくんでいるとして，中世の文化運動との連続性を強調する傾向が強くなっている。近代科学の中心となる諸原理が体系化されたのは，17世紀を中心に展開した科学革命後のことであり，合理性や理性にもとづいた人間活動や社会についての理解は17～18世紀の啓蒙主義の時代を経て形成されたためである。こうして14世紀以降のルネサンスについては，先進性にかわって後進性が強調され，中世末期の文化の一つとして「ルネサンス」を配置する教科書もあらわれた。

第5章　近世ヨーロッパの形成

『春』 ボッティチェリ作。イタリア・ルネサンスは、東方貿易や毛織物などで繁栄した都市国家を舞台としてうまれた。フィレンツェの大富豪で市政に君臨したメディチ家は、「学芸の保護者」として多くの学者や芸術家を養成した。ボッティチェリも、ロレンツォ・デ・メディチの周囲にあつまった人文主義者の影響をうけて、「愛」をテーマにこの作品を描いた。

# 2 近代文化の誕生

### ルネサンスとヒューマニズム

　中世末期に封建社会が変質し、都市の経済が活況を呈すると、文化や思想の面でも、教会の伝統的権威に対抗して、現世の生活を楽しみ、合理的・現実的にものを考え、人間の自然的感情を文芸活動をつうじてのびやかに表現しようとする動きがあらわれてきた。この新しい精神運動は、ギリシア・ローマの古典文化を模範とあおいだところから、古代文化の復興という意味でルネサンス（再生）とよばれる。ルネサンスは、古代ローマの伝統がまだ強くいきており、地中海の東方貿易をつうじて都市経済がはやくから繁栄していたイタリアで14世紀にはじまり、その後16世紀末にかけて、アルプス以北の国々にも広がった。

　ルネサンスの根本精神はヒューマニズム（人文主義）である。これは本来、古典古代の著作の研究をとおして、自己の品性を陶冶し高めていこうという教養人の人生観をさすが、広い意味では、神中心の伝統的世界観からぬけだし、人間性を信頼しつつこれを充実・発展させようとする

## ひと ミケランジェロと女性

ミケランジェロの絵画・彫刻の作品では，全体として青年男性の肉体美を賛美する傾向が強い。システィナ礼拝堂の天井画における5組20体の『青年裸像』，正面の祭壇の壁画『最後の審判』における全裸のキリスト像（のちに布が描かれたが），フィレンツェの全裸青年の『ダヴィデ』像など，代表作をみるだけで，その特徴を理解できる。ミケランジェロの伝記を残したロマン・ロランも，彼の筋肉質で美しい男たちに対する友情の域をこえた愛情について詳しく述べている。

なぜだろうか。この背景には，母親不在があったと考えられる。生まれてまもなく石工の家に里子にだされ，6歳のときに実の母親を亡くし，しかも父親からも実母のことを聞かされなかったことで，母親についての記憶はミケランジェロからまったく消えてしまった。事実，ミケランジェロの500をこえる手紙のなかにも，実母に関する記述は皆無である。この幼児のときのトラウマが神経症的な反動をひきおこし，同性愛的傾向を助長させたと推測できるのである。

だからといって，ミケランジェロは女性にまったく無縁だったわけでもない。とくに61歳のときに出会ったコロンナとの純愛は，急激でかつ静かで礼儀正しく，しかも深くて強いものであった。彼女と出会って気性が激しく，怒りっぽいミケランジェロが，奇跡のように人がかわった。彼女は自作の詩をミケランジェロに送って彼の苦悶をやわらげ，心の平静をたもつ努力を怠らなかった。

コロンナはミケランジェロよりも先に死んだが，晩年のミケランジェロは，死ぬ直前までノミを入れていたと伝えられる『ロンダーニのピエタ』のようなマリアとイエスの聖母子像の作品で，青年期の『ピエタ』とは異なる寂しさと苦悩を表現した。それはあたかも20世紀のドイツ表現主義の先駆をなすような作品であったが，これにはコロンナの存在と精神的交流が影響していたのかもしれない。

生活態度であった。しかし中世的要素も色濃く残っており，人間性を重視することでかえって道徳的頽廃を招いた面もあった。

## 新しい美術と文学

美術では天国へのあこがれを示す中世後期のゴシック様式にかわって，大円蓋と古代風の列柱を組みあわせたルネサンス様式の建築がおこり，これをかざる彫刻や絵画にも，写実を重んじ，感覚的な美しさを大胆に追求する傾向がみられた。絵画のルネサンス様式は，13世紀末〜14世紀

初めに活躍したフィレンツェのジョットにはじまり，15～16世紀のイタリアには『ヴィーナスの誕生』などで名高いボッティチェリ，『最後の晩餐』や肖像画の傑作『モナ・リザ』を残し，科学にも関心を示した「万能人」レオナルド・ダ・ヴィンチ，『最後の審判』で知られるミケランジェロ，美しい『聖母子像』をかずかず描いたラファエロなどの巨匠があいついであらわれた。ネーデルラントにはファン・アイク兄弟，農民の日常生活をいきいきと描いたブリューゲル，ドイツでは肖像画や宗教画で有名なデューラーらが活躍した。彫刻では，たくましい肉体美を表現するミケランジェロの『ダヴィデ像』が，ルネサンスの中心都市フィレンツェの市民的自由を象徴している。

　文学でイタリア・ルネサンスの幕をあけたのは，フィレンツェ市民ダンテの『神曲』であり，近代小説の祖ボッカチオの『デカメロン』がこれに続いた。『デカメロン』の影響下に，イギリスでは14世紀にチョーサーが『カンタベリ物語』をあらわし，16世紀になるとトマス・モアが『ユートピア』で空想の理想郷に託してイギリス社会の現実を風刺し，エリザベス期のシェークスピアは，人間性の明暗を描く戯曲のかずかずを残した。同じく16世紀のフランスでは人間解放をうたいあげたラブレーの『ガルガンチュア物語』，良識にあふれたモンテーニュの『随想録』などが，ヒューマニズムの精神がうんだ傑作である。人文主義運動のリーダーは，ネーデルラント出身のエラスムスで，彼の『愚神礼賛』における聖職者の偽善に対する痛烈な攻撃は，宗教改革にも影響をあたえた。スペインのセルバンテスは『ドン・キホーテ』で，騎士道の時代錯誤を風刺している。なお，15世紀末フランス王によるナポリ侵略以来，イタリアは列強の介入をともなう都市や諸侯の戦争（イタリア戦争，1494～1559年）に明けくれたが，フィレンツェの外交官として活躍したマキァヴェリは，『君主論』で政治の問題を道徳から切りはなして論じ，近代政治学のさきがけとなった。

## 科学と技術

　教会の伝統的世界観にとらわれず，世界をありのまま観察するヒューマニズムは，中世のあいだおとろえていた科学的研究を復活させた。なかでも16世紀なかばにポーランド人コペルニクスが数学的方法で地動説の正しさを証明したことは，やがて17世紀に花ひらく「科学革命」のさき

2　近代文化の誕生　139

がけとして注目される。他方，これと並行して新しい技術の開発も進み，イスラーム世界をへて中国から伝わった羅針盤や銃砲の改良，15世紀のグーテンベルクによる加圧式活版印刷の発案は，それぞれ世界商業の発展，国家権力の集中，新しい知識や思想の普及をおおいにうながした。

## ルターとカルヴァンの宗教改革

　このころ，多くの諸侯領に分裂していたドイツは，教皇庁による財政的搾取の対象となっており，各層にローマ教皇への不満が鬱積していた。そこで1517年の秋，神学教授ルターが『九十五カ条の論題』で，教皇レオ10世の売りだした贖宥状（免罪符）を攻撃すると，その反響はたちまち全ドイツに広がり，各地に宗教改革の運動をひきおこした。ときの皇帝カール5世〈位1519～56〉は，ルターを1521年のヴォルムス帝国議会に喚問し，異端的な説の取消しをせまったがはたさせず，多くの諸侯や自由都市がルターの精神にそって教義の改革・修道院の廃止などの変革を進めていくのを防止できなかった。もとよりバイエルン・オーストリアなどカトリックにとどまる諸侯もあり，両派の対立は一時，武力抗争（シュマルカルデン戦争，1546～47年）にまで発展したが，結局1555年，アウクスブルクの和議で，ルター派諸侯とカトリック諸侯の同権が認められた。

　この間，1524～25年には，ドイツでルターの改革運動に鼓舞された農民が，ミュンツァーらの指導下にドイツ農民戦争とよばれる大反乱をおこしたが，諸侯により鎮圧された。これ以後，ルター派の教会形成は諸侯の主導下に進められていく傾向が強まった。

**贖宥状の販売**　説教師は「お金が箱のなかに投げ入れられる音とともに，魂は救われる」と宣伝して利益をえた。

## 宗教改革とメディア

マルティン・ルターは1517年10月31日（ハロウィンの日），『九十五カ条の論題』を発表し，ローマ教皇がドイツで販売していた贖宥状（免罪符）の悪弊を批判した。ただ『九十五カ条の論題』はドイツ語ではなく，専門家しか理解できないラテン語で記述されており，実際は公開質問状を教会の扉に掲示したのではなく，ルターの上司にあたる司教に書状を添えて送っただけであった。ルターはあくまでも神学上の問題と考え，社会的な改革は目指していなかった。当時の学会の慣例に従い，学者の討議を要請する意図であったのである。16世紀段階でのドイツの識字率は5％程度であったと推定されていることから，『九十五カ条の論題』がたとえドイツ語で発表されていたとしても，読めたのはわずかな人数でしかなかった。それにもかかわらず，ルターの支持者は急速にドイツ全土に広がった。どうしてだろうか。政治的・宗教的背景など，いくつか考えられるが，大きな要因として活版印刷術の普及に注目する必要がある。

当時のドイツ国内では皇帝派と反皇帝派の諸侯とが争い，教皇庁や領主の搾取に反発する市民や農民など広汎な社会層が存在し，ルターを支持した。ルターの教説は支持者の積極的な活動によってドイツ各地の教会内での説教と宣伝活動がくりかえされた。さらに粗悪な紙と誤植がめだち，実用一点張りの装丁，少ないページ数であったが，グーテンベルクが発明したとされるイラスト入りの活版印刷物が大量に印刷・配布された。カトリックへの論争や攻撃を目的とするタイトルなど，教皇は時には悪魔として，あるいは陰険な動物に描くことで，教皇は信仰深い民衆に「悪者」として認識されることになった。

この印刷物の普及が，識字率の低い当時のドイツにあって広汎な社会層の支持につながった。これに対して教皇側は活版印刷物というメディアを軽視した。ライプチヒでのヨハン・エックとの討論，ウォルムス国会への召喚と皇帝による帝国の法律外におく処置（殺害を容認）など，既存権力に依拠する圧力で対応した。そのために，権力に敢然とたちむかった「力強いルター」のイメージが，ドイツ全土に定着した。

同じ頃，スイスでも人文主義とルターの影響下にチューリヒでツヴィングリが宗教改革をはじめ，やがてフランスから亡命してきたカルヴァンが，ジュネーヴで，信徒の道徳的紀律をいっそう強調する改革派教会をうちたてた。彼はルターが維持した司教（監督）制を廃するいっぽう，牧師を補佐して教会員の指導にあたる長老の制度をもうけた。また魂が救われるかいなかはあらかじめ神によって定められているが（予定説），

2　近代文化の誕生　141

各人は救いのめぐみを信じ、禁欲的な態度で職業労働にはげむことをつうじ、神の栄光を世にあらわすべきだと説いた。この考えは西ヨーロッパの勃興しつつあった市民層のあいだにひろく普及した。

## カトリック教会の革新

プロテスタント（新教）勢力の進展をみて、カトリック教会（旧教）も自己革新の必要を感じ、内部改革にのりだした。トリエント公会議（1545～63年）で教皇の至上権が確認され、教理がととのえられるとともに、宗教裁判の強化や禁書の指定などをつうじてプロテスタントを抑圧する方針がたてられた。またスペインのイグナティウス・ロヨラのはじめたイエズス会は、教皇の権威を回復するため、各地でさかんに宣教・教育活動をくりひろげた。こうした動きを対抗宗教改革とよび、その結果、16世紀後半には、カルヴァン派の勢力拡大とあいまって、プロテスタント・カトリック両教徒の政治的反目が強まった。

この時期、ラテンアメリカやアジアでカトリック宣教師がさかんに活動し、日本にもイエズス会士のフランシスコ・ザビエルらが渡来して多

**16世紀なかばのヨーロッパ**

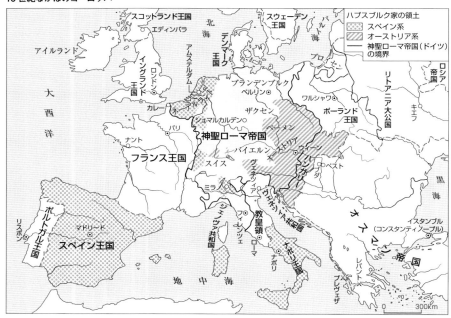

くの信者（キリシタン）をえたのは，このようなヨーロッパの情勢を反映している。

# 3　近世の国際政治

## 主権国家体制の形成

　みずからの支配領域を国境で囲い込み，行政機構を整備して国内の統一的な支配を強めた国家体制を主権国家体制とよんでいる。これは近代国家の原型となるもので，イタリア戦争以降のヨーロッパにあらわれ，各国が「勢力均衡」をはかりつつ，自国の利益を最大限に優先する政策（たとえば重商主義）を採用した。また主権国家体制は絶対王政による君主主権の主張というかたちで登場し，アメリカ独立革命やフランス革命のあとは国民主権のかたちをとることになった。

## ハプスブルク家対フランス王家

　1477年に，オーストリア大公（のちの皇帝マクシミリアン1世〈位1493～1519〉）が，男系のたえたブルゴーニュの公女と結婚し，それをつうじてネーデルラントを獲得して以来，近世の国際政治を深く規定するハプスブルク家とフランス王家の敵対がはじまった。ルネサンス後期・宗教改革時代のイタリアを舞台におこなわれた列強の争い（イタリア戦争，1494～1559年）も，これを背景としており，この戦争の過程でスペインはナポリ・シチリアを獲得し（1504年），南イタリアに勢力を広げた。

## オスマン帝国とヨーロッパ

　政略結婚が成功して，マクシミリアン1世の孫がスペイン王位につき（カルロス1世〈位1516～56〉），さらに皇帝（カール5世〈位1519～56〉）に選挙されると，ハプスブルク家とフランス王家の敵対はいちだんと強まり，フランス王フランソワ1世〈位1515～47〉は異教徒のオスマン帝国とすら結んで，カール5世を苦しめた。宗教改革時代，オスマン帝国のスレイマン1世は，オーストリアの首都ウィーンにせまるいっぽう，北アフリカにも進出し，スペインに脅威をあたえた。スペインは，カール5世

の子フェリペ2世〈位1556〜98〉のとき，レパントの海戦（1571年）でオスマン帝国艦隊を破ったが，これも決定的な勝利ではなく，その後もオスマン帝国は長いあいだヨーロッパ，とりわけオーストリアにとって大きな脅威であった。

## スペインの強盛とフランスの内戦

　1556年にカール5世が退位すると，ハプスブルク家はスペイン系とオーストリア系とにわかれた。スペイン王位をついだフェリペ2世は，広大なラテンアメリカ植民地のほかフィリピンをも植民地化し（フィリピンの名はフェリペ2世に由来する），1580年には王統のたえたポルトガルを併合した（1640年まで）結果，文字どおり「太陽の沈まぬ」大帝国をつくりあげた。そしてヨーロッパでもネーデルラント・ナポリなどを領有して，国際的な対抗宗教改革運動の先頭にたった。

　スペインの敵対国フランスでは，16世紀なかばユグノーとよばれるカルヴァン派のプロテスタントが，政府の弾圧にもかかわらず勢力を増していた。プロテスタント・カトリック両教派の対立は，1562年から約30年にわたる内戦（ユグノー戦争，1562〜98年）をひきおこし，スペインをはじめ諸外国の干渉を招いて国家統一をおびやかした。しかし結局，ユグノーの指導者であったブルボン家のアンリ4世〈位1589〜1610〉が王位をつぎ，国家全体の見地からカトリックに改宗したのち，1598年ナントの王令でプロテスタントにも大幅な信教の自由を認めた。

## オランダの独立

　スペインの属領ネーデルラントではカルヴァン派の勢力が強かったが，フェリペ2世は彼らを迫害し，この地の自治権をうばう政策をとったので，1568年に激しい反乱がおこった（オランダ独立戦争，1568〜1609年）。南部諸州（フランドル）はやがてスペインに屈服したが，北部7州はユトレヒト同盟を結んで，オラニエ公ウィレム（オレンジ公ウィリアム）のもとに抗戦を続け，1581年，ネーデルラント連邦共和国（連邦の中心であったホラント州の名をとってオランダとよばれる）の樹立を宣言した。戦時中からヨーロッパでの中継貿易のほかアジアへも進出して（1602年，東インド会社を設立）国力を強めていたオランダは，1609年の休戦で事実上の独立をか

**三十年戦争** 1620年プラハ西方にあるヴァイセルベルクでの会戦の模様。カトリックとプロテスタントの対立と国家利害のからみあう三十年戦争を戦ったのは、金銭で雇われた傭兵隊であった。彼らは全財産をもちはこび、銃も自弁であった。

ちとり、アムステルダムは国際金融の中心として栄えた。しかし3回にわたるイギリス・オランダ戦争（1652～54, 1665～67, 1672～74年）に敗北し、オランダは海上覇権を喪失した。

## 三十年戦争

　アウクスブルクの宗教和議ののちもプロテスタント・カトリック両教徒の紛争がたえなかったドイツでは、1618年、オーストリアの属領ベーメン（ボヘミア）でハプスブルク家のカトリック化政策に抗するプロテスタントの反乱がおこると、戦火はたちまち全ドイツに広がった。スペインが皇帝とカトリック側に加勢し、ルター派のデンマークがイギリスやオランダなどの支持をうけて介入したため戦争は国際的なものとなり、デンマークの敗退後ヴァレンシュタインの皇帝軍が北ドイツを制圧すると、やはりルター派のスウェーデン王グスタフ・アドルフ〈位1611～32〉が軍をひきいてドイツにせめこみ、カトリック軍を圧迫した。しかし、スウェーデンのうしろにはカトリック国フランスがついており、王の戦死で和平気運がうまれると、1635年フランスは公然と参戦して皇帝側と戦ったので（ハプスブルク家対フランス）、宗教戦争としての性格は失われた。

# 中世から現代までの戦争

中世から現代までの戦争の変化を概観すると，中世においては有力貴族がそれぞれ封建領主として軍役義務をもつ臣下を召集して戦場にのぞみ，軍隊の主力は騎士・騎兵であった。

近世になると，火器の発達により，騎士は以前ほど重要性をもたず，むしろ砲兵と銃をもった歩兵が軍隊の主力となった。歩兵が主力になるということは，戦争が数によって戦われたことを意味するが，当初，大量の人員を用意できたのは傭兵部隊であり，その後，常備軍が登場する。貴族には大量の人員と装備をととのえることはできなかったので，国王の軍事力は諸侯を圧倒するようになり，絶対王政の君主間の戦争となった。とはいえ，工業化以前の戦争では，鉄道によって兵力を集中して一気に勝敗を決するというようなことはできなかった。また，18世紀までの軍隊はどれも規律がゆるく，兵士の脱走は日常茶飯事であった。こうした事情で近世ヨーロッパの戦争は比較的長く（数年）続くものとなり，国家財政にかなりの負担を強いるものとなった。

これに対して，19世紀の戦争は，ナポレオン戦争をのぞくと，その多くが短期間でおわった。ロシア軍が籠城作戦にでたクリミア戦争やアメリカ合衆国最大の内乱である南北戦争は例外的に長引いたが，数週間で戦闘がおわったプロイセン・オーストリア（普墺）戦争，開戦からわずか1カ月半後にナポレオン3世が捕虜となって勝敗が事実上決着したプロイセン・フランス（普仏）戦争などが，19世紀の戦争の典型である。

これらの戦争は19世紀末になって，対外膨張的帝国主義の台頭やバルカン半島の小国のナショナリズムの高揚などが重なりつつ，20世紀初めの第一次世界大戦へと集約されていく。そして20世紀前半の二つの世界大戦を規定する「総力戦」という戦争形態がうまれ，戦争の死者は1千万人から数千万に達した。原子爆弾（原爆）も使用され，人類の存亡を決定する可能性さえあらわれた。20世紀後半には冷戦，21世紀になってからは，文明・宗教・民族の対立にもとづくテロや内戦という戦争へとその形態が変化している。

1648年のウェストファリア条約で，ヨーロッパの主権国家体制は確立された。ドイツの平和は回復されたが，フランスはライン左岸，スウェーデンは北ドイツにそれぞれ領土を獲得したほか，諸侯にほとんど完全な国家主権が認められたため，神聖ローマ帝国はますますその実質を失った。また戦争による国土の荒廃で，ドイツ社会の停滞が著しくなった。

## 4 主権国家体制の確立

### 絶対王政

　中世末以来，封建制度は政治的機能を失い，君主はあらたな官僚機構をつうじて国家行政の統一を進めた。さしあたりはまだ貴族・教会・自治都市などの地方権力が君主による国家権力の独占に抵抗したが，うち続く戦争のあいだに，君主は常備軍をつくり租税の徴収権を強めて，集権的国家体制をうちたてた。これを一般に絶対王政あるいは絶対主義という。

　もとより，絶対王政のもとでも，社会には封建的な諸特権と身分的な秩序が維持されており，真の近代国家からはほど遠かった。しかし16世

---

### 新 常 識　気候変動と「経済的旧体制」

　気候変動が人間の歴史にあたえた影響については，これまで十分に論じられてこなかった。しかし，たとえば17世紀におこったイギリスにおける革命と大陸における戦争（「三十年戦争」）で特徴づけられるヨーロッパの「17世紀の危機」の背景には，この時期が小氷期だったことがある。天候不順には食糧の不足や疫病の流行をもたらし，社会を危機的な状況に陥れたのである。

　ウィーン体制末期の1840年代後半も，天候不順が続く時代であった。1845年にはアイルランドで「ジャガイモ飢饉」がはじまり，その後の数年で100万人といわれる餓死者と移民をうんだ。ヨーロッパ全土でもジャガイモや小麦などの主食用作物が深刻な不作に陥ったが，その原因は長雨や低温などの天候不順であった。

　しかも，イギリスをのぞくヨーロッパ各地の経済システムにおいては，19世紀なかばの主要産業は農業であった。そのため，不作は，単に食糧不足を招くのみならず，人口の多数を占める農業従事者の所得の低下，工業製品市場の縮小，農業のみならず工業すなわち経済全体の不況をもたらす危険があった。このような経済システムは，（フランスの歴史学者ラブルースの言葉によれば）「経済的旧体制」とよばれているが，1848年の2月のフランスは経済的旧体制下の不況にあり，困窮する人びとの不満は高まっていた。こうして天候不順が革命に帰結したのである。

　この経済的旧体制が消滅するには，産業革命が完了し，工業が主要産業になることを待たねばならなかった。

紀の経済成長期とは異なり，17世紀のヨーロッパは凶作・不況・人口停滞などによってヨーロッパ全体が危機をむかえていた（「17世紀の危機」）。絶対君主はこれを克服するために国家が経済に介入して国を富ませる重商主義の政策をとったので，資本主義の発展はうながされ，市民階級の経済力が向上した結果，やがて彼らは市民革命により，身分制社会に立脚する絶対王政を打倒するにいたった。

## イギリスの王権と議会

　バラ戦争による封建貴族の没落のあとをうけて登場したテューダー朝（1485 ～ 1603年）のヘンリ7世〈位1485 ～ 1509〉は，王権にさからう動きをきびしくおさえ，絶対王政の基礎をきずいた。つづいてヘンリ8世〈位1509 ～ 47〉は王妃との離婚問題で教皇庁と手を切り，議会の支持のもとに国王をイギリス教会の首長とする国教会をうちたて（1534年の首長法），修道院解散法によって豊かな教会領を没収し王の直轄下におき，星室庁裁判所を整備した。

　このようにイギリスでは，国王本位の政治的な動機から宗教改革がおこなわれたが，つぎのエドワード6世〈位1547 ～ 53〉のもとでようやく教義の面でもプロテスタントが採用された。女王メアリ1世〈位1553 ～ 58〉はカトリックの復活を試み，プロテスタントを弾圧したが（「流血好きのメアリ」），結局，エリザベス1世〈位1558 ～ 1603〉の即位とともに国教会体制が最終的に確立し（1559年の統一法），イギリスの絶対王政はひろく国民の支持をえて最盛期をむかえた。16世紀には国王の重商主義政策と結びついて毛織物工業がめざましく発展しつつあり，エリザベスもこれを背景に海外貿易の振興をはかった（1600年に東インド会社設立）。オランダの独立運動とイギリスの海上進出に手を焼いたフェリペ2世は，1588年，強大な無敵艦隊を送ったが，機動力にとむイギリス海軍に大敗をきっし，スペインの制海権が失われる契機となった。

　1603年エリザベスが没すると，血縁によりスコットランド王ジェームズ6世がジェームズ1世〈位1603 ～ 25〉としてイギリスの王位をつぎ，ステュアート朝（1603 ～ 49，1660 ～ 1714年）をひらいた。みずから王権神授説を奉ずるジェームズは，テューダー朝の王たちと異なって議会を無視する専制政治をおこない，監督制をとる国教会を絶対王政の支柱とみな

## ひと エリザベス1世と肖像画

エリザベス1世は，自分と異なる意見を尊重しつつ，危機に際しては直接，国民に語りかけて苦しみをともにし，「処女」を外交や政治の武器にする，したたかで慎重，しかしすぐれた統治能力をもつ女王であった。

名君の誉れ高いエリザベス1世であるが，こと肖像画に関しては興味深い点がある。それは彼女の肖像画は，13歳の頃から死の直前まで，「ペリカン・ポートレート」「アルマダ・ポートレート」「虹の肖像画」など，何点か残っているが，13歳頃の肖像画は，学問に打ちこむ若い女性の姿で描かれ，衣服も質素であるのに対し，1603年69歳で死去する頃に完成されたとされる「虹の肖像画」は目と耳が描かれたオレンジ色のマントを着用し，豪華な宝石がちりばめられた髪飾りをつけ，髪を高く結いあげ，乙女のようにカールした髪を肩にたらし，そして題名の由来となる虹を右手にもっていて，しかも顔には皺一つない。後期のエリザベスの肖像画の共通点は豪華な衣装と装飾品，そして白いドーランを塗ったような無表情，しかし威厳のある顔立ちにある。

そもそもエリザベスは質素であったが，なぜ豪華な衣装をまとったのか，それは国民の視線を意識したからにほかならない。男性中心の社会にあって女性でありながら男性に命令を発し，一時は正妻でない女性からうまれた子である庶子扱いされて，そ

『虹のエリザベス1世肖像画』 アイザック・オリヴァー作，1600年頃。

の命さえ危なかった彼女にとっては，豪華な衣装は権威を示す一つの手段となった。また老女姿の肖像画が存在しないのは，国教会の確立によって教会の内部から聖母マリア像を撤去したが，この聖母マリア像にかわるものとして，国民を統合するために自分の肖像画を使ったからだという。実際のところ，あのミケランジェロの「ピエタ」でも聖母マリアは，あたかもイエスの娘のような若さに彫られている。聖母マリアは当然としても，ルネサンスの時代，老女は悪徳の象徴であり，エリザベスにとっても老化は敵だったのである。

して，プロテスタントを迫害した。当時のイギリスでは，国教会体制に不満なカルヴァン派のピューリタン（清教徒）が議会で力を増していたため，王権と議会の対立はいっそう深まった。

## イギリス革命（ピューリタン革命）

つぎのチャールズ1世〈位1625 ～ 49〉も父王の政策を改めなかったので，議会は1628年，権利の請願を可決して王に認めさせたが，チャールズは約束をまもらず，11年間も議会なしの政治を強行した。やがて王が長老派（ピューリタンの一派）の優勢なスコットランドに国教を強制しようとして反乱を招くと，チャールズは1640年，その鎮圧費用を調達するためにやむなく議会を招集した。しかし議会は課税をこばんだばかりか王の悪政を非難したので，ついに1642年，王党派と議会派とのあいだに武力衝突がおこった。

この内戦は最初，王党派に有利に展開したが，やがて議会派のオリヴァ・クロムウェルが鉄騎隊の精鋭をひきいて王党派軍を破り，王をとらえた。ピューリタンの急進派に属する独立派の指導者であったクロムウェルは，より穏和で立憲王政をのぞむ長老派を議会から追放し，1649年には王を処刑して共和政を樹立した。クロムウェルは中産階級の利益を第一に考え，さらに過激な社会変革を要求する水平派を抑圧し，アイルランドを征服してこれを植民地化するいっぽう，重商主義の立場から航海法（1651年）を発してオランダの通商活動に打撃をあたえた。さらに内外の困難を克服するため，1653年に終身の護国卿となってきびしい軍事的独裁をおこなったので，国民の不満が高まった。そこで彼の死後，長老派が力をもりかえした議会は1660年，大陸に亡命中のチャールズ1世の子をチャールズ2世〈位1660 ～ 85〉として国王にむかえた（王政復古）。これをイギリス革命(1640 ～ 60年)という。

## 名誉革命と立憲政治

しかしこの王もまた専制政治をしき，さらにカトリックの復活をはかったので，議会は審査法（1673年）を制定して官吏と議員を国教徒にかぎり，人身保護法（1679年）によって王権による不法な逮捕から国民の人権をまもった。

このころ議会内には，王政を重んずるトーリ党と，議会の権利を主張するホイッグ党という二つの党派がうまれていたが，つぎのジェームズ２世〈位1685 ～ 88〉も専制的な態度を改めなかったため，議会は一致して，1688年，王の長女でプロテスタントのメアリを妃とする，オランダ総督のオラニエ公ウィレム３世を招いた。ジェームズは大陸に亡命したため，流血はなく，翌89年ウィレムはメアリとともに，議会の提出した権利の宣言を承認したうえで王位についた（ウィリアム３世〈位1689 ～ 1702〉，メアリ２世〈位1689 ～ 94〉）。王は同年，権利の宣言を権利の章典として制定し，議会主権にもとづく立憲王政の基礎をおいた。これが名誉革命（1688 ～ 89年）である。

　二度の革命をつうじてイギリスの絶対王政は終わりをつげ，中世後期以来，しだいに地方行政の担い手として重きをなしてきたジェントリ（地方に定着した中小地主層）が，議会政治の主導権をにぎった。つづくアン女王〈位1702 ～ 14〉のときにイングランドとスコットランドが合同して大ブリテン王国が成立したが，その死（1714年）でステュアート朝がたえ，遠縁にあたるドイツのハノーファー選帝侯がジョージ１世〈位1714 ～ 27〉として即位し，ハノーヴァー朝（1714 ～ 1917年）をひらいた。彼は英語がわからず，イギリスの国情にもうとかったので，議会の多数派にもとづく政党内閣に行政をゆだねる責任内閣制への道をひらいた。

### フランスの絶対王政

　アンリ４世にはじまるブルボン朝（1589 ～ 1792，1814 ～ 30年）第２代目の国王ルイ13世〈位1610 ～ 43〉のもとで，宰相リシュリューは反抗的な貴族やユグノーを武力で抑圧し，国外ではハプスブルク家の力をそぐため三十年戦争に介入するなどして，絶対王政の基礎をかためた。続く宰相マザランも幼少のルイ14世〈位1643 ～ 1715〉を助け，フロンドの乱（1648 ～ 53年）とよばれる高等法院や貴族の反乱を鎮圧したので，1661年ルイ14世の親政開始とともに王権の強大化は頂点に達し，「太陽王」とよばれた。財務総監コルベールの重商主義政策で国力を充実させたルイは，パリ近郊に壮大なヴェルサイユ宮殿をたて，宮廷生活を儀式化して王権を誇示し，古典主義の文学を奨励した。王はまた軍隊を増強してネーデルラントやドイツ西部への侵略戦争をおこなったが，諸国が連合してこれ

4　主権国家体制の確立　151

## 移動宮廷

近代国家のように整備された行政組織や官僚機構を欠いていた中世ヨーロッパの国家は，首都を1カ所に定めず，支配領域の要所をめぐりながら統治をおこなう移動宮廷を基本としていた（巡幸王権）。

その第1の理由は，王位の承認である。王の地位は即位儀礼による一度きりの承認では十分ではなく，王は王としての資質をたえず示し続けなければならなかった。巡幸時に行列をなして行進し，都市に入場すること，各地で王国集会や教会会議，裁判集会を主宰することは実務上の必要からだけではなく，参集した臣民に王の権威を誇示するためでもあった。イングランド王やフランス王の場合は，塗油をうけた王に瘰癧（頸部リンパ腺腫瘍）に対する特殊な治癒能力があるという信仰があったために，巡幸地に治癒を求めて集まった人びとに対して，王が瘰癧触りの儀式をおこなうこともあった。

イギリスの場合，王政復古でオランダから帰国したチャールズ2世が，王党派の宣伝もきいたのか，治世の最後の1年間だけで6600人もの患者を癒したといい，フランスでもルイ13世や「太陽王」ルイ14世が，復活祭・聖霊降臨節・クリスマスなどの教会の祝日に際して定例行事のように「治療」をおこない，それをつうじて庶民の王権に対する畏敬の念を維持しようとつとめた。王の姿に接することは，臣民にとって特別な意味をもったのである。

第2の理由は，徴税システムの問題である。中世では，王権の財政は王領地の収入を基盤としていたため，近代的な意味での租税は当初，存在していなかった。王と宮廷が巡幸することで，滞在地の国王役人や司教は，数百名におよぶ巡幸要員に，宿泊場所・食事・人馬を提供しなければならず，これが現地で消費される公課であった。巡幸地では，国王がみずから裁判をとりおこなったが，その場合には裁判収入が国庫にはいった。

に抵抗したため，大陸での主導権をにぎるにはいたらなかった。国内的には1685年ナントの王令を廃止したことからユグノーらの商工業者が国外に亡命し，フランス産業は大きな損失をうけた。

## スペインの没落

16世紀に全盛をきわめたスペインも，ネーデルラントの離反やオランダ・イギリスの海外進出のため，17世紀にはめだって国力がおとろえた。1700年ハプスブルク家が断絶すると，ルイ14世の孫が血縁によりフェリ

ペ5世〈位1700〜24，24〜46〉として王位をついだが，これに対しオーストリアがイギリス・オランダなどと同盟してフランスと戦った（スペイン継承戦争，1701〜13年）。フランスは苦戦し，民衆は重税にあえいだが，結局，1713年のユトレヒト条約で，両国が合同しないという条件でブルボン家のスペイン王位継承が認められた。しかしその代償にイギリスは，北アメリカのフランス植民地の一部をえたうえ，スペインにはジブラルタルなど地中海の要地を割譲させ，ラテンアメリカ・西インドに対する通商特権を認めさせた。

# 5　大革命前夜のヨーロッパ

## 北方戦争とロシアの台頭

　16世紀のなかば，モスクワ大公のイヴァン4世（雷帝〈位1533〜84〉）は，全ロシアのツァーリ（皇帝）として専制政治をしき，カザーク（コサック）の首長イェルマークが占領したシベリアの一部を接収して，アジアへの進出を開始した。その後しばらく続いた内紛時代ののち，17世紀初めロマノフ家（1613〜1917年）が帝権をにぎるとふたたび中央集権が強まり，ことにピョートル1世〈位1682〜1725〉は，西欧を模範とする国制の改革や産業の振興により，国力を充実させた。彼は軍備を増強してシベリア経営を進め，1689年中国の清朝とネルチンスク条約を結んで国境を定めるいっぽう，南方ではオスマン帝国を圧迫してアゾフ海に進出，さらに西方でも海への出口を求めた。当時バルト海域はスウェーデンの勢力下にあったが，ピョートルはポーランド・デンマークと結んでこれを攻撃し，モスクワにかわる新首都ペテルブルクをきずいて海陸でスウェーデンを破り，バルト海の制海権をにぎった（北方戦争，1700〜21年）。

## プロイセンの勃興

　そのころドイツでは，オーストリアのライバルとなるホーエンツォレルン家のプロイセン（プロシア）が急速に勃興しつつあった。この国は，ベルリンを首府とするブランデンブルク選帝侯国が，17世紀初めにバルト海沿岸のプロイセン公国を併合してできたもので，スペイン継承戦争で

皇帝を支援した代償に選帝侯はプロイセン王の称号をえ，第2代の王フリードリヒ・ヴィルヘルム1世〈位1713 ～ 40〉のもとで規律ある官僚制と強大な陸軍をもつ絶対王政を確立した。

## フリードリヒ大王と七年戦争

　プロイセン王国の中核部である東北ドイツは，中世後期に従来のスラヴ人地域へドイツ人が大量に入植（東方植民）した新開地で，ここには16世紀以来，西方とは逆に貴族領主の農奴制的支配が強まり，ユンカーとよばれるこの貴族層がやがてプロイセン絶対王政の社会的な土台となった。1740年に即位したフリードリヒ2世〈位1740 ～ 86〉は，オーストリアのマリア・テレジア〈位1740 ～ 80〉がハプスブルク家の全領土を相続すると，これに異議をとなえて資源の豊かなシュレジエン（シレジア）を占領し，フランスやバイエルンと結ぶ戦い（オーストリア継承戦争，1740 ～ 48年）のすえ，ついにシュレジエンを併合した。報復の念にもえるマリア・テレジアは，内政改革で国力を充実させ，長らく敵対してきたフランスと同盟（「外交革命」），ロシアとも結んでプロイセンにたちむかったが，フリードリヒは苦戦にたえぬいてオーストリアを屈服させ（七年戦争，1756 ～ 63年），プロイセンをヨーロッパ列強の地位に高めた。

　フリードリヒは，信教の自由を認めたほか，当時のフランス啓蒙思想に傾倒し，「君主は国家第一の僕」と称して国内産業の育成や司法改革などに力をそそいだので，啓蒙絶対君主の典型とみなされているが，彼もユンカーの農奴支配にはまったく干渉しなかった。そのため農民の農奴としての地位は改善されなかった。

## 英・仏の植民地戦争

　18世紀にスペイン・オランダの海上権がおとろえると，植民地支配をめぐる英仏両国の対立がにわかに表面化してきた。オーストリア継承戦争中にも北アメリカとインドで両国は争ったが，とりわけ七年戦争の際，イギリスはプロイセンに援助金をあたえてフランス軍を牽制するいっぽう，兵力をアメリカに投入しカナダのフランス領を攻撃した。同時にインドでも東インド会社のクライヴがプラッシーの戦い（1757年）で，フランスと結ぶベンガル太守の軍に圧勝した。その結果，1763年のパリ条約で，

154　第5章　近世ヨーロッパの形成

イギリスはフランスにカナダおよびミシシッピ川以東のルイジアナを割譲させ，インドでも少数の商業基地をのぞくフランス植民地のすべてをうばった。

## 世界の経済システム

　世界各地の経済システムを一望すると，西欧では問屋制などの生産方式がうまれ，産業革命後に確立する資本と労働による経済活動が本格化する一方で，エルベ川以東のヨーロッパではユンカーらの地主貴族が西欧への穀物輸出をめざして農民を農奴的な状態で使役する制度（農場領主制）が展開していた。アジアではムスリム（イスラーム教徒）商人・インド商人らによる既存の貿易網に西欧諸国が進出し，各地に商館をたてて拠点を形成した。18世紀になると領土支配が進むとともに，イギリスがインドや中国で主導権をにぎった。大西洋沿岸ではヨーロッパ・アメリカ・アフリカを結ぶ三角貿易がおこなわれて，ヨーロッパは武器や雑貨などをアフリカに送り，それと交換でえた奴隷をアメリカ大陸・西インド諸島に送りこんで，そこから砂糖・綿花・タバコ・コーヒーなどの農産物をヨーロッパに持ち帰って売りさばいた。そのためアフリカでは奴隷貿易により社会の荒廃が進んだ（この項，135ページのコラム参照）。

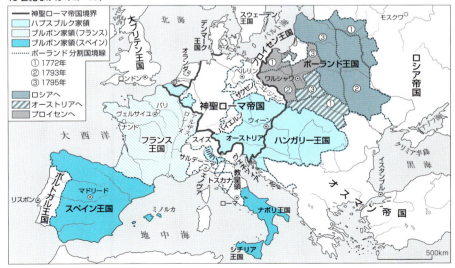

18世紀なかばのヨーロッパ

**ポーランド分割** 1772年，フランスで描かれた分割を風刺する漫画。左側にすわるのがエカチェリーナ2世（ロシア）。ポーランド王スタニスワフ2世はかぶっている王冠が今にも落ちそうで，困惑しつつ右手でささえている。ポーランドの地図を広げて指で示しているのがヨーゼフ2世（オーストリア），剣で示しているのがフリードリヒ2世（プロイセン）で，2人はたがいの領土を主張しあっている。

## ポーランド分割

　七年戦争後には，プロイセンでフリードリヒ2世が啓蒙思想の精神にそって法治国への歩みを進めたのにならって，オーストリアでもマリア・テレジアの没（1780年）後，長子の皇帝ヨーゼフ2世〈位1765～90〉が，フリードリヒをうわまわる急進的な啓蒙君主として，宗教寛容令や修道院解散による教会権力の排除や産業の育成のほか，農民解放と領主特権縮小などの大胆な改革をくわだてたが，貴族の反抗により十分な成果をあげられなかった。ロシアの女帝エカチェリーナ2世〈位1762～96〉も，初期には啓蒙思想の影響下に近代的法典の編纂などをこころみたが，農奴制の強化によりプガチョフの反乱（1773～75年）を招き，反動化した。

　これら「啓蒙的」な君主をいただく3国は，領土拡大のためポーランド分割（1772年）を強行した。これに対しポーランドは近代化をこころみたが，1793年に第2回目の分割（プロイセン・ロシア），1795年には第3回目の分割（プロイセン・ロシア・オーストリア）が強行され，ポーランドは消滅した。コシューシコらの抵抗運動など19世紀をつうじて何度も独立運動がおこったが成功せず，国家が再建されるのは第一次世界大戦後になってからである。

## 啓蒙思想

　17世紀にガリレイやケプラーが地動説の正しさを実証し，ニュートン

## 啓蒙思想と社会

　啓蒙思想の「啓」とは「開く」,「蒙」とは「くらやみ」を意味する言葉で,理性の光に照らして旧来の権威や偏見を容赦なく批判し,人間の進歩を信じる思想である。

　この思想はカトリック教会の反発をうけたが,フランスはもちろんヨーロッパやアメリカにひろく普及した。それは,文字・図像をとおしてなされた知の営みであり,直接の読書のほか,新聞・雑誌のジャーナリズムや都市の文化サークル,貴族の客間でひらかれるサロン,ロンドン市民のあいだで流行した喫茶店(コーヒーハウス)のような社交機関がこの時期から発達しはじめたことによる。

　啓蒙思想は,思想運動であると同時に,現実社会を変革しようとする実学でもあり,さらには世界のいっさいを解釈し説明しようとする先端総合科学でもあった。その典型が百科全書であり,イギリスとドイツは,ディドロ・ダランベールらが編纂したフランス啓蒙思想の集大成である『百科全書』よりも前に,独自の百科事典をそれぞれ刊行していた。博物館や植物園が登場したのもこの時代であり,また独自の小宇宙をなしていた民衆の世界に啓蒙の光をあてる試みとして民俗誌学もはじまった。

　しかしこうした営みはまだ,基本的に話し言葉の世界に生き,古い慣習に支配され,生活の知恵としてことわざにたよっていた民衆の生活の場にはとどかなかった。民衆が「啓蒙」されるまでには,19世紀の初等教育の普及までまたねばならなかった。またプロイセン・オーストリア・ロシアなどの経済的後進国では,君主みずからがとなえて,政治・社会の改革をしようとする試みがおこなわれた。これが啓蒙専制主義で,強力な封建貴族を牽制するための商工業ブルジョワが十分成長していないため,王権神授説ではなく,啓蒙思想が利用された。ここでは経済育成・教育・行政すべてが富国強兵にむけられ,国家の秩序を乱す"自由"は厳重に取り締まられた。

　が万有引力の法則の発見により近代物理学を基礎づけて以来(「科学革命」),18世紀にも自然科学の各分野にすぐれた成果がうみだされた。こうした科学の進歩は,フランシス・ベーコン(イギリス)のとなえた帰納法,デカルト(フランス)のとなえた演繹法が,それぞれ経験論,合理論という近代哲学思想を発展させる過程と並行していた。18世紀末にこれら二つの潮流を総合し,批判哲学をうちたてたカント(ドイツ)は,人間が自分の理性を主体的に用いて子どもじみた迷妄からぬけでることを「啓蒙」とよんだ。

この啓蒙思想は，17世紀の，理性にもとづく自然法の見地から，『戦争と平和の法』をあらわして国際法の祖となったオランダのグロティウスや，自然権を基礎とする社会契約説から国家主権の絶対性という結論をひきだしたホッブズ（イギリス），同じく社会契約に国家の起源を求めながら『統治二論』で圧政に対する市民の反抗権を擁護したロック（イギリス）などをさきがけとしている。

　啓蒙思想が全盛をきわめたのは，18世紀のフランスで，教会をはじめいっさいの古い権威を痛烈に批判したヴォルテール，『法の精神』でイギリスの政治をたたえたモンテスキュー，『社会契約論』で平等の原理にもとづく人民主権論をとなえたルソーなどが輩出した。

　啓蒙思想の自然法論を経済の分野に適用したのがケネーらのとなえた重農主義で，国家の干渉をしりぞけるその自由放任説は，アダム・スミス以降の古典派経済学に影響をあたえた。ディドロとダランベールの編集した『百科全書』は，フランス啓蒙思想の集大成である。

## バロックからロココへ

　17世紀には，建築の分野でヴェルサイユ宮殿，絵画の分野ではルーベンスやベラスケスに代表されるようなバロック様式が栄えた。文学では，悲劇作家のコルネイユ，ラシーヌ，喜劇作家モリエールらが，ルイ14世の時代に活躍し，古典主義の傑作がうまれた。ドイツでは18世紀末になって，ゲーテ，シラーらの古典主義文学の花がひらくが，美術史上の18世紀はバロックにかわる繊細優美なロココ様式が流行した時代で，フリードリヒ2世のサンスーシ宮殿がその代表であり，バッハやヘンデルの後期バロック音楽も，この時代の雰囲気を伝えている。イギリスでは17世紀にミルトンの『失楽園』のようなピューリタン文学がうまれたが，18世紀になると，デフォーの『ロビンソン・クルーソー』，スウィフトの『ガリヴァー旅行記』など，市民社会の自由な生活感情をもりこむ新しい型の小説があらわれた。

　また17世紀は「生活革命」とよばれる時期にあたり，一般市民が貴族と同様に海外からの嗜好品である茶・砂糖・コーヒーなどを消費するようになり，コーヒーハウスという市民の交流の場もうまれた。

# 第6章 欧米近代社会の確立

## 「二重革命」と「環大西洋革命」

　「二重革命」とは，政治・社会上での変革であるアメリカ独立革命とフランス革命，経済上の変革である産業革命という，ヨーロッパだけでなく世界にも大きな影響をあたえた同時代の事件を意味している。ヨーロッパの旧制度（アンシャン・レジーム）は18世紀の後半から動揺しはじめ，19世紀末までに，その政治制度や社会生活のありさまは大きく変化した。

　アメリカ独立革命は近代社会における政治的原理（自由主義や民主主義など）を表明した。またフランス革命は特権的な政治体制にかわって政治的民主主義の原則を樹立するとともに，資本主義発展の社会的条件をつくりだした。

　これとならんで，革命によらない改革の試みがいくつかの国で進行し，「1848年の革命」（「諸国民の春」）以後，自由主義と国民主義がヨーロッパ各地に定着して，政治体制の近代化が支配的となった。ただロシアやオーストリアなどの多民族国家は，「帝国」の形態をとりつつ20世紀初めま

**フランクフルト国民議会**
　多くの諸侯領にわかれていたドイツでは，立憲自由主義の気運が高まり，全ドイツから選挙で選ばれた代表がフランクフルトに集まり，討論が続いた。

## 新 常 識　二重革命・複合革命

18世紀後半から19世紀前半にかけて，欧米では「二重革命」とよばれる大きな変化がおこった。二重革命とは，経済の領域においては資本主義にもとづく工業化，社会体制の領域においては自由主義にもとづく市民社会の現実化，そして政治の領域においてはナショナリズムにもとづく国民国家の建設という，産業革命と市民革命が同時におこったことをいう。

イギリスからはじまった産業革命は，従来考えられていたより漸進的であり，イギリスの国民生産の年間成長率は1780年代にはいっても推定約1.3％にすぎず，ようやく1801〜31年に，年間成長率が約2％に達した。現代の経済成長率からすれば低すぎて，とても「革命」の名に値しない。それゆえ「産業革命」は存在しなかったとする識者がいることも事実である。しかし，それでも中・長期的なスパンで考えると，産業革命によってはじまった工業化（産業化）が，現代の大量生産・大量消費型の経済をもたらすきっかけとなったことはまちがいなく，この意味で「革命」とよべる。

イギリスの先進技術は，19世紀にはいってフランス・アメリカなどの西欧諸国に移転され，各国でも産業革命が進行した。

こうしたイギリス・アメリカ・フランスの3国が経験したのが，市民革命である。そこでは資本主義の全面開花のための諸条件の確立に加えて，立憲主義の確立（＝絶対王政の廃止），全人民（ただし実質的には男性）の法的・身分的平等の確立（＝身分制の廃止）などが実現する。この結果，古い家柄ではなく，個人の才能が重んじられる市民社会が成立し，その主要な担い手であるブルジョワジー（有産市民）が経済的な自由主義にもとづき資本主義的工業化を推進することになった。

ただ最近の市民革命の研究では，「複合革命」という視点，すなわちブルジョワジーの動向だけでなく，貴族・ブルジョワジー・都市民衆・農民など，各政治勢力の協力や対立などの複雑な動きを分析して，革命の全体像を明らかにしようとする傾向にある。

で存続した。

一方，産業革命はイギリスではじまり，19世紀なかばにはイギリスは「世界の工場」の地位を確立するが，経済的自立を求める他の欧米諸国もこれをとりいれ，19世紀の後半にそれを達成した。工業化の進展を意味する産業革命は社会生活に大変化をもたらし，政治体制や世界システムの転換とからみあって進行して，近代世界に複雑な動きをもたらした。

「環大西洋革命」とは，18世紀後半から19世紀前半にかけて，アメリカ

## 広がる革命運動の群像

　18世紀後半から19世紀前半にかけて、大西洋をはさんで、アメリカ独立革命・フランス革命・ラテンアメリカ諸国の独立、と連続して革命の波が広がった。この一連の革命を環大西洋革命とよんでいるが、とくに人的な相互交流が注目される。

　まずイギリス人トマス・ペイン。彼はアメリカに渡って『コモン・センス』をあらわして、アメリカ独立の世論形成に大きな役割をはたした。イギリスにもどってから、1791年『人間の権利』を発表して世論をリードしたが、世襲君主制への敵意を表明したためイギリス政府に追放された。その後フランスに渡って市民権があたえられ、国民公会議員にも選出された。ルイ16世の死刑に反対して投獄されたが、ロベスピエールの失脚後に解放された。晩年はアメリカで過ごしたが、人びとからも忘れられた存在となった。

　フランス人の貴族ラ・ファイエットはアメリカに渡ってワシントンの副官となり、フランスにもどったあと、三部会の貴族議員に選出され、自由主義者として人権宣言を起草し、パリ市民軍司令官となった。フイヤン派の創立に関わり、立憲君主政を主張し、王と議会を仲介した。8月10日事件後は逮捕を恐れて出国をはかり、オーストリア軍に捕えられた。フランスにもどってからは隠遁に近い生活を送ったが、王政復古後には議員となり、七月革命ではルイ・フィリップを支持した。

　そのほかに、ポーランド人の独立運動指導者コシューシコ（彼はフランス国民公会に援助要請をしたが断られている）、ドイツの軍人シュトイベン、フランスの思想家サン＝シモンなどもアメリカ独立戦争に参加している。

　フランスの植民地だったハイチでは、フランス革命の影響をうけてトゥサン・ルーヴェルチュール（「黒いジャコバン」とよばれた）を指導者とする反乱がおこり、彼自身はナポレオン軍に捕えられ、獄死しているが、彼の部下たちが独立を達成した。さらにラテンアメリカ独立運動の指導者として知られるシモン・ボリバルはヨーロッパに遊学し、啓蒙思想に触れることによって独立への志向を強め、のちにイタリア統一戦争に大きな役割をはたすガリバルディは、若き時代にラテンアメリカの独立運動に関わっている。

独立革命やフランス革命、さらにラテンアメリカの独立運動がおこったことを意味している。トマス・ペイン（イギリス）、ラ・ファイエット（フランス）、コシューシコ（ポーランド）など多くの人物が大西洋を挟んで活躍し、さらにその革命の思想基盤となったのがヨーロッパでうまれた人民主権などの近代思想であった。

# 1 アメリカの独立革命

## イギリス北米植民地

　新時代の幕は「アメリカ大陸」からひらかれた。アメリカ大陸への到達以来，西欧諸国の植民がしだいに進められるなかで，イギリスは17世紀初めから北アメリカで活発な植民活動をおこない，18世紀前半までに東部海岸に13の植民地を建設した。その北部は自作農業のほか造船・製材などの産業の多様化が進み，南部は黒人奴隷を使う大農場制度（プランテ

### ■ アメリカ独立宣言の採択

　13植民地の代表は1776年7月，フィラデルフィアでつぎのような独立宣言（抜粋）を採択した。
　われわれはつぎのことが自明の真理であると信ずる。すべての人は平等につくられ，造化の神によって，一定のゆずることのできない権利をあたえられていること。そのなかには生命・自由，そして幸福の追求がふくまれていること。これらの権利を確保するために，人類のあいだに政府がつくられ，その正当な権力は被支配者の同意にもとづかねばならないこと。もしどんなかたちの政府であっても，これらの目的を破壊するものになった場合には，その政府を改革し，あるいは廃止して人民の安全と幸福をもたらすにもっとも適当と思われる原理にもとづき，そのようなかたちで権力をかたちづくる新しい政府をもうけることが人民の権利であること。以上である。

ーション）がさかんだったが，イギリス本国の重商主義政策のため，商工業は制限をうけていた。しかし，植民地議会などの自治制度が発達し，自由な気風が強い点で，ラテンアメリカのスペイン植民地とはちがっていた。

　七年戦争後，イギリス本国は財政難をきりぬけるため，重商主義政策を強めた。戦争中にフランス軍との戦いで結束を強めた植民地は，本国のこの態度を自治権の侵害とうけとり，とくに1765年の印紙法への不満は「代表なくして課税なし」という国制上の対立にまで発展した。印紙法は翌年撤回されたが，その後も紛争がたえず，1773年に茶の販売権をめぐって対立し，インディアンに変装した植民地人がボストン入港中の東インド会社の船をおそって茶箱を海中に投げこんだ，いわゆるボストン茶会事件がおこって，情勢は緊迫した。

## 独立戦争

　1774年，植民地の代表たちは大陸会議をひらき，ボストン港の閉鎖などボストン茶会事件に対する本国の強硬な報復措置に抗議したが，本国との関係については保守派と急進派とに意見が分裂し，急進派も当時まだ独立までは主張していなかった。しかし翌75年の武力衝突に続いて戦闘が拡大するなかで，「愛国派」を名のった急進派の指導権が確立した。1776年7月4日，大陸会議は愛国派の結集と外国の支援をえるため，ジェファソンの草案による独立宣言を発表した。これは，権利の平等や新しい政府をつくる権利を高らかに宣言し，啓蒙思想が現実の力となったことを示している。また同じ頃トマス・ペインがあらわした『コモンセンス』は独立への気運を高めるのに貢献した。

　愛国派の独立軍は総司令官ワシントンの指揮のもとに善戦し，やがてフランスの参戦（1778年）をはじめ列国の支援をえてイギリスを孤立させたのちは優勢になり，1781年，ヨークタウンの戦いで決定的な勝利をおさめた。1783年，イギリスはパリ条約で13の植民地がアメリカ合衆国として独立することを承認し，ミシシッピ川以東の地を合衆国にゆずった。

## 憲法の制定

　戦後の合衆国は政治的・経済的な混乱に直面した。その原因は，各州

がそれぞれ主権をもち，国家の統一に欠けたためである。そこで産業の発展と社会の安定をのぞむ商工業者のあいだには，強力な中央政府を求める声が強まり，1787年に合衆国憲法が制定された。ここに三権分立にもとづく連邦政府がうまれた。初代大統領に選ばれたワシントン〈任1789～97〉は，やがて勃発したフランス革命をめぐる戦争に中立を宣言し，国内経済の安定と充実につとめた。

　こうしてアメリカ合衆国は社会変革をおこないつつ，近代国家への道を歩みはじめたが，黒人奴隷や先住民の権利を認めなかった。

## 北アメリカの先住民 ネイティヴ・アメリカン

　スペイン領アメリカでは先住民（インディオ）が植民者に支配され鉱山や農場の労働力とされたのに対して，北アメリカの先住民（ネイティヴ・アメリカンまたはインディアン）は征服か詐欺に近い取引で土地をうばわれ，指定の保留地に隔離された。植民地は白人だけの共同体であり，民主主義も白人社会だけのものであった。独立戦争の際，先住民はフランスと提携してイギリスと戦っており，フロリダにおけるセミノール戦争，五大湖の南周辺に居住したショーニー族出身でインディアン連合を率いてアメリカに挑戦したテカムセの抵抗など，散発的な抵抗は続いていたが，しだいに西方に追いやられていった。

　19世紀後半（南北戦争後），大陸横断鉄道が完成し，金と土地を求める白人が急増し，西部開拓が大規模に進展すると，追いつめられた先住民の抵抗はいっそう激しくなった。スー・シャイアン族の連合軍がカスタ一将軍の率いる第7騎兵隊を全滅させた（1876年）のもこのころであるが，全体としては白人側の鎮圧が本格化して，先住民は敗北を重ねた。アパッチ族を率いて戦ったジェロニモも降伏し（1886年），そして最後に1890年のスー族に対する「ウーンデッドニーの虐殺」が組織的抵抗の最後となった。同年アメリカ政府がフロンティア（辺境，開拓地域と未開拓地域の境界地帯）の消滅を宣言している。この間の1887年にはドーズ法が制定され，先住民の保留地を部族単位ではなく，個人に割り当てることによって白人がその土地を奪取することを可能としている。

　植民当初，先住民の人口は約100万とも約1000万とも推定されているが，1890年頃には25万に減少し，彼らに最終的に市民権があたえられるのは1924年のことであり，投票権にいたっては第二次世界大戦後の1948年のことであった。

164　第6章　欧米近代社会の確立

## 2　フランス革命とナポレオン

### フランス旧制度の危機

　アメリカの独立はヨーロッパと他のアメリカ大陸の植民地に思想的な衝撃をあたえたが，やがておこったフランス革命は，それ以上に深刻な影響をあたえた。フランス革命の特色は，革命の反対勢力が激しく抵抗して国際的な干渉戦争にまで発展したこと，このため革命を指導する有産市民層（ブルジョワジー）は，革命の達成・防衛のため，都市民衆や農民などの蜂起にたよらざるをえなかったことなどにある。このため革命の進行はきわめて劇的な性格をおびた。

　絶対王政下のフランスは「旧制度」（アンシャン・レジーム）とよばれる身分制度の社会であった。第一身分（聖職者）と第二身分（貴族）は免税などの特権をもつほか，領主として広大な土地をもち，重要な官職を独占したが，国民の9割以上を占める第三身分（平民）は不平等なあつかいをうけた。しかし18世紀後半になると，特権身分のあいだでも貧富の差が大きくなり，身分としてのまとまりが弱くなった。また第三身分も，大部分は封建的負担に苦しむ農民と都市の貧しい下層市民であるが，そのほかに経済力をたくわえた商工業ブルジョワジーが，しだいに台頭してきた。こうして，旧制度の矛盾は深刻化し，啓蒙思想やアメリカ独立革命の影響もあって改革への気運が高まった。

　しかし，革命のきっかけをつくったのは，旧制度の不合理に不満をもつ第三身分ではなく，特権貴族であった。ルイ16世〈位1774～92〉の即位以来，七年戦争やアメリカ独立戦争に参加したことで破綻した財政を再建するため，政府は幾度か貴族への課税をふくむ旧制度の改革をこころみた。しかし，特権貴族はかえってこの機会に王権を制限してみずからの政治的発言権を強めようとして結束し，政府の改革をはばみ，1614年以来ひらかれていない三部会を招集するよう政府を追いつめた。

### 立憲君主制の樹立：革命の第1段階

　1789年5月，三部会がヴェルサイユ宮殿でひらかれると，議決の方法をめぐって特権身分と第三身分代表のブルジョワジーとがまっこうから

## ひと ルイ16世の知られざる素顔

ルイ16世は，相反する二つのイメージをもっている。一般的なイメージは，あまり良くない。王妃マリ・アントワネットの浪費癖をおさえることができず，7年間も跡継ぎの子どもをつくれず，鍛冶仕事に精をだして錠前づくりに熱中し，馬に乗ってへとへとになるまで鹿を追いまわして狩猟の毎日を過ごした。肥満体型で，かつ内向的，決断力がなく，お人好しで気弱，それゆえにフランス革命の激動の嵐のなかで有効な決断と行動ができなかった国王。さらにフランス革命の象徴的事件である1789年7月14日におこったバスティーユ牢獄の攻撃と陥落に際して，その晩のルイの日記には「（狩りの獲物は）なにもなかった」と記したその感覚。陥落の情報を聞いたときも「ただの暴動であろう」と声をあげたため，「陛下，革命でございます」といいかえされたエピソードなどなど，ルイ16世の負のイメージは決定的なようにみえる。

ところが最近の研究では，まったく異なったルイ16世像が提示されている。ルイ16世は，重農主義者で開明的なテュルゴー，君主制を維持しつつ行政機構の一新をめざしたカロンヌ，国庫収入の改善を図り三部会の開催に深く関わったネッケルらを登用して本格的な体制内改革に乗りだし，特権身分への課税をこころみて税制上の平等を実現しようとした改革派であったこと。王制を採用するフランスとは本来対立関係にあるはずの共和政国家の樹立をめざしたアメリカ独立戦争へ全面的な支援を決断したこと。英語・イタリア語・ドイツ語を学び，英字新聞を毎日読み，蔵書のなかには多くの英語文献があって，ギボン作『ローマ帝国衰亡史』の最初の3巻を翻訳し，『百科全書』など啓蒙思想家の著作も所有していた読書家であること。緻密で正確な作業を必要とする錠前づくりへの熱情を示したすぐれた技術屋であったこと。拷問や農奴制を廃止し，プロテスタントやユダヤ人の同化政策などを進めて人権思想への一定の理解を示した進歩的で民主的な性格をもっていたこと。科学や地理探検にも興味を示して援助し，ラ・ペルーズらの科学調査隊を太平洋方面に送りこんだこと。節約に熱心で，浮いたお金を最貧民に配る優しさなどなど，ルイの「良き王」「進歩的な王」としての側面である。

対立し，第三身分は三部会を国民議会と改称して，憲法制定までは解散しないことを誓った（球戯場の誓い）。これに対して，王は特権貴族に動かされて，武力で国民議会に圧迫を加えた。おりから連年の凶作でパンの値上がりに苦しんでいたパリの民衆は，王の態度に対抗して蜂起し，7月14日に専制政治の象徴と考えられていたバスティーユ牢獄を占領して，

いったん王に譲歩させた。これに続いて、封建領主に対する農民一揆が全国的にまきおこった。

この情勢に応じて、国民議会は8月4日に封建的特権の廃止を決議し、8月26日には人権宣言を採択した。この宣言は人間の自由平等・主権在民・私有財産の不可侵をうたい、近代市民社会の原理をもっとも明らかに表明している。王と宮廷はこれに抵抗したが、10月にパリ民衆の圧力に屈してヴェルサイユからパリに移り、憲法制定はようやく軌道にのった。

この時期の議会を指導したのは、ラ・ファイエットやミラボーなど自由主義貴族や上層ブルジョワジーを代表する立憲君主主義者である。彼らの手で地方自治・土地改革・ギルドの廃止などの自由主義的改革が実現されたのに続き、制限選挙制にもとづく立憲君主制の1791年憲法が公布された。

## 君主制の動揺：革命の第2段階

しかし憲法制定の直前の1791年6月に、国王一家は国外逃亡をはかって失敗し（ヴァレンヌ逃亡事件）、国民の信頼を失った。また同年8月には、オーストリアとプロイセンの君主が革命に干渉する用意があることを宣言して、対外危機が高まった。このため、10月に成立した立法議会では、

**バスティーユ牢獄の襲撃**　中世のパリの東部にたてられた要塞が、政治犯を収容する牢獄となっていた。人びとはこれを専制政治の象徴と考えた。

2　フランス革命とナポレオン　167

## パリの歴史軸

フランスの首都パリは，ローマの時代に初めて町（ルテティア）がつくられ，中世期にその規模がしだいに拡大し，19世紀にオスマン知事による都市改造がおこなわれて現在にいたっている。このパリの都市図をみると，ルーヴル美術館から新凱旋門まで一直線上に道路が延びている。この一直線の道路の近辺で歴史上重要なできごとがおこってきたので，一般に「パリの歴史軸」や「凱旋軸」，「パリの偉大な軸」とよぶ。

パリの凱旋門のなかでもっとも大きいエトワール凱旋門（一般に「凱旋門」とよばれる建築物）から東にむかってシャンゼリゼ大通りを歩くと，しばらくしてオベリスクがたつコンコルド広場に達する。この広場はもともとはルイ15世広場という名称であったが，革命の時代に「革命広場」とよばれてギロチンが設置され，国王ルイ16世や王妃マリ・アントワネットが処刑され，恐怖政治終了後は「コンコルド（和解）広場」と名前を変更した。さらに進むと，美しいテュイルリー庭園に達する。ここにはかつてテュイルリー宮殿があり，パリ防衛のための砦に起源をもつルーヴル宮殿を西に拡大する意図のもと建築がはじまった。

しかし，ルイ14世などブルボン朝の国王はヴェルサイユのほうに関心をもったために，ルーヴル宮殿とテュイルリー宮殿が一体化するのは，19世紀のナポレオン3世の時代まで待たねばならなかった。そしてテュイルリー宮殿はフランス革命での8月10日事件以来，民衆の憎しみの対象となっていたことから，1871年5月23日の晩，コミューンの手によって焼き討ちにあい，宮殿は消滅し，庭園となった。東に位置しているルーヴル宮殿は，フランス革命中の1793年にルーヴル美術館として改変されている。

エトワール凱旋門の西にはまっすぐ伸びる軸線の先に，なかがくりぬかれた立方体の建物，グランド・アルシュがある。これはフランス革命200年目（1989年）の先進国首脳会議（サミット）の舞台となったデファンス地区にあり，「新凱旋門」ともよばれている。

これ以上の革命の進展をおそれる立憲君主主義者のフイヤン派に対抗して，共和主義者のジロンド派が台頭した。ジロンド派は中産の商工業ブルジョワジーを地盤としており，内外の反革命の策動を戦争によって一挙に封じようとして，1792年春オーストリアに宣戦した。

しかし王党派の多い軍部は戦意にとぼしく，オーストリア・プロイセン連合軍は国境をこえてパリにせまった。危機をむかえてフランス国民

の愛国心が高まり，全国から義勇兵があつまった。このときマルセイユからの義勇兵がうたっていた行進曲が『ラ・マルセイエーズ』で，のちにフランスの国歌となった。8月10日パリの民衆は，義勇兵とともに王宮を襲撃した。議会は王権を停止して解散し，普通選挙による国民公会が招集された（9月）。

## 共和政の成立：革命の第3段階

　成立後ただちに共和政（第一共和政）を宣言した国民公会では，戦争が予想外の革命の激化を招いたことを心配するジロンド派と，都市民衆や農民の支持をえて革命をまもろうとするジャコバン派（山岳派）が争った。一方，士気のあがったフランス軍がベルギーへ進出すると，イギリスは1793年1月のルイ16世の処刑を理由に参戦し，列国をさそって第1回対仏大同盟を結成した。ふたたび戦況が悪化し，国内でも王党派の反乱が広がるなかで，6月，ジャコバン派はパリ民衆の支援をえてジロンド派首脳を国民公会から追放した。

## ジャコバン派の独裁：革命の第4段階

　こののちジャコバン派は，ロベスピエールを中心に公安委員会を拠点にして，反対派を多数処刑する恐怖政治をしいて革命防衛体制をつくり，一方で価格統制や土地改革（封建地代の無償廃止）によって都市民衆や農民との提携をはかった。やがてジャコバン派のなかに内紛がおこると，ロベスピエールはダントンなどの同派内の政敵を粛清してさらに権力を強化した（1794年春）。

　しかし戦況が好転するにつれて，公会内では独裁への不満が強まり，パリ民衆もまたジャコバン派の改革を不十分としてロベスピエールから離反し，1794年7月，ロベスピエールは政敵により倒された（テルミドール9日のクーデタ）。

## 総裁政府：革命の第5段階

　ロベスピエールを倒した公会内では，穏和派が勢力を回復し，1795年憲法を制定して総裁政府を発足させた。これは制限選挙制にもとづく共和政であり，政府は王党派とジャコバン派残党との左右から攻撃をうけ，

2　フランス革命とナポレオン　　169

## ひと 人民を優先 ロベスピエール

ロベスピエールはフランス北部の地方都市アラスの出身で，母を早くに亡くし，父は家庭をみすてた。弟と妹の世話をみなければならない環境にあったが，聖職者らが教育費を工面してくれたおかげでルイ王立学院で法律を勉強することができ，優秀な成績をおさめた。

ルイ16世が戴冠式をおえて学院に立ち寄ったとき，学生代表としてお祝いの詩を朗読したのはロベスピエールその人である。この2人は，のちに王の死刑をめぐって再度出会うことになる。弁護士としては儲けも少なかったが，避雷針訴訟で著名となり，1789年の三部会の開催のときはアラスの代表として，口数の少ないあまり目立たない議員の1人として参加した。

その後のロベスピエールは革命の変化に対応して，ヴァレンヌ事件までは王政主義者，8月10日事件までは立憲主義者，ジロンド派を追放してからは一党独裁体制の中心人物，そして1794年には殉教者として歴史に名を残した。

彼は一貫して髪粉とよばれるカラーリング剤を使い，高襟（ハイカラ）をつけた旧制度の紳士の格好を続けた。さらに即席の演説は決しておこなわず，あらかじめ原稿を作成し，それを淡々と，聴衆が眠くなってしまうテンポで読んだ。ロベスピエールは，決してアジテーターではなかった。そんな彼が，なぜ革命中に独裁権力をにぎることができたのだろうか。その理由が，「清廉さ」と「有徳」である。彼は「正義と徳の共和国」をめざしていた。「不道徳は専制政治の基礎である。共和主義の本質は徳である。革命は犯罪の体制から正義の体制への推移である」との信念が，彼をささえた。利権の話は皆無であり，女性関係でも浮わついた話はまったくない。ダントンのように民衆の先頭に立つことは決してないが，自宅にこもりつつその行動は「人民」をすべてに優先した。

ジャコバン派が主導権をにぎった時代，男性普通選挙制をさだめた1793年憲法を制定し，民衆の生活をまもるために最高価格令を発布し，土地改革を実施している。その一方で，多数の人間をギロチンで殺した恐怖政治をおこなった。彼は，「徳なくして恐怖は大いなる不幸を生み，恐怖なくして徳は力をもたない」と述べている。

政局は不安定をきわめた。このときもっとも政府をおびやかしたのが私有財産の廃止をめざしたバブーフの運動であった。革命の成果をまもろうとする商工業ブルジョワジーや富農のあいだには，しだいに総裁政府への失望が強まり，社会秩序を安定させてくれる強力な政権の出現を期待する空気が高まった。ナポレオン登場の機は熟した。

ナポレオン・ボナパルトはコルシカ島の小貴族の生まれで，革命派の軍人として頭角をあらわし，とくに1796〜97年のイタリア遠征ではオーストリア軍に大勝して対仏大同盟を解体させ，名声を高めた。ついで，彼はエジプトへ遠征(98年)したが，翌99年イギリスが第2回対仏大同盟を結成して同盟軍が国境にせまると，独断で急いで帰国し，同年11月に軍事クーデタ(ブリュメール18日のクーデタ)で総裁政府を倒し，統領政府をつくった。ここにフランス革命は終了する。

### フランス革命の意義

　フランス革命は近代市民社会の誕生を告げる革命であるが，第三身分のなかに有産市民（ブルジョワジー）と民衆の溝が深まっていたため，政治的自由と社会的平等の二つの問題がからみあい，そのため19世紀以降の全世界に多くの理論と教訓をあたえた。また，主権在民の原理にたったフランス人にとって，戦争は史上はじめて国民戦争の性格をもち，一方，絶対王政下にある諸国民は，フランス軍を自由の解放者として歓迎した。しかしナポレオン時代になると自由の旗印がしだいにフランスの大陸支

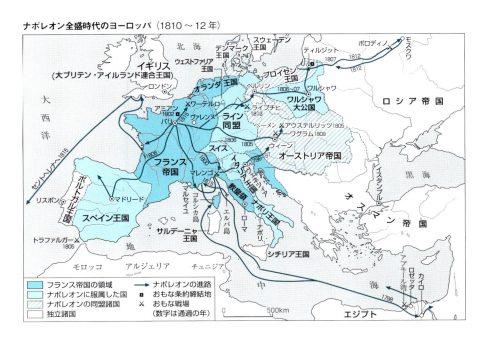

ナポレオン全盛時代のヨーロッパ（1810〜12年）

2　フランス革命とナポレオン　171

配の手段となったため，フランス革命の理念が，かえって諸国民のあいだに反フランスの民族意識をめざめさせた。

## ナポレオンの大陸支配

　第一統領となったナポレオンは，国内ではフランス民法典の制定など革命の成果の定着につとめ，国外ではイギリスとも講和して，国民の平和と安定の要望にこたえた。名声が高まるにつれて，彼は独裁への野望をもやし，1804年国民投票によって皇帝となり，ナポレオン1世〈位1804～14, 15〉と称した（第一帝政）。

　しかし，フランスの強大化をおそれたイギリスは第3回対仏大同盟を結成し（1805年），トラファルガーの海戦でフランス海軍を破った。このためイギリス本土侵攻をあきらめたナポレオンは，イギリスを大陸市場からしめだして経済的自滅をまつため，ベルリンで大陸封鎖令（1806年）をしいて大陸とイギリスとの通商を禁止した。一方，ヨーロッパ大陸では，オーストリア・ロシアの連合軍をアウステルリッツの戦い（三帝会戦，1805年）で破り，さらにプロイセン・ロシアの連合軍を破ってティルジット条約（1807年）を結び，ヨーロッパ大陸のほとんどをその支配下においた。

『1808年5月3日』
ゴヤ作。ナポレオンの支配に屈したスペインで，1808年5月2日，これに抵抗するマドリードの蜂起がはじまった。フランス軍はこの蜂起をきびしく弾圧し，翌日には蜂起に参加した市民の処刑がおこなわれた。ゴヤは民族の怒りをもって，この作品を描いた。

## ナポレオンの没落

　大陸封鎖は，かえってイギリスとの貿易にたよる大陸諸国の経済を麻痺させ，諸国民のあいだに反仏感情がみなぎった。とくにプロイセン（プロシア）では，シュタインとハルデンベルクが行政改革や農民解放をおこなって近代化をはかり（1807 ～ 22年），哲学者フィヒテらは民族精神の高揚につとめた。反抗はまずスペインにおこり，ナポレオンはそれを鎮圧できないままに，オーストリア攻撃に転じてこれを破った。ついで1812年，ナポレオンは大軍をひきいてモスクワ遠征をくわだてたが，大きな兵力を失って撤退した。ここでヨーロッパの諸国民はいっせいに解放戦争（諸国民戦争）にたちあがり，1814年にパリを占領したため，ナポレオンは退位して地中海のエルバ島に流された。フランスではブルボン朝が復活し，列国は戦後処理のためウィーン会議（1814 ～ 15年）をひらいた。会議がゆきづまるうちにナポレオンは1815年エルバ島を脱出してふたたび帝位についたが（百日天下），ワーテルローの戦いで大敗し，大西洋の孤島セントヘレナへ流された。

# 3　産業革命

## イギリスの産業革命

　フランス革命の頃，イギリスではすでに産業革命がはじまっていた。産業革命とは，人力にかわって機械の動力を使う機械制工場生産の確立のことである。これによって，長いあいだ自然の力によって生産力を制限されていた人間の社会は，農業中心から工業中心の経済へ転換し，つぎつぎと技術革新をおこなって生産力を発展させる産業社会にはいった。ただ当時のイギリスの経済成長率がそれほど高くなかったことから，「革命」的なできごとではないとし，現在まで続く産業化の出発点とする考えもある。

　イギリスで最初に産業革命がおこった理由は，名誉革命以後に商工業がおおいに発展したこと，地主貴族が中小農地を併合して大農地をつくり（囲い込み〈エンクロージャー〉），農業の生産力が高まり，これを資本家が借りて近代農法による市場むけ生産をはじめたため（農業革命），囲い

3　産業革命　173

## 新 常 識　近代の小道具

経済的には資本主義経済，社会的には市民社会の成立をもって「近代」という歴史用語としている場合が一般的である。しかし多様な視点にたって近代を理解しようとする試みもある。たとえばフランスのミシェル・フーコーは，同一の原理にもとづいて人間を「囲い込む」ことによって，近代の監獄，学校，病院などが成立したと指摘している。またドイツのエンゲルハルト・ヴァイグルは，「近代とは目にみえないものをみえるようにする小道具が発見された時代」とし，その小道具として，望遠鏡，温度計，空気ポンプ，圧力計，顕微鏡，時計（とりわけ懐中時計），羅針盤，避雷針などをとりあげている。

望遠鏡の使用はガリレイが有名であるが，望遠鏡自体は，ネーデルラント（現在のオランダ・ベルギー）地方で特許が申請され，ガリレイは10倍・20倍・30倍といったよりよくみえるように望遠鏡を改良したのであった。ガリレイはその望遠鏡の観測によって月，木星，金星，その他の惑星などの姿や運行を研究し，その結果として中世キリスト教世界では一般的であった天動説に疑念が生じ，地動説に到達することになった。

温度計や圧力計では，「暑い」とか「寒い」というそれまでは人間の肌で相対的にしか感じることのできなかった温度が，華氏（℉）や摂氏（℃）といった単位で，圧力計（気圧計）ではbar（バール）やPa（パスカル）といった単位で客観的に表示されるようになった。

顕微鏡の使用は目にみえない小さい世界へと人間の観察を進め，人間にみえるのはその時代の技術が達成できた水準までで，その先にもみえない世界が存在するのだ，ということになった。最近では電子顕微鏡によってウイルスや原子レベルの大きささえも観測が可能になっている。

込みで土地を失った農民が労働者として都市へ流入したこと，七年戦争以来広大な海外市場をもったこと，などにある。

産業革命は，18世紀後半にまず新興の木綿工業で紡績機や織布機が発明され，蒸気機関が動力源として実用化されて本格的にはじまった。機械の使用は製鉄業・機械工業・炭鉱業に波及し，19世紀前半には機械制大工業がひろく一般化した。これとならんで，1830〜40年代に鉄道建設が急速に進むと，陸上交通に大変化がもたらされるとともに，重工業部門が発展した。海上交通も蒸気船の実用化で大幅に時間が短縮され，電信の発達もあったので，世界の一体化が進んだ。

**初期の蒸気機関車**
スティーヴンソンの蒸気機関車第1号は1825年,ストックトン・ダーリントン間を時速16〜24kmで走り,600人以上の乗客をはこんで人びとをおどろかせた。

## 資本主義の確立

　産業革命によって安い商品が大量に生産されはじめると，それまでの工業の担い手だった手工業者は没落し，土地を失った農民とともに工場労働者になった。イギリスで，マンチェスターやバーミンガムのような新興の工業都市も出現した。こうして産業資本家が地主や商人にかわって経済力や政治的発言力を強めていった。

　一方，人口が急にふえた都市は伝染病や犯罪の巣となり，労働者はひどい労働条件と非衛生的な生活環境をしいられた。この新しい社会問題はやがて世間の関心をひきはじめるが，労働者にもしだいに階級意識がうまれ，一時的な暴動や反抗にかわって労働組合運動が出現してきた。

## 新しい経済思想

　産業革命を推し進めた企業家たちは，勤勉をモットーにして自信にあふれ，各人が自由に経済的利益を追求することが社会全体の進歩になるという楽観的な信念をもつ，新しいタイプの人間であった。このような風潮のなかから，イギリスで新しい経済思想(古典派経済学)がうまれた。『諸国民の富』(『国富論』)をあらわしたアダム・スミスは，重農主義をこえて，富の源泉は人間の労働一般にあるとし，個人の自由な経済活動が自然の秩序にかなうという自由主義の経済学を確立した。リカードはこ

## ひと 協同組合運動の父 ロバート・オーウェン

産業革命が進行していたイギリスでは，労働者の生活・労働条件は劣悪で，児童や女性も苛酷な労働に従事し，住居環境もまさにスラムそのものであった。ジェントルマンのなかにはこれらの状況を憂い，人道主義の立場で改善をめざす人も一部にあらわれていたが，本格的に待遇改善の実践をおこなったのがロバート・オーウェンであった。

オーウェンが注目されたのは，なによりもニューラナークでの実践である。紡績工場主として成功した彼はスコットランドのニューラナークにあった工場を競売で購入した。単なる利潤の追求ではない多面的な広がりをもつ新しい試み，具体的には幼児教育・成人教育の実践（とくに幼稚園や学校の設立），生活安定のために原価で商品を提供する売店の設置，幼児・高齢者への社会保障的な保護の提案などを実践した。この試みは一時めざましい成功をおさめ，オーウェンは「人道主義的工場経営者」としての名声を獲得した。彼はさらにアメリカに渡り，私財を投じて設立した「ニュー

ハーモニー」における共産村やイギリスにもどってからの「クイーンウッド・コミュニティ」の設立をこころみている。

ただ注目すべきは，このコミュニティを建設しようとする背景には「千年王国」的発想がその基礎にあったことである。オーウェン支持者が各地の都市に建設した「科学会館」では，オーウェンが聖職者のように儀式を主宰し，式辞を述べ，社会主義をたたえる賛美歌がうたわれるなど，組織や行事には宗教的な装いがほどこされていた。

オーウェンの実践はそのほとんどが失敗におわった。彼の努力で実現した工場法（1819年）は骨抜きにされ，設立した全国労働組合大連合（グランドユニオン）は短期間で崩壊してしまった。ただ彼の平和主義的・漸進的社会改革の手法は，のちのフェビアン協会に継承され，現在の労働党の源流をなしている。

またオーウェン支持者によって普及した協同組合運動は，世界各地に広がり，オーウェンは「協同組合運動の父」ともよばれている。

の理論をうけつぎ，資本主義経済の分析を深めた。また，彼らは重商主義を批判して自由貿易論を主張した。しかし，おくれて産業革命を進める後発資本主義国では，自国の産業をまもるための保護関税論が主張された。ドイツのリストがその代表的理論家である。

## 産業革命の波及と農業改革

産業革命を最初になしとげたイギリスは「世界の工場」の地位を占め（19

**ロンドンのスラム**
19世紀の大都会では，人口が急増したため，高い家賃を払えない労働者がスラムを形成した。一部屋に数家族が同居することさえまれでなかった。

世紀末からは「世界の銀行」），自由貿易論をふりかざして世界市場の支配にのりだしたが，これに対抗して近代的な国民経済の確立をはかる国々も，イギリスにならって産業革命を達成した。それは，フランス・ドイツ・アメリカ合衆国などでは19世紀前半から，ロシア・日本では19世紀末頃からはじまった。一般に後発資本主義諸国の産業革命では，鉄道建設による重工業部門の技術革新がはやくから進められたので，そのための資金援助や保護関税政策で政府のはたす指導的役割が大きかった。その一方で，アジア・アフリカ，東欧などは産業革命を達成した欧米諸国の経済に従属させられた。その結果，優越した地位を確保したイギリス，後発資本主義諸国，従属経済地域という世界が三分される世界経済システムが確立し，これが近代史をつらぬく一つの基本構造となった。

　イギリスの例でわかるように，産業革命の達成には農業の近代化が必要であった。しかし農村事情がイギリスと異なり，また急速な工業化を必要とする後発資本主義国では，別の方法で農村の近代化がなされた。フランスやドイツなど西欧では，フランス革命やナポレオン時代に封建制を一掃して小規模な自作農が多く創出されたが，南欧・東欧では地主に有利な改革がなされて封建的要素は完全には一掃されなかった。アメリカ合衆国では，西部のあらたな開拓地に自作農の機械制農業が広がった。

3　産業革命　177

# 4 ウィーン体制とその崩壊

## 保守主義・自由主義・社会主義

　ナポレオンを倒したヨーロッパ各国は，ウィーン会議（1814〜15年）で復古的なウィーン体制をつくった。この国際秩序はフランス革命前の王朝を正統とみなす正統主義を原則とし，列強の勢力均衡によって，貴族の支配をおびやかす革命や戦争の再発をふせぐことを目標とした。このためキリスト教の精神にもとづく神聖同盟や軍事同盟である四国同盟が結ばれ（1815年），オーストリア外相（のち宰相）メッテルニヒが国際政治を指導した。ウィーン体制をささえる思想は，啓蒙思想に反対して伝統や慣習を重んずる保守主義である。

　この復古的な風潮に対して，各国のブルジョワジーは自由主義で対抗した。古典派経済学や立憲主義の政治理論がその思想であるが，イギリスでは抽象的な理性や正義にかわって「経済的効用」の見地から自由主義を説くベンサムやミルの功利主義があらわれた。産業革命の進展にともなって，社会主義思想も登場してきた。このような保守主義・自由主義・社会主義の対立のなかで，ウィーン体制は1820・30・48年の3回にわたる波状的な革命運動によって崩壊していった。

## ラテンアメリカとギリシアの独立

　憲法制定を要求する自由主義運動の第1波は，1820年頃にドイツ・イタリア・ロシアなどのヨーロッパ各地でおこるが，いずれも鎮圧された。しかし，この前後に二つの独立運動が成功した。

　まず，ラテンアメリカのスペイン・ポルトガル植民地では，植民地生まれの白人大地主（クリオーリョ）が，先住民のインディオやアフリカからつれてこられた黒人奴隷を支配していたが，この階層はスペインがナポレオンに占領された機会に，本国の重商主義支配に反抗してボリバルやサン＝マルティンが指導者となって独立運動をおこし，1810〜20年代にかけて十数カ国がぞくぞくと独立を宣言した。イギリスは独立を支持し，アメリカ合衆国も1823年オーストリアなどの干渉に反対するモンロー教書をだしてこれを支援した。この有利な国際情勢のなかでラテンアメリ

178　第6章　欧米近代社会の確立

## 新常識 ウィーン会議の再評価

「会議は踊る，されど進まず」と皮肉られ，各国の自由主義やナショナリズムを弾圧し，「正統主義」と「勢力均衡」を原則とする保守的・反動的体制を取り決めたウィーン会議。ウィーン会議の結果，たしかにドイツの学生運動は弾圧され，イタリア人が居住する北イタリアはドイツ系のオーストリアが支配し，ベルギーはオランダの支配下に，ポーランドはロシアの勢力下におかれた。オーストリア国内でもきわめて厳しい検閲制度が実施され，たとえば自由主義的な考え方をもつ友人がいた作曲家のシューベルトは，集会の時に警察に踏みこまれ，一晩留置場に留めおかれた。

ところが，最近になって，この時代の別な側面が指摘されるようになった。ウィーン会議が，200万人に達するといわれる死者をだしたフランス革命戦争・ナポレオン戦争の大混乱期を収拾し，秩序を回復し，ギロチンに代表される恐怖政治の脅威をとりさり，ナポレオン軍による侵略行為も消滅させ，ヨーロッパに一時的ではあれ，一応の平和をもたらしたことを再評価するのである。メッテルニヒは，まさにその立役者であった。文化面でもドイツやオーストリアで，ビーダーマイヤーとよばれる，身近で日常的なモノに目をむけようとしてうまれた独自な市民文化が展開し，人びとは平和を享受している。

当時の外交の世界は，愛を語り，芸術を論じながら政治をおこなう時代であった。メッテルニヒは，プロイセンの外交団の一員であったフンボルトと長々と哲学的な論議を続けることができたし，蒸気船や電信などの技術革新にも関心を示し，文学にも精通していた。ゲーテやシラーのドイツ文学だけでなく，フランスのヴォルテール，モンテーニュ，パスカルなどの書も読破している。数百の詩のなかから必要な詩をたちどころにそらんじ，音楽を好み（とくにロッシーニ），バイオリンも弾いた。この文化的素養は家柄の重視とともに18世紀「古き良きロココ時代」の貴族社会の特徴であり，当時の政治家たちにも共通するものであった。ウィーン会議は，この貴族社会の享楽的・教養主義的性格がそのまま実践された場所でもあった。

カ諸国の独立は成功したが，農地改革が実施されなかったことから地主が政治・経済の権益を独占し，寡頭専制が続いた。経済的には大国の需要に左右される，単一の農作物を生産するモノカルチャー制度（羊毛や綿花，コーヒーや砂糖など）が展開してイギリス，ついでアメリカ合衆国の経済的従属地域となった。ただ文化的にはイベリア文化・黒人文化・インディオ文化が融合する独自な発達がみられた。

**『民衆を導く自由の女神』** ドラクロワ作。1830年の七月革命をテーマとして描いた作品で、ギリシア独立戦争を題材とした『キオス島の虐殺』とともに、同時代の劇的な事件を強烈な色彩と動的な構図で描いたロマン主義の代表作。女神の左で銃をもつ男は、ドラクロワ自身といわれている。ドラクロワには、シェークスピアやゲーテ、バイロンらの文学に取材した作品もある。

　同じ頃、ギリシアがオスマン帝国に対して1821年に独立運動をおこした。かねてから東地中海方面に関心をもつロシア・イギリス・フランスはギリシアを援助してオスマン帝国を破り、ギリシアの独立が国際的に承認された(1830年)。

### 七月革命とその影響

　1830年の革命第2波はフランスからはじまった。ナポレオン没落後のフランス復古王政は、いちおう立憲君主制であったが、シャルル10世〈位1824〜30〉が即位して以来、反動政治を強め、1830年7月に議会を強圧的に解散したため、パリで革命がおこった。シャルル10世は逃亡し、自由主義者におされた王族のルイ・フィリップ〈位1830〜48〉が即位した(七月革命)。

　七月革命の影響で、ベルギーはオランダからの独立運動をおこし、翌31年ベルギー王国が成立した。ポーランドやドイツ・イタリアでも自由主義運動がおこったが、最終的には鎮圧された。

### 労働運動と社会主義

　1830年以降の西ヨーロッパでは、労働運動と社会主義思想がしだいに

活発となってきた。とくにイギリスでは労働運動がもっともはやくうまれ、1833年に子どもの労働時間を制限する工場法が制定された。しかし労働者はみずからの手で労働条件の改善を実現するためやがて政治運動へとむかい、1839年に普通選挙制を要求する人民憲章を議会に提出してチャーティスト運動を展開した。フランスでも労働運動と共和主義が結びついた。

## カール・マルクスとイギリス

カール・マルクスの墓はロンドン北部のハイゲート墓地にあるが、ドイツ生まれのユダヤ人なのになぜイギリスに墓地があるのだろうか。

マルクスはベルリン大学法学部を卒業し、哲学の博士号まで取得したが、教授の地位をえることはできなかった。そのため『ライン新聞』に勤務するジャーナリストとなった。その後、退社を余儀なくされ、パリ・ベルギー・パリ・ドイツ・パリそしてロンドンと、プロイセン国籍を放棄したにも関わらず、プロイセン政府の要請をうけたフランス政府やベルギー政府により移住を余儀なくされた。最後の居住地となったのがロンドンであった。ここでの生活は決して楽ではなく、妻イェニーはマルクスの友人エンゲルスに対して「おむつを買うお金もない」と無心している。エンゲルスも援助を続けた。プロイセンの密偵が、マルクスのロンドンでの生活について報告書を送っているが、このなかで「ろくな家具一つなく、埃とタバコの煙が満ちたような部屋で、徹夜で研究に没頭するかと思えば、着替えもせず、ソファで夕方まで寝ている」とマルクスのようすを詳細に報告している。

マルクスが極貧の生活を送りながらも、イギリスに居住し続けたのは、膨大な所蔵数を誇る大英図書館が無料で使えたことで、研究・執筆生活を継続できたことにある。さらに当時のイギリスの政治状況もかかせない。マルクスはロンドンで思想的・政治的弾圧をうけることはなかった。それは当時のイギリスが自由主義の時代であったからである。プロイセン政府がマルクスを追放するよう要請したことに対し、当時のイギリス首相ジョン・ラッセルは「たとえ王殺しであろうとも、議論の段階にとどまっているかぎりは、治安にかかわる大英帝国のいかなる法律にも抵触しない」と返答してきっぱり断っている。もっとも、マルクスのイギリス国籍取得申請は、政府によって拒否されているが。

4 ウィーン体制とその崩壊　181

これと同時に，産業革命がひきおこす新しい社会問題への解決策として，社会主義の思想が台頭してきた。イギリスのオーウェン（176ページのコラム参照），フランスのサン＝シモンやフーリエがその先駆者であり，ついでフランスでルイ・ブランやプルードンをはじめ多くの社会主義思想家があらわれた。彼らは資本主義の自由放任の競争こそ社会悪の原因であるとして自由主義に反対し，生産手段の所有の制限や共有に解決策を求めたが，その実現方法としては人間の理性や道徳心に期待した。これに対して，ドイツ生まれのユダヤ人マルクスは，社会主義は自覚した労働者の階級闘争によって実現されるが，資本主義の発達はますます多くの労働者階級をつくるから，社会主義の到来は歴史の必然であると主張し，友人エンゲルスと共同で『共産党宣言』（1848年）をあらわして，この思想を簡潔に表明した。その後マルクスは『資本論』などの著述活動とならんで，社会主義運動の国際的な協力を重視し，1860年代に第一インターナショナル（国際労働者協会，1864〜76年）の結成に力をつくした。

## 二月革命とヨーロッパ

　1848年の革命情勢は，またもやフランスからはじまった。七月革命によって成立した七月王政はやがて少数の大資本家層の利益と結びついた

Barricade in the rue St Martin in February 1848.

**二月革命のバリケード**　19世紀なかばまでのパリの街路はせまく，まがりくねっていた。革命のたびにこのようなバリケードがつくられ，市街戦がおこなわれた。

ので，中小のブルジョワジーは選挙法の改正を要求し，労働者もこれに
同調した。1848年2月，この動きを政府がおさえたことからパリで革命
がおこり（二月革命），共和政の政府が成立した（第二共和政）。共和派は産
業ブルジョワジーを代表する自由主義者と労働者を代表する社会主義者
からなっていたが，国民の大多数を占める小農民は4月の普通選挙で前
者を支持した。これ以来，政府は保守化したため，6月にパリで労働者
の暴動がおこったが鎮圧された。ついで，共和派の分裂に乗じて王党派
が復活してくるなかで，新憲法による大統領選挙がおこなわれ，ナポレ
オンの甥ルイ・ナポレオンが当選した。

　二月革命は七月革命以上に大きな影響を各地にひきおこし（「諸国民の
春」），オーストリア・ドイツで三月革命がおこった。ウィーンでは3月に
暴動が発生してメッテルニヒは亡命し，これと前後してオーストリア支
配下のベーメン（ボヘミア）・ハンガリー・イタリアの各地で民族運動がお
こった。ベルリンでも3月に暴動がおこり，プロイセン王は憲法制定を
約束した。自由主義運動はドイツ各地で高揚し，5月にその代表があつ
まってフランクフルト国民議会をひらき（159ページ参照），ドイツの統一と
憲法制定を討議した。イギリスでもチャーティスト運動が最後の高揚期
をむかえた。

　しかし各国で国王や貴族らの保守勢力は依然強く，1848年の革命情勢
は急激におとろえてしまった。フランスではルイ・ナポレオンが1851年
にクーデタによって王党派・共和派を追放し，翌年には国民投票で皇帝
となり，ナポレオン3世〈位1852～70〉と称した（第二帝政）。他の地域の
革命もつぎつぎに鎮圧され，フランクフルト国民議会も1849年には解散
させられた。

## ロマン主義の文化

　19世紀前半の文化を特徴づけているのは，ロマン主義である。理性を
かかげたフランス革命が恐怖政治やナポレオンの侵略をうんだことから，
復古体制のもとで平凡な生活がもどってくると，保守主義者も自由主義
者も，理性よりは感情，文明よりは自然，完成された調和よりは躍動す
る個性にあこがれるようになり，それが文学・絵画・音楽に鋭敏にあら
われてきた。

4　ウィーン体制とその崩壊　183

ロマン主義は，啓蒙思想の発達が弱いドイツにまずあらわれた。文学
では，ゲーテやシラーの確立した古典主義にかわって保守性の強いロマ
ン主義が登場した。音楽ではモーツァルト，ベートーヴェンまでに古典
派音楽が完成し，その後ロマン主義音楽が開花し，ついでフランス・イ
ギリス・イタリア・ロシアに波及した。ロマン主義の絵画はイギリス・
フランスで栄え，肖像画よりも自然描写を，形式よりも色彩を重視した。

　学問の領域でも，ロマン主義は歴史的なものの考え方を強め，近代歴
史学の方法を確立したランケに代表される歴史学などを発達させた。し
かし社会科学では，イギリスの経済学，フランスの社会思想などの啓蒙
思想の流れをひくものが依然支配的であった。また，カントをうけつい
だドイツ観念論哲学は，ヘーゲルによって完成され，個人と社会の関係，
歴史的発展のあり方を深く考察し，後世の社会科学に大きな影響をあた
えた。

# 5　ナショナリズムの発展

## ヨーロッパの変容

　1848年革命を境にして，ヨーロッパは大きくかわった。いわゆる「飢餓
の40年代」をすぎ，19世紀後半になるとカリフォルニアやオーストラリ
アのゴールドラッシュの刺激もあって，ヨーロッパ経済は好況期をむか
えた。西欧諸国では自由主義的な改革が進み，労働者や民衆の生活条件
もしだいに改善して，国民としての統合が進んだ。しかし，本来，分裂
していた民族を統一にむかわせ，抑圧された民族を解放にみちびくはず
のナショナリズムは，19世紀後半になるとウィーン体制下に固定した勢
力均衡をくずそうとする大国の膨張主義に利用され，むしろ自由主義に
逆行した。その最初の国際的緊張のあらわれが，東方問題の再燃だった。

## クリミア戦争

　かねてから地中海への出口を求めていたロシアは，オスマン帝国内の
ギリシア正教徒に対する保護を理由に，1853年オスマン帝国と開戦した。
インドへの通路確保のためオスマン帝国の保全をねがうイギリスと，威

184　第6章　欧米近代社会の確立

信回復をねらうフランスは，オスマン帝国と同盟してロシアを破り，その南下をはばんだ。これがクリミア戦争(1853 〜 56年)である。

　クリミア戦争はナポレオン3世の国際的威信を高めた。パリ講和会議でルーマニアの事実上の独立に力をつくした彼は，ナショナリズムの擁護者を任じてヨーロッパ外交の指導権をにぎった。また，この戦争でオーストリアはロシアと離反し，このウィーン体制以来の両反動勢力の分裂が，ドイツ・イタリアの統一に有利な情勢をつくった。

## ロシアの改革

　列強のなかでもっとも改革のおくれていたロシアでは，クリミア戦争の敗北後，アレクサンドル2世〈位1855 〜 81〉がようやく自由主義的改革に着手した。そのなかで重要なものは1861年の農奴解放令である。これは地主に有利な不徹底な改革ではあったが，資本主義の発展に道をひらいた。しかしポーランドに独立運動がおこり（1863年），国内でも自由主義勢力が強まると，これをおさえるため専制政治が復活した。一方，バルカン半島のスラヴ民族のあいだには，共通の文化をもつ全スラヴ民族の統一というパン・スラヴ主義がおこっていたが，ロシアはこの文化運動をロシア中心主義の政治運動に利用して，ふたたび南下政策をくわだてた（ロシア・トルコ〈露土〉戦争，1877 〜 78年）。

　1870年代の頃から，自由主義的な改革の担い手であったインテリゲンツィア(知識人や学生)が「人民のなかへ」をスローガンにして農村にはいり，専制政治に対抗しながら共同体を基盤としてロシアの再生をはかる社会改革運動をはじめた。彼らはナロードニキ（人民主義者）とよばれている。しかしこの運動が農民の支持をえられず失敗すると，一部のものは皇帝暗殺などのテロリズムにはしった。

## イギリス自由主義の発展

　ロシアとは対照的に，イギリスは順調な自由主義的発展の道をあゆみ，ヴィクトリア女王〈位1837 〜 1901〉時代の繁栄期をむかえていた。この繁栄はラテンアメリカやアジアを制圧する工業力と，安定した議会政治によってもたらされた。すでに審査法の廃止（1828年）やカトリック教徒解放令（1829年）がだされて非国教徒への差別待遇が廃止され，選挙法改正

5　ナショナリズムの発展　185

## ヨーロッパの祖母 ヴィクトリア女王

19世紀イギリス，繁栄期のイギリスに君臨したヴィクトリア女王は「女王」として，さらに「女帝（皇帝）」として，ヨーロッパばかりでなく，世界に影響をあたえた。女王には夫アルバートに「献身する妻」，9人の子どもに精一杯の愛情を注いだ「慈悲深き母」，夫の死を悲しみ終生「悲嘆にくれた未亡人」，「公務」に勤しむ女王のイメージがつきまとうが，これに「帝国の母」としてのイメージも加わる。

在位中にはアヘン戦争，アロー戦争，太平天国の乱，インド大反乱，スエズ運河株買収，ウラービー運動，マフディー運動，アフガン戦争など，世界各地におこったさまざまな反乱を強力な軍事力でおさえた。また白人の移民国家カナダ，オーストラリア，ニュージーランドなどもあわせて，ここにインド・アフリカ・東アジアにわたる広大な領土を所有する大英帝国が成立した。ヴィクトリア女王は帝国統合の象徴であった。その大英帝国のイメージ形成もきめこまかかった。西アフリカのダホメ王国で先祖供養のために生け贄にされようとしてい

た少女をイギリス海軍将校が救出し，「贈りもの」として女王に献じられると女王はいたく気に入り，「女王陛下の要請」により養育費を捻出し，イギリス流の教育と礼儀を教えて「野蛮」な非ヨーロッパ人を文明化し，博愛主義による帝国の宣伝道具とした。

女王は「ヨーロッパの祖母」ともよばれ，ヨーロッパ各地の王侯貴族と結婚した王子は5人，王女は4人で，1901年に女王が逝去したときはその孫は40人，曾孫は37人もいた。女王の子孫が，ヨーロッパ全土に広がったのである。ちなみにドイツのヴィルヘルム2世は孫，ロシアのニコライ2世は孫娘の夫である。このヨーロッパにおける縁戚関係に加えて，インドやニュージーランドなども「名づけ親」というかたちでネットワークにくみこんだのだった。こうして女王はヨーロッパ皇族の中核をなすとともに，新しいものが好きで，異文化に対する関心が強く，人種的にも寛大でリベラルであり，大英帝国は恩恵と慈愛にあふれているとのイメージをつくりだした。

---

（第1次，1832年）も実現して腐敗選挙区が撤廃され，産業ブルジョワジーの政治的発言力が増大していた。その結果，1846年には地主を保護する穀物法が廃止され，自由貿易論が優勢となった。自由党と保守党の2大政党は，交互に政権を担当して典型的な議会政治を樹立し，グラッドストンとディズレーリが代表的政治家として活躍した。また1867，84年の第2，第3次選挙法改正によって男性普通選挙に近づいたほか，義務

**ロンドン万国博覧会の開会式** 1851年に開催されたロンドン万国博覧会会場の水晶宮は、鉄とガラスでつくられた近代的な建物で、「世界の工場」イギリスの産業技術の高さを示した。

教育の普及や労働組合の承認など、種々の自由主義政策を採用した。

　しかしヨーロッパ諸国が、自国の産業革命をつうじて経済的な対英依存からぬけだすにつれて、自由貿易論では軽視されていた植民地の重視がまたはじまった。このため、スエズ運河の支配（1875年）、インド帝国の成立（1877年）のほか、あらたな植民地の拡大にのりだすとともに、カナダなどアングロ・サクソン系植民地につぎつぎと自治権をあたえて、本国との連絡を緊密にした。しかし、国内では1801年に併合したアイルランドの自治問題が解決されず、国外では19世紀末にアメリカ・ドイツの急激な工業発展におびやかされはじめた。

### フランス第二帝政の崩壊

　フランスでは、ナポレオン3世が国民の支持を対外政策の成功によってつなぎとめようとし、クリミア戦争に続いてイタリア統一戦争（1859年）、インドシナ出兵（1862年）をおこなったが、メキシコ出兵（1861～67年）の失敗で威信を失い、プロイセン・フランス（普仏）戦争（ドイツ・フランス戦争、1870～71年）に敗れて第二帝政は崩壊した。

　帝政にかわりブルジョワ共和派の臨時政府がうまれたが、屈辱的な対

5　ナショナリズムの発展　187

独講和に反対するパリ民衆は，1871年3月パリ・コミューンを宣言した。これは世界最初の労働者による自治政府であったが，2カ月後に政府軍に鎮圧された。その後，共和派は王党派と対立しながらしだいに勢力をかため，1875年に共和政憲法を制定して第三共和政が確立した。

## イタリアの統一

　イタリアの自由主義は，国家統一運動と結びついてフランス革命時代にはじまり，ウィーン体制下にも各地で運動が続けられた。これらはすべてオーストリアやイタリアの諸王国に鎮圧されたが，とくに1830年代にはマッツィーニの指導する共和主義的な「青年イタリア」が統一運動に影響力をもった。

　これらの統一運動は，自由主義貴族やブルジョワジーの穏和な自由派と急進的な共和派とにわかれていたが，1848年以後は穏和自由主義的なサルデーニャ王国（1720 ～ 1861年）が統一運動の中心となった。ヴィットーリオ・エマヌエーレ2世〈位1849 ～ 61〉のもとで首相となったカヴールは，国内の近代化を進めつつ，列国の援助が統一実現に必要だと判断し，フランスと密約を結んで1859年オーストリアに宣戦し，フランス軍の援助をえてオーストリアを破った（イタリア統一戦争）。サルデーニャの強大化をおそれたフランスが単独休戦したため，サルデーニャはロンバルディアを併合しただけにとどまったが，翌60年には中部イタリアを併合した。同年，共和派のガリバルディはシチリア・ナポリを占領して，これをサルデーニャ王に献じた。こうして1861年にヴィットーリオ・エマヌエーレ2世〈位1861 ～ 78〉を王とするイタリア王国（1861 ～ 1946年）が成立した。

　統一後のイタリアは，北部の工業地帯にくらべて南部が経済的にたちおくれ，また自由主義勢力が小党に分裂して政治的安定を欠いた。

## ドイツの統一

　三月革命後，ドイツの統一事業をみちびいたのはプロイセンであった。プロイセンは西部に発達した工業地域をもち，1834年からドイツ関税同盟を発足させてドイツの経済的統一の中心になっていた。しかしプロイセンの政府・軍部を支配したのは東部の地主貴族（ユンカー）であり，彼

らは市民の政治的自由をおさえ、軍事力にたよって統一をなしとげようとした。

　1862年以来プロイセン首相となったビスマルクは議会の反対をおしきって軍備増強をおこない（鉄血政策），66年オーストリアを破り（プロイセン・オーストリア〈普墺〉戦争），翌67年，他の22カ国をあわせて北ドイツ連邦（1867～71年）を結成した。統一ドイツからしめだされたオーストリアは，同年国家体制を改めてオーストリア＝ハンガリー帝国（1867～1918年）になった。しかし，フランスのナポレオン3世が，残る南ドイツの国々の連邦への参加をさまたげていたので，ビスマルクはプロイセン・フランス戦争（1870～71年）でフランスを破り，プロイセン王ヴィルヘルム1世〈位1861～88，皇帝位71～88〉を皇帝にいただくドイツ帝国（1871～1918年）を建設し，統一事業を完成した。このプロイセン・フランス戦争でドイツとフランスの国境地帯にあるアルザス・ロレーヌ地方がドイツ領になったことが，両国の長年の対立原因となった。

## ドイツ帝国の発展

　ドイツ帝国は立憲君主国であったが，皇帝（カイザー）の権限や政府・軍部の力が強く，これにくらべて議会は弱体であった。統一後のドイツ

**ドイツ皇帝の即位式**
1871年1月18日，ヴェルサイユ宮殿の「鏡の間」に礼装の軍服をまとったビスマルク（中央の白い服）をはじめ諸邦の君主や将官があつまって，プロイセン王ヴィルヘルム1世のドイツ皇帝即位式がおこなわれた。バーデン大公が万歳三唱の音頭をとったが，ここにはかつて三月革命で自由と統一のために戦った「ドイツ国民」の姿はなかった。

5　ナショナリズムの発展　189

は政府の保護関税政策のもと，めざましい経済発展をとげたが，ビスマルクは議会の自由主義者と妥協しながら，国内のカトリック教徒を弾圧する文化闘争をおこなった。また，工業の発達とともに社会主義運動が強まると，ビスマルクは1878年の皇帝暗殺未遂事件を機に社会主義者鎮圧法を制定し，社会主義や労働運動を弾圧した。その一方，疾病保険や養老保険を整備して社会政策も実施しつつ，1871年から90年まで，宰相の地位にあってドイツ帝国をヨーロッパの大国に発展させた。

## ビスマルク時代の国際関係

　ドイツ帝国成立後のビスマルクは，ヨーロッパ外交の指導権をにぎり，国内の安定のためとフランスの復讐をさけて孤立させるために，たくみな現状維持の外交を展開した。1877年にロシアがオスマン帝国と戦い（ロシア・トルコ戦争），翌年サン・ステファノ条約でバルカンに勢力をのばしたことにオーストリア・イギリスが抗議したとき，ビスマルクはベルリン会議（1878年）をひらいて列国の利害を調停した。その結果，サン・ステファノ条約は破棄されて，あらたにベルリン条約が結ばれ，ロシアの南下政策は再度挫折した。その後，彼はオーストリア・イタリアと三国同盟（1882年）を結ぶとともに，ロシアとも親善関係を進めた。こうして一時ヨーロッパは安定したかにみえたが，この時期に列強は海外で植民地増大をはかり，本格的な帝国主義の時代が近づいていた。

## アメリカ合衆国の発展

　アメリカは，モンロー教書以来ヨーロッパ大陸との相互不干渉を方針として，独自の発展をたどっていた。その経済は，米英戦争（1812～14年）を境にしてイギリスへの依存から自立した。また，19世紀初頭のルイジアナ買収をはじめとして西方につぎつぎと領土を拡大し，19世紀なかばには太平洋岸に達した。フロンティア（辺境）が西に移動するにつれ，新しい領土は進取の精神にとむ植民者によって開拓され，海外植民地にかわる豊かな国内市場を発展途上の産業資本に提供して，これがアメリカ産業発展の特色をなした。また，普通選挙制の進んでいた西部を背景にして，1828年にジャクソン〈任1829～37〉が大統領に当選し，民主的改革がおこなわれた。

## リンカンの奴隷解放宣言

1863年1月1日、アメリカ合衆国大統領リンカンは、奴隷解放宣言を発表した。「指定した州および州の地方において奴隷として所有されているすべてのものは自由であること、また今後自由になるべきことを、私はここに宣言する」と。第3代大統領であるジェファソンの行動と比較すると、リンカンの奴隷解放宣言の歴史的意義は大きい。すなわち、ジェファソンは、独立宣言では、人間の自由と平等を訴えておきながら、自分の所有する大プランテーション内の黒人奴隷を、独立達成後も解放しなかった。アメリカ独立革命はヨーロッパ系白人男性だけを対象とした革命であった。

ただ、リンカンの冷徹な「政治家」という側面もみえる。南北戦争直前の第1次大統領就任演説では南部側の分離独立を牽制するために、黒人奴隷制度について干渉するつもりがないと明確に述べている。先に引用した奴隷解放宣言の最初の部分には「指定した州および地方」という表現があり、これは北部側と戦っている南部の州のことを示し、奴隷制を維持している北部側の州

では解放宣言が適用されないことを意味している。ただ、その影響は大きかった。合衆国内の奴隷制度廃止の流れを決定的にし、奴隷制度を廃止していたイギリス（1833年）やフランス（1848年）に南部支援をあきらめさせて、ヨーロッパ諸国の介入の機会を消滅させた。さらに奴隷解放宣言を布告することで南部側の動揺をひきおこし、北部側の黒人を戦力に加えることができた。

つまりリンカンによる奴隷解放宣言の発表は、彼の人道主義的理念だけでなく、連邦の維持を優先させていた政治姿勢と、戦争を進めるうえで奴隷制度を廃止するという「大義」をうちだすことが有効であると考えたことに注目する必要がある。

もともと合衆国の南部では黒人奴隷による綿花・タバコの大農場制度（プランテーション）が成立し、奴隷制の維持と自由貿易論が強かったが、工業地帯の北部では自由な労働力確保のための奴隷廃止論と保護関税論が強く、両地域の利害対立は深刻化した。1860年に北部出身で共和党のリンカン〈任1861〜65〉が大統領に当選すると、南部は連邦を脱退して、翌年アメリカ連合国を結成し、ここに南北戦争（1861〜65年）がおこった。

国家の分裂をおそれたリンカンは、西部開拓民に無償で土地をあたえ

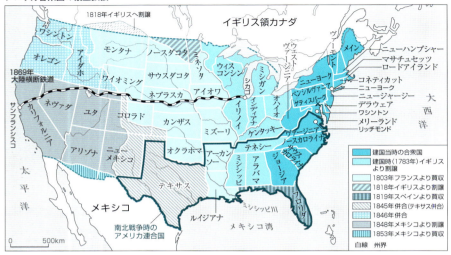

アメリカ合衆国の領土拡張

るホームステッド法(1862年)や奴隷解放宣言(1863年)を発して内外の世論を味方につけるとともに、経済力と制海権を背景として1865年に勝利をおさめた。

戦後、南部を経済的に支配した北部は、大陸横断鉄道の完成(1869年)もあって、開拓の進む西部の市場をえて、飛躍的な発展をとげた。また合衆国はロシアからアラスカを買収した(1867年)。

一方、独立後のラテンアメリカ諸国では政治的不安定が続いた。このうちメキシコは1861年の内乱の際、イギリス・フランス・スペインの武力干渉をうけ、フランスはオーストリア皇帝の弟を帝位につかせたが(1864年)、メキシコ人の抵抗と合衆国の抗議をうけて撤兵した(1867年)。

## 科学主義の文化

19世紀後半には、ロマン主義にかわって科学主義が文化面で著しくなった。18世紀の合理主義の時代に基礎の確立した自然科学は、仮説と実験にもとづく独自の方法を樹立して、19世紀後半にめざましい発展をとげた。物理学における「エネルギー保存の法則」の発見や電磁気学の発達、化学における有機化学の発達、生物学における細菌学の発達やダーウィンによる進化論の提唱が、そのおもなものである。

**最初のアメリカ大陸横断鉄道** アメリカ中西部と西海岸の両方からのびていた鉄道が，ロッキー山中でつながった。このあと，20世紀初めまでに，計7本の大陸横断鉄道が建設された。

　これらの成果は技術面にも応用され，電信・電話・電灯の発明をはじめ，交通機関や種々の工業・農業生産，医療・衛生，さらには軍事技術など広い範囲にわたって社会生活を変化させた。この自然科学の発達は，従来の個人的な研究にかわって，19世紀初め以来，国家の支援する大学や研究所が研究の中心機関となったからであり，また工業の発展と密接な関連をもっていた。

　自然科学の発達は人文科学にも影響をあたえ，フランスのコントは，学問が神学や形而上学にかわる新しい段階にはいったとする実証主義哲学を樹立し，この流れから，人間社会に自然科学的な一般法則を求めようとする社会進化論がうまれた。しかし世紀末になると，人文科学の独自性を追求する風潮が強まった。

　芸術の分野でも，市民社会の成熟や科学・技術の発達によってロマン主義が退潮し，文学では，想像を排して生活・風俗・心理を正確に描写しようとする写実主義，これをさらに推し進めて自然科学の考え方を適用しようとする自然主義をうんだ。絵画でも現実の日常生活に観察の目をむける写実主義がうまれ，その洗練された色彩感覚は印象派をうみ，音楽でも印象派の世代が登場した。

5　ナショナリズムの発展　193

第7章

# アジアの変動

## アジアと近代

　これまで，欧米近代社会の発達をみてきたが，アジア諸民族にとっての近代は，これら欧米列強が積極的なアジア進出を展開した19世紀にはじまる。それ以前，ヨーロッパ人の商業活動はアジアの特産物を購入するだけの片貿易にとどまっていたが，産業革命がはじまると，ヨーロッパ本国の製品販売市場・原料供給地として経済的に従属させようとし，そのためアジア各地域の古くからの社会構造を大きくゆるがし，ひいては政治体制にも重大な変化をあたえはじめた。また，おもに海港の商館を中心としていた活動は，内陸部をふくむ領土支配の植民地体制に発展し，独立国は主権を失って植民地に編入されるか，武力を背景とする開港要求をうけて不平等な経済関係を強制された。この困難な事態を前にして，アジアの諸民族は，さまざまな対応の仕方を示した。

　こうして19世紀の中頃からアジアは変動期にはいり，やがて世界は，近代国家として自立した日本を加えた列強の衝突しあう帝国主義時代に移っていく。

## 1　アジア社会の変容

### 欧米諸国の進出

　列強のアジア進出でもっとも優位を占めたのは，イギリスであった。強大な工業力と海軍力を背景とするイギリスは，インドを中心に東はミャンマー（ビルマ）・マレー半島から西はペルシア湾にいたる広大な地域を勢力下におき，中国市場進出の中心勢力ともなった。フランスは北ア

194　第7章　アジアの変動

**ヨーロッパ諸国のアジア進出**

フリカから西アジア方面に進出をこころみ、東ではインドシナを植民地とした。

　ロシアは16世紀以来、東方のシベリアを開拓して、17世紀前半に太平洋側に達し、17世紀後半には清とネルチンスク条約（1689年）を結んで国境を定めた。19世紀中頃から、清がアロー戦争や太平天国の乱でなやまされているとき、ふたたび積極的な進出政策をとり、アイグン条約（1858年）や北京条約（1860年）を結んで清の領土をうばった。ウラジヴォストーク港はこのときひらかれ、また中央アジアへも領土を拡大した。このロシアのアジア進出は、そのバルカン半島への南下政策とならんで、イギリスのインド支配や中国進出をおびやかし、20世紀初めまで英露両国は対

1　アジア社会の変容　195

立を続けた。他方，アメリカ合衆国もフロンティアの消滅後アジア進出に積極的となった。

## アジアの変容と対応

　列強の進出によって多くのアジア諸地域の経済は，古くからの手工業が，列強本国の機械生産製品の流入によって衰退し，綿花などの単一作物栽培の導入や商品経済の浸透で，自給自足の農村経済はくずれ，農民の暮らしはさらに貧しくなった。商品経済のため，いくつかの都市にはブルジョワジー（民族資本家）がうまれはじめたが，強大な外国資本におされて，その発展はかぎられていた。

　列強の進出に対するアジア諸地域の政治的対応はさまざまであり，一般にうまく対応することができなかった。日本ではヨーロッパの技術や制度を積極的に導入して富国強兵を実現したが，他の地域では，伝統文化や宗教などにもとづく改革をこころみた場合が多く，不徹底におわり，西欧への従属化を招いた。

# 2 西アジア諸国の変動

## イスラーム世界の対応

　18～19世紀，近代ヨーロッパの政治的・文化的な進出をうけたイスラーム世界では，さまざまな改革運動がおこった。あるものは，ヨーロッパをモデルにイスラーム世界の近代化をはかろうとした。また，ヨーロッパの影響を極力排除し，本来のイスラームの教えにもとづいた社会の建設を訴えるものもあった。さらに，ヨーロッパ文明とイスラームの調和をめざそうとする動きもあった。

## オスマン帝国の改革

　1699年のカルロヴィッツ条約によってハンガリーなどヨーロッパ領の一部を失ったオスマン帝国では，18世紀から西欧化がこころみられるようになった。19世紀にはいると，行政の近代化やヨーロッパ式軍団の編制が進められ，1839年からはタンジマート（1839～76年）とよばれる上か

## 民族主義と伝統文化

この時代，アジア各地で自国の植民地化を憂い，民族の再生を求める民族主義がさかんになった。民族主義の政治的立場には，保守派から革命派までひろい幅があったが，民族主義のそれぞれ民族固有の文化との関係も多様であった。

たとえば中国では，洋務運動を推進する官僚が，西洋文明の技術を用いて伝統的な儒教思想や政治体制をまもろうとした（「中体西用論」）。康有為らの変法（政治制度の改革）は儒教のなかでも実践を重んじる公羊学をよりどころに政治の革新と国家の再生をめざした。しかし，孫文の場合，儒教思想をこえて三民主義を思想的基盤としたが，その思想は民衆まで広まらず，革命は中途で挫折した。この反省のうえに，伝統文化の否定をもっとも徹底的におこなったのが，辛亥革命以後若い知識人のあいだにうまれた「文学革命」の運動であった。それは，西洋の民主と科学を積極的にとりいれ，また口語文提唱と儒教批判によって旧思想を克服しようとした。しかし，この運動から

やがてマルクス主義研究がおこると，それは西洋近代がうんだ帝国主義をきびしく批判した。

一方，インドや西アジアで民衆の生活に深く根をおろしたヒンドゥー教やイスラーム教の場合，伝統宗教はむしろ民族主義にあらたな活力をあたえる役割をはたした。たとえばインド国民会議の左派ティラクらは，ヒンドゥー復古主義をかかげ，インド古来の民族遺産や文化的伝統に対する誇りのうえに民族の主体性をうちたてようとした。

また，1880年代以後イランで外国利権追放と立憲運動を指導したアフガーニーは，帝国主義の圧迫に対してイスラーム教徒の大同団結を訴えたが，その前提として彼は，イスラーム教および社会の徹底した自己改革をとなえた。これらの場合，民族主義は民族再生の手本をヨーロッパの近代に求めず，むしろ民族固有の伝統的思想や文化を現実の変革のためによみがえらせようとしたのである。

らの西欧化・近代化改革がおこなわれた。しかし，急激な改革はかえって社会に混乱をひきおこし，クリミア戦争の出費，安価なイギリス産綿布の大量流入などのため，国家財政は破綻した。これに加えて，領内の諸民族が独立の要求を強め，オスマン帝国は深刻な危機に直面した。

このような危機に際して，立憲運動が高まりをみせ，1876年には，宰相ミドハト・パシャによりミドハト憲法が発布され，議会が招集された。しかし，翌年ロシア・トルコ戦争がおこると，それを口実に憲法は停止

2　西アジア諸国の変動　197

**タンジマート** 1839年11月, トプカプ宮殿内の庭園に各国使節や高官を招いて, タンジマートの開始をつげる勅令が発布された。これにはスルタンの宗教的権威を法に従属させようとする立憲思想がみられ, ヨーロッパ人の要求にこたえつつ, 富国強兵によりオスマン帝国の延命をはかる政府の意志がうかがえる。

され, スルタン（君主）の専制政治が復活した。この戦争に敗れたオスマン帝国は, ベルリン会議の結果, ヨーロッパの領土の大部分を失った。

## エジプトの自立と挫折

　1798年, ナポレオンのひきいるフランス軍に占領されたエジプトでは, その後オスマン帝国とイギリスに敗れたフランス軍が撤退したあとの混乱に乗じて, オスマン帝国の傭兵隊長ムハンマド・アリーが総督（パシャ）となり, 実権をにぎった。

　ムハンマド・アリーは, 国内の改革を進め, 近代的軍隊の編制, 商工業の振興, 教育制度の整備などをおこなった。また, ギリシア独立戦争で, オスマン帝国を援助した代償に, シリアの領有を要求し, 二度オスマン帝国と戦った（エジプト・トルコ戦争, 1831～33, 39～40年）。この戦争は, ヨーロッパ列強の干渉を招き, 1840年のロンドン会議で, ムハンマド・アリーの領土はエジプトとスーダンに限定された。そのかわりに, 総督の地位の世襲は認められたが, 以後エジプトは政治的に列強の干渉をうけることとなった。

　1869年, フランス人レセップスの努力でスエズ運河が完成したが, その管理権はイギリス・フランスがにぎった。列強の内政支配に反対しておこったウラービー運動（1881～82年）をきっかけに, イギリスは単独で軍隊を送り, エジプトは事実上その軍事的支配のもとにおかれた。

## アラビア半島の動向

　18世紀のなかば，アラビア半島で神秘主義や聖者崇拝を廃し，ムハンマドの説いた本来のイスラーム教に返ることを主張するワッハーブ派の改革運動がおこった。この運動は豪族のサウード家と結びついて一時大勢力となり，ワッハーブ王国（1744頃〜1818，1823〜89年）をつくった。

---

## 新 常 識 　イスラーム主義

　イスラーム主義とは，イスラームの理念をかかげ，最終的にはすべての面でイスラームの教えにもとづく政治・社会体制を樹立しようとする運動を意味する。イスラーム原理主義と表現されることも多い。現在まで続くイスラーム主義運動に大きな影響をあたえることになったのが，ワッハーブ運動である。その思想的指導者イブン・アブドゥル・ワッハーブは，タウヒード（神の唯一性）を強調し，聖者崇拝などの信仰のあり方を多神教的だと排撃した。その思想の主要な部分は，現在のサウジアラビアに継承されている。

　イスラーム主義は1960年代から，民族主義や社会主義などの従来のイデオロギーによる社会変革に限界がみられたこと，社会矛盾の激化に不満をもつ人びとがあらたな政治・社会体制を求めたことなどを背景に，徐々にイスラーム教徒（ムスリム）のあいだで支持者を獲得するようになり，1970年代末以降に顕在化した。イラン・イスラーム革命，メッカの聖モスク占領事件，ソ連のアフガニスタン侵攻に対するジハード，親米開放路線に踏み切ったエジプトのサダト大統領の暗殺などである。そしてイスラーム教に敵対する勢力に対してジハードを掲げ，武力行動に踏み切る急進派は，パレスチナや東南アジアにもあらわれた。

　20世紀末から21世紀初めにかけての時期に中東で生じたあいつぐ戦争には，イスラーム主義の問題に加えて，自国に有利な国際秩序を求める欧米諸国の利害，中東の石油資源をめぐる利権など複雑な問題が絡み合っている。イラン・イラク戦争，湾岸戦争，イラク戦争，アフガニスタンにおける武装宗教政治勢力としてのターリバーンの台頭など，中東地域の情勢は混迷をきわめ，さらに2001年9月11日にアメリカ合衆国で同時多発テロ事件が発生して以後，アメリカを中心とする西側諸国では，イスラーム主義がイスラーム教とムスリム全体を代表するものとみなし，それらをみずからと相容れない存在ととらえる考え方が力をもつようになった。一方，イスラーム主義者の側も，イスラーム教に敵対する不信仰者は殺害されるべきという主張を強くうちだすようになってきている。

2　西アジア諸国の変動　199

王国自体は，ムハンマド・アリーの攻撃により崩壊するが（1818年），運動がイスラーム世界全体になげかけた波紋は大きく，その後各地でイスラーム改革運動がおこった。

### イランと列強

　1736年にサファヴィー朝がほろんだあと，イランでは政治的混乱が続いたが，18世紀末にカージャール朝（1796～1925年）がテヘランを首都として成立した。カージャール朝はアルメニアの領有をめぐってロシアと戦って敗れ，トルコマンチャーイ条約（1828年）によってロシアに治外法権を認めた。その後，ロシアの支援をえたカージャール朝はアフガニスタンに侵入したが，これはロシアの南下をおそれるイギリスの介入を招いた。二度のアフガン戦争（1838～42，78～80年）がおこり，第2次戦争の勝利によってアフガニスタンはイギリスの保護国となった。こうしてイラン北部はロシアの，イラン南部とアフガニスタンはイギリスの勢力範囲に組み入れられた。

## 3　インド・東南アジアの変容

### イギリスのインド進出

　16世紀のインド貿易はポルトガルがほぼ独占したが，17世紀には，これにかわってイギリス・オランダ・フランスが進出した。このうちイギリス東インド会社（1600年設立）はオランダ・フランス両国の勢力をしりぞけ，また1757年のプラッシーの戦いでフランスの支援するベンガル地方政権に勝って，インド侵略の足場をかためた。18世紀のインドはムガル帝国の衰退期にあたり，インド各地に地方政権が乱立していた。そのため軍事力にまさるイギリスは，インド内陸部へ容易に進出でき，カルカッタ（現コルカタ）・ボンベイ（現ムンバイ）・マドラス（現チェンナイ）を拠点として，同世紀のなかば以後の約1世紀間に，南インドのマイソール戦争，デカン高原のマラーター戦争，西北部のパンジャーブ地方のシク戦争などに勝利して支配領域を著しく広げた。

　イギリスの支配は，インド社会を大きくかえた。安い機械織り綿布の

200　第7章　アジアの変動

# カースト制度の弊害

　古代インドにおいて成立したヴァルナ制度は，バラモン（司祭者）・クシャトリヤ（王侯・武人）・ヴァイシャ（庶民）・シュードラ（隷属民）の区分からなる大きな身分制度であった。その後の社会経済の発達にともない，ヴァイシャが商人階層を，シュードラが農民や職人を意味するようになってくるにつれ，ヴァルナの内部に数多くの内婚集団（ジャーティ）をふくむようになってきた。ヴァルナもジャーティも英語ではカーストとよばれるが，ジャーティ集団の成員は，特定の地方に住み，その集団のなかでしか結婚しないというだけでなく，全員が同一の職業（たとえば壺つくり）を世襲していた。村を中心とする地域社会には，そのようなジャーティがいくつも共住し，農民ジャーティを中心に分業的な役割分担をして生活を営んでいた。

　したがって，その地域社会の秩序が保たれているかぎり，人びとは一定程度の生活の保障をえられたが，各ジャーティ（カースト）のあいだには，ヴァルナ制度と関係づけられるきびしい上下関係が存在し，それはカースト間の差別と上位カーストによる下位カーストへの搾取をもつものであった。とくに汚物の処理や畜殺など，ヒンドゥー教で汚れをもたらすと考えられる職業に従事する者たちは，シュードラの身分をもあたえられずに，いわゆる不可触民として差別されていた。

　このようなカーストを基礎とする社会は，植民地時代にはいると，政治・経済・社会の変化とともにしだいにくずれた。たとえば都市の役所や会社や工場では，父祖伝来の職業を放棄した人びとがはたらき，異なるカースト出身者が同じ食堂で食事をとる。また最高身分であったバラモンの権威がゆらぎ，その一方，被差別民をふくむ下層カーストのあいだに地位上昇の動きがみられるようになった。ただカースト制度はインド社会に深く根をおろしてきたためその変容はゆるやかで，19世紀後半以降の社会改革運動は，このカースト制度のもつ弊害の打破を一つの大きな目標としていた。

　輸入によってインドの古くからの木綿工業は大打撃をうけ，また綿花・藍・アヘン・ジュートなどの輸出用作物の栽培，商品経済の浸透，新しい地税制度の採用などにより，伝統的な村落社会がくずれた。一方，植民地支配をおこなうため資源開発や交通網・通信網の整備がなされ，イギリス流の司法・教育制度が導入された。思想面では，カースト制の否定や女性の地位改善などのヒンドゥー教近代化運動がおこった。

3　インド・東南アジアの変容　　201

**1857年の大反乱** 反乱軍は沿道の農民とともにデリーにむかい,またたくまにデリーを占領した。

## 1857年の大反乱

　1857年,東インド会社のインド人傭兵（シパーヒー〈セポイ〉）が待遇などへの不満から反乱をおこし,デリーを占領してムガル皇帝を擁立した。反乱には旧王族とその家臣,地主や農民など,イギリスにそれまでの諸権利をうばわれたさまざまな階層のインド人が参加し,イギリスは2年間その鎮圧に苦しんだ。北インド一帯にわたり各層のインド人が参加したこの反乱は,インドの民族運動の第一歩とみることができる。すでに名目上の存在にすぎなかったムガル帝国は完全にほろんだ。またこれまでインドを統治していた東インド会社が解散され（1858年）,インドはイギリス政府の直轄下におかれることになった。1877年にはヴィクトリア女王がインド皇帝をかね,ここに直轄領と藩王国とからなるインド帝国（1877〜1947年）が完成した。

　イギリスは統治制度を整備しつつ,インド人のあいだに対立がおきるようにする巧妙な「分割統治」をおこなった。

## 東南アジアの植民地化

　東南アジアに進出したヨーロッパ勢力は,はじめ香辛料などの特産物の貿易を目的とし,活動範囲はおもに沿岸にかぎられていた。しかし18

〜19世紀に各国が積極的な植民地経営にのりだすようになると，従来の社会は大きくかえられた。そしてヨーロッパ人の経営するプランテーションが各地にひらかれ，住民は土地や栽培植物に関する伝統的諸権利をうばわれた。

16世紀初め以来，ポルトガルは香辛料貿易を独占してきたが，17世紀にはいるとオランダがポルトガルをしりぞけ，さらにアンボイナ事件（1623年）をきっかけにイギリスをも排除し，ジャワ島を拠点とするインドネシアの経営を独占的に進めた（オランダ領東インド）。19世紀前半には，ジャワ島でコーヒーなど輸出用作物の強制栽培制度が実施された。一方，スペインは，16世紀後半からフィリピンの植民地化とアジア貿易にのりだした。

フランスは，インドでイギリスに敗れたあとインドシナをねらい，ナポレオン3世の時代，カトリック教徒の迫害を理由に出兵し，その植民地化をくわだてた。そして1883年までに阮朝（1802〜1945年）のベトナム（越南国）を完全に支配下においた。さらに84年には，ベトナムに対する宗主権を主張する清朝と戦ってこれを破り（清仏戦争，1884〜85年），翌年結んだ天津条約でベトナムに対するフランスの保護権を認めさせた。こうして1887年にカンボジアをふくむフランス領インドシナ連邦（1887〜1945年）を成立させ，99年にはラオスも編入した。

イギリスは18世紀末からマレー半島に進出して，シンガポール・マラッカなどからなる海峡植民地と，保護下の諸侯国の連合体であるマレー連合州とをつくった。またフランスとの対抗上ビルマ（ミャンマー）進出をくわだて，三度にわたる出兵（イギリス・ビルマ戦争，1824〜26，52，85〜86年）で全ビルマをインド帝国に併合した。

タイでは18世紀末以来ラタナコーシン朝（チャクリ朝，1782年〜）が支配していたが，英仏両勢力の緩衝地帯にあった幸運や，チュラロンコン（ラーマ5世〈位1868〜1910〉）など有能な君主が続いたこともあって，東南アジアでただ1国独立を維持した。

これら植民地支配下の諸民族のあいだでは，はやくから旧支配者層や農民による反抗がみられたが，いずれも散発的なものであった。また民族資本は育たず，19世紀後半に知識人のあいだからうまれた民族運動も，多くの国では大衆を動かすまでにはいたらなかった。

3　インド・東南アジアの変容　203

## 4 東アジアの動揺

### アヘン戦争

　17世紀からはじまったイギリスの東インド会社による中国貿易は、18世紀中頃から急速に増加した。それはイギリス本土における喫茶の普及にともなって、中国茶の輸入が激増したからである。清では、そのころから外国貿易を広州1港に制限し、公行(コホン)(特許商人の組合)所属の商人にだけ取引を許した。一方、産業革命の進行したイギリスは、綿糸・綿布など工業製品の中国への輸出をのぞみ、中国貿易をより自由なものに改めようとして使節を派遣したりしたが、中華思想をもつ清の強硬な態度にはばまれて成功しなかった。1834年イギリスは東インド会社の中国貿易独占権を廃止し、政府の監督のもとに自由貿易にのりだすことになった。

　中国では古くから物資が豊かで、日用品の輸入を必要としなかった。このため、イギリスは茶を買いいれるにあたって、中国に銀を支払わなければならなかったが、18世紀末頃から銀にかえてインド産のアヘンをもちこむようになった。1830年代には中国ではアヘンの輸入が激増し、逆に大量の銀が流出して国内経済が不況におちいった。アヘンの害毒は大きく、清朝はしばしば禁令をだしたが改まらなかったので、ついに強

**アヘン戦争** イギリスは林則徐(りんそくじょ)のアヘン厳禁を口実に、この機に中国とのあいだの外交貿易上の懸案を一挙に解決すべく、1840年遠征軍を派遣した。図は1841年の広州での海戦を描いたもの。

## 新 常 識　西洋のアジア観 オリエンタリズム

オリエンタリズムとはもともと，19世紀ヨーロッパで流行した芸術上の東洋趣味（おもに西アジアや北アフリカのイスラーム圏を対象とする）をさす言葉であったが，イギリス委任統治下にあったパレスチナ生まれのアメリカの文学研究者エドワード・サイード（1935〜2003）が1978年にOrientalismを刊行してから，欧米の人びとが東洋（オリエント）に対してもつステレオタイプ化した理解・イメージをさす概念として，広く用いられるようになった。近代のヨーロッパ人がアジア・アフリカに対してもってきた偏見については従来から指摘されてきたことで，とくに新しい見解とはいえないであろうが，サイードの著書の特色は，東洋への露骨な蔑視や反感をあらわす文章や絵画にとどまらず，東洋の神秘的な魅力といったものへの憧憬や，アカデミックな研究をつうじて形成された東洋観——ヨーロッパの対極にあるものとしての——も，そうしたステレオタイプ化の所産であることを強調した点にある。

アジアを論じたり描いたりするヨーロッパの学者や芸術家は，実際のアジアをみるのではなく，既存のステレオタイプにとらわれた目でアジアをみて，いわゆるアジア的なものをそこにみいだし，自分の作品のなかでそのステレオタイプを再生産していく。その結果，こうしたステレオタイプはしだいに強化され，アジア人自身も，強い立場にあるヨーロッパ人の考え方を無意識のうちにうけいれて「これがアジアだ」と思うようになる。

「みる側」としてのヨーロッパ，「みられる側」としてのアジア，という不平等な立場が暗黙のうちに固定化される。それは露骨な強制による支配ではないが，むしろ人間精神のより深いところに浸透する支配だということができる。

このようなサイードの議論はイスラーム圏を念頭においているために，アジア全域にあてはまるものか，疑問もあるが，公正で客観的な異文化理解を深めるうえで，念頭においておくべき考えである。

硬な措置をとることをきめ，1839年，林則徐（りんそくじょ）を広州に派遣してとりしまりにあたらせた。彼はイギリス商人所有のアヘンを没収して廃棄し，一般の通商をも禁じたため，イギリスは外交・貿易上の問題点を一挙に武力で解決しようとして翌年遠征軍を送り，アヘン戦争（1840〜42年）がおこった。

　戦争はすぐれた軍艦や大砲をもつイギリス軍の勝利となり，1842年南京（ナンキン）条約が結ばれた。これによって清は上海（シャンハイ）など5港の開港，公行の廃止，香港島（ホンコン）の割譲（かつじょう），賠償金（ばいしょうきん）の支払いなどを認めた。さらに翌43年，治外法権（ちがいほうけん），

4　東アジアの動揺　205

関税自主権の喪失などを認める不平等条約を結んだ。ついで1844年には，同じく中国での市場拡大をのぞむアメリカ・フランスとも同様の条約（望厦(ぼうか)条約・黄埔(こうほ)条約）を結んだ。

アヘン戦争をきっかけに貿易の中心は上海に移り，急速な発展をみせるようになったが，その一方で中国は半植民地化への道を歩むことになった。

### アロー戦争

アヘン戦争は，自由貿易を強く要求するイギリスの武力に清が屈服した最初の事件で，その歴史的意義はきわめて大きい。しかし，その後も綿布などイギリスの工業製品は中国では販売がのびなかった。その理由を自由貿易の不徹底に求めたイギリスはさらに大きな権利を獲得することをのぞんだ。たまたま1856年広州港でおこったアロー号事件（イギリス船籍であったアロー号の中国人船員を逮捕した事件）が契機となって，英仏（フランスはカトリック宣教師の殺害事件を口実にした）両国と清とのあいだに戦争がおこった。これをアロー戦争（第2次アヘン戦争，1856～60年）という。英仏軍が北上して天津にせまったので，1858年天津条約が結ばれていちおう講和ができたが，清が批准(ひじゅん)を拒絶したため，60年英仏連合軍は北京に進撃し，清は敗れて北京条約を結んだ。天津条約・北京条約

**アロー戦争で破壊された円明園**　1860年北京に進撃した英仏軍は，清の離宮，円明園を破壊し略奪した。

によって，清はイギリスに九竜半島南部を割譲するほか，天津など11港の開港，外国公使の北京駐在，キリスト教の信仰と布教の自由，外国人の中国内地旅行の自由などを認めた。その結果，欧米諸国の中国における権利は，南京条約にくらべ一段と大きくなった。

　清が欧米諸国と結んだ条約は，領事裁判権や関税協定権などを認めた不平等条約であった。開港場には行政権や司法権を外国がにぎる租界が設置され，外国商品が中国内地にひろく売りこまれるようになったので，中国の自給自足の経済体制は破壊され，社会は深刻な影響をうけた。

## 太平天国

　18世紀末になると，清の国力はおとろえはじめ，農民の生活は窮乏し，社会不安が強まった。こうした情勢のもとに白蓮教徒の乱（1796〜1804年）がおこったが，その鎮定後も政治・社会の悪化は改められなかった。ことにアヘン戦争後は，清の国家財政が困窮し，失業者や流民が増加して社会不安はますます大きくなり，1851年，広西省に太平天国（1851〜64年）の動乱がおこった。

太平天国軍の進路と当時の開港場

　その指導者洪秀全は，キリスト教の影響をうけて秘密結社（拝上帝会）を組織していたが，1851年清朝打倒をさけんで広西省金田村で挙兵し，国を太平天国と称し，土地均分・男女平等・アヘン禁圧などをとなえた。そのスローガンはよく貧民の心をとらえたため，太平軍はたちまち大勢力になり，1853年南京を首都に定め（天京と改称），さらに華北にまで進撃した。しかしその後，首脳部に内紛がおこり，軍の規律もゆるみ，勢いはおとろえていった。

4　東アジアの動揺

はじめ太平軍の鎮圧にあたった政府軍は，堕落していて役にたたなかったが，やがて曾国藩や李鴻章により，湘軍や淮軍という郷土自衛軍（郷勇）が組織されてめざましい活躍をした。太平天国は清朝の打倒と漢民族の復興（滅満興漢）をとなえはしたが，儒教を否定し，古くからの道徳と秩序を破壊する行動は，漢人の地主や官僚の社会的・経済的基盤をおびやかすものであり，彼らには中国の破滅とも感じられた。そのため彼らは太平軍鎮圧にたちあがったのである。またはじめ中立的態度をとっていた欧米列強も，天津条約・北京条約で多くの権利を獲得すると，それをまもるため清を助けるようになり，ゴードンらがひきいる常勝軍を編成した。その結果，乱は1864年に鎮定された。

## 洋務運動

　北京条約締結後，清は外国との和親策をとり，1884年の清仏戦争まで，だいたい平和な対外関係が続いた。国内でも太平天国が鎮定されると，政治と社会はいちおう安定したので，これを同治の中興（同治は当時の年号）と称した。しかしその後の清の政治には，満州人にかわって曾国藩や李鴻章らの漢人が大きな力をもつようになり，彼らは地方長官として軍事・財政権をにぎったので，地方権力が強まっていった。

　清ではアロー戦争後，ヨーロッパの学問や技術をとりいれる洋務運動につとめた。曾国藩や李鴻章らはヨーロッパの武力をよく認識し，それに対抗し，かつ太平天国などの反乱を鎮圧するには，ヨーロッパ式の軍隊をもたなければならないと考え，国営の軍事工業をおこして武器や船舶の製造をはじめた。ついで強兵のためには富国が必要と考えられ，通信・運輸・鉱業などの諸事業がおこされ，1880年代には紡績・織布などの軽工業もおこってきた。これらの多くは官僚によって経営され，資本主義的な発展はみられなかった。さらに清では外国語学校を設け，留学生を派遣するなどして，新しい知識の吸収につとめた。しかし数千年来の中国の伝統は強く，洋務運動ではただ技術面だけが近代化されようとしたにすぎなかった。

## 日本の開国

　17世紀なかば以来，江戸（徳川）幕府の支配下で「鎖国」を続けてきた日

本も，19世紀中頃，世界情勢の変化に応じて開国せざるをえなくなった。幕府は1853年アメリカのペリーが来航して開港を要求すると，翌年日米和親条約，58年には日米修好通商条約を結んで開国し，ほぼ同じ内容の条約をオランダ・ロシア・イギリス・フランスとも結んだ。当時すでに衰退していた江戸幕府はいっそう動揺し，ついに大政奉還をおこない1868年明治政府が成立した（明治維新）。

明治政府はすすんでヨーロッパ文化を導入し，政治体制をととのえ，富国強兵をはかり，近代国家の建設をめざしたが，しだいに東アジアの近隣諸国と対立するようになった。清とのあいだに琉球の帰属問題がおこると，日本は1879年琉球に沖縄県をおき（琉球処分），日本の領土であることを明確にした（88ページのコラム参照）。

### 朝鮮の開国

17世紀以来清の属国であった朝鮮は，党争の激化と農村の荒廃により国勢がおとろえていた。19世紀中頃欧米諸国が通商を求めてあらわれ，フランスやアメリカに江華島を占領される事件もおこったが，当時は排外主義者の大院君が政権をとっており，開国を拒否して鎖国を続けた。その後，王妃の閔氏一族が政権をとると，かねて朝鮮に開国を求めていた日本は，1875年示威行動をおこして江華島を攻撃した（江華島事件）。

**富岡製糸場** 1872年，上州（現在の群馬県）の富岡に，日本最初の官営製糸工場がつくられ，優良な生糸を生産した。製糸業や紡績業は，日本の重要な輸出産業として成長した。

**「漁夫の利」** 日本と同様に朝鮮をねらっていたロシアは，日清両国の抗争に関心をもっていた。

翌76年，こうした軍事力を背景に，日本は朝鮮にせまって日朝修好条規（江華条約）を結び，釜山（プサン）など3港をひらかせた。これは領事裁判権などをふくむ不平等条約で，以後，日本は朝鮮に対してしだいに勢力をのばしていったが，宗主権を主張する清とも争わねばならなかった。

### 日清戦争

朝鮮ではその後，日本にならい近代化をはかろうとする金玉均（キムオクキュン）らの開化派と，清に支持された閔氏ら保守派が対立した。1884年開化派は日本の支持をたのんで保守派を倒したが，たちまち清軍に弾圧され（甲申事変），翌年日清両国は天津条約を結んで，ともに朝鮮から撤兵した。1894年甲午農民戦争（東学党の乱）がおこると，朝鮮はその鎮圧のため清に出兵を要請した。日本もこれに対抗して出兵し，日清戦争（1894〜95年）がおこった。戦争は日本の勝利におわり，翌95年下関条約が結ばれて，清は朝鮮の独立を確認し，多額の賠償金を支払い，遼東半島・台湾および澎湖諸島を割譲し，開港場で企業をおこすことなどを日本に認めた。日清戦争によって清の弱体が暴露されたため，これから中国に対する列強の帝国主義的進出が開始されることになった。

### 東アジアの国際秩序

　古くから中国は世界の中心としての「中華」意識をもち，周辺諸国を対等にはあつかっていなかった。そのため外交の方式は，中華の世界に君臨する天子が臣下に対して「冊封」（国王の称号や印綬の付与）をあたえ，臣下は天子に対して「朝貢」するかたちをとっていた。アヘン戦争が中国にとって深刻な打撃となったのは，中国が軍事的に敗北したことによって不平等条約を結ばされ，冊封・朝貢体制の基盤がくずれたことによる。さらに，19世紀後半になると，南からはイギリスとフランス，東からは

## 華夷思想にもとづく政治経済

　秦・漢の時代に，東アジアには中国の文化や経済の優越性にもとづく一つの国際秩序がつくりあげられ，19世紀まで当然のあり方としてうけいれられていた。その方式は「華夷思想」を背景に，天子から臣下に「冊封」し，臣下からは天子に「朝貢」するかたちをとるものであった。

　この方式の背景にあった「華夷思想」とは，中国が文明の中心としての「中華」であり，風俗や言語の異なる周辺地域の人びとを「夷狄（東夷・西戎・南蛮・北狄）」として文明的に劣ったものとしてみなす考え方である。中国の王朝は徳をもって周辺諸国を感化し，周辺諸国はその徳をしたって来貢するというのである。

　政治面では「冊封」体制が維持された。中心国の君主が周辺国の首長に「王」などの位や官職を授与して，彼らの領域統治を承認するという方式である。これは一種の封建的統治制度であり，これを国外にむけておこなうことによって実際には統治していない領域が，名目的には中心国の支配下にあるような形式をととのえることができる。倭人の使者が後漢の光武帝から印綬をうけたり，また三国の魏の明帝のときに邪馬台国の女王卑弥呼が朝貢使を送ったり，足利義満が明に朝貢して「日本国王」の称号を「冊封」されたのがその例である。

　経済面では朝貢貿易が展開された。朝貢は周辺国が貢ぎものをもった使節を定期的に中心国におくり，中心国の君主が使節に謁見して返礼品をあたえる制度であるが，国際秩序を確認する外交儀礼であると同時に，貿易の側面をもっていた。朝貢貿易は周辺国に有利で中心国に不利な制度で，中心国は，文明の中心としての度量を示すために，外国使節を手厚く接待するとともに，貢ぎものより価値の高い返礼品をあたえなくてはならない。いわば中心国は，経済的出費によって国際的威信を買っているともいえるのである。そのため，王朝によっては朝貢貿易を積極的におこなわず，民間の自由な貿易にまかせて税を徴収する策を選ぶ場合もあった。

4　東アジアの動揺　　211

日本，北からはロシアが，領土に対する野心を鮮明にし，中国は周辺諸国にもっていた「宗主権」を放棄せざるをえなくなり，古くから続いてきた東アジアの国際秩序は崩壊した。

## 中国の半植民地化

19世紀中国の半植民地化の進行状況は，3段階に分けてとらえるとわかりやすい。

第1は，アヘン戦争にはじまる一連の不平等条約の締結期（1840年代～1850年代）である。不平等条項の適用は，条約締結相手国のみならず他の欧米諸国にも波及した。しかしこの「衝撃」はそれほど大きなものではなかった。南京条約の開港地が長江以南にかぎられているように，多くの官僚や知識人のあいだでは「夷狄」による局地的な侵略にすぎないと考えていた。アヘン戦争の実際の効果は，1860年の北京条約にいたってはじめてあらわれてきている。全国で重要な開港場が開かれ，列強は公使を駐在させ，これら各国の商人や宣教師らは，居住・通商・布教・旅行の自由を保障されたほか，領事裁判権や治外法権で保護された。

第2は朝貢国の喪失時期（1870年代なかばから1890年代なかば）である。太平天国の動乱が鎮圧されたのち，中国には束の間の安定が訪れた（同治の中興）が，1870年代なかば以降，ふたたび対外緊張の時期をむかえることになる。中央アジアでは，そ

れまで清朝に朝貢していたイスラーム諸国がロシアの支配下にはいり，1870年代末には明治政府が琉球を領有した。インドシナ半島では1880年代に，清仏戦争を経てフランスがベトナムを支配下においた。

第3は，本来なら小国であるはずの日本との戦い（日清戦争）に敗北したうえに，そのあと，列強が清朝領土内で利権獲得競争をおこない，勢力範囲を設定していった時期（1890年代末～）である。中国の一般の官僚や知識人のあいだで亡国の危機が強く意識されてくるのは，この時期であるといえる。中国の伝統的な国際観念は中華思想であり，異なる文化やその人びとである「夷狄」は，本来，朝貢を奉じ，藩属の序列に甘んずべきものであった。ところが列強の進出は，中華的国際秩序思想を崩壊させ，天子・官僚による国内政治の秩序にも衝撃をあたえた。

こうして中国は名目上は独立国家（清朝）だったが，実質的に列強による完全な属領化（植民地化）されたことから，この状況を「半植民地」とよんでいる。

→**少年パルチザン** 「小さな英雄たちの死」と説明のある，ナポリで1943年10月に撮影されたロバート・キャパの写真。1人の教師に引率された10代の少年パルチザンたちは，連合軍が入城する直前の4日間，ドイツ軍と戦い，20人が死んだ。その葬儀の写真である。多くの報道写真を残したキャパは1954年，インドシナ戦争取材中にハノイ南方で地雷に触れて死去。
Robert Capa © International Center of Photography / Magnum Photos

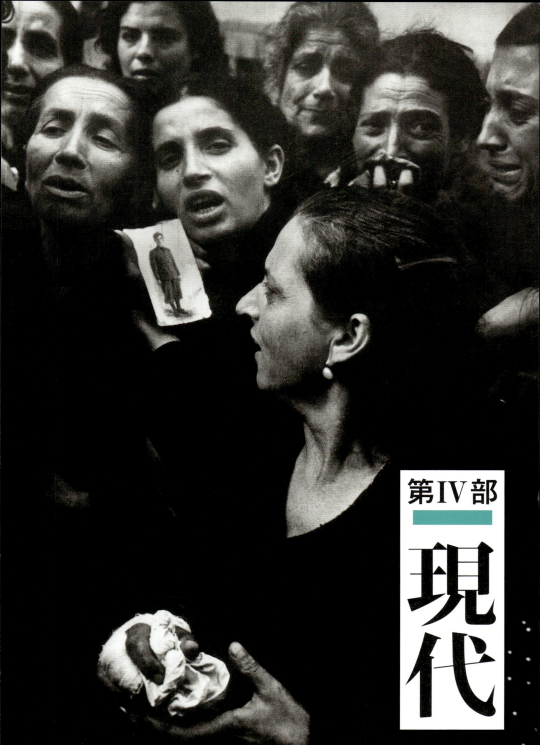

第Ⅳ部

現代

## ポスターでみる現代世界の歴史

1870年代以降，欧米諸国で進行した第二次産業革命は，デザインという分野に活気をもたらした。とくにポスターは従来の文字中心の広告やチラシにくらべて大衆に対するインパクトが大きいのがその理由で，新しい商品の商業的広告，国家の政策や行事，革命運動などの政治宣伝など，さまざまな分野で作成された。芸術家が制作する場合もあったが，商業デザイナーの作品のなかにも高い芸術的評価を受けるものもあらわれた。

**ナチ党の選挙ポスター** 第一党になった1932年の選挙でナチ党が使用したポスター。

**ドイツの世界政策** 皇帝ヴィルヘルム2世は，イギリスに対抗するために軍備拡張政策にのりだした。図は1898年に設立されたドイツ海軍協会の催しのポスター。

**大東亜共栄圏すごろく** 日本を出発し，満州・中国・インド・東南アジアを経由して日本に帰国するルートが示されている。大東亜共栄圏の意識は，遊びをとおしても刷りこまれた。

**ロシア革命5周年** ポスターには「偉大なるプロレタリア革命5周年万歳」とある。

←**文化大革命** 文化大革命初期の1967年に出版された，中国の書物の扉絵。「毛沢東思想は世界人民の心のなかにある紅い太陽である」との説明がついている。

**スペイン人民戦線** 1936年にフランコ将軍と人民戦線とのあいだで，スペイン内戦がはじまった。「すべての民兵は人民軍に」とよびかけるポスターは，モザイク状の兵士の顔と兜に義勇兵を送った国々の国旗が描かれている。
© The Museum of Modern Art, New York/Scala, Florence/amanaimages

**インドシナ戦争** この戦争は，ベトナム民主共和国の独立を認めないフランスとのあいだで，1946年に勃発した。フランス兵を圧倒するベトナム兵。

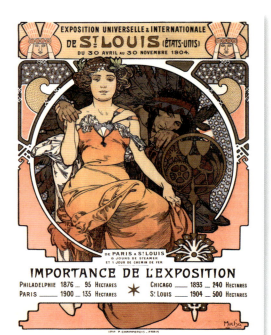

**新しいグラフィック・アート**　19世紀末から20世紀初頭にかけて，新しい美術様式アール・ヌーヴォーがうまれ，多くのポスターが制作された。左はフランスのミュシャの『アメリカ・セントルイス万国博覧会』。輪のなかに，アメリカの新世界を寓意化した若い女性が，工業と技術と工芸のシンボルに座っている。上は同じくフランスのロートレックの『「アンバサドゥール」のアリスティード・ブリュアン』。カフェ・コンサートでのシャンソン歌手を描く。右後方にドア・マンがみえる。

**アーティスト・ポスター**　アメリカのウォーホルは美術の枠をこえる活動を展開した。20世紀後半の大量消費社会を反映したポップアート。
© 2017 The Andy Warhol Foundation for the Visual Arts, Inc. /ARS, N.Y. & JASPAR, Tokyo E2661

第8章

# 帝国主義時代の始まりと第一次世界大戦

### 世界の一体化

　19世紀末から20世紀初めにかけて，世界は帝国主義時代にはいる。この時期，世界はたがいに交渉を深めて一つになったが，それは貿易や交通が発達して，人や物の往来がさかんになったためだけではない。欧米先進工業諸国，ややおくれて日本でも，経済が独占資本主義段階に移り，それを背景に各国は世界中に植民地や勢力圏（半植民地化地域や従属地域）を求めて進出した。こうして世界は列強のあいだで分割され，その支配下に相互の結びつきを強めていった。それゆえ，この時代の世界の一体化とは，世界がそれぞれ本国と植民地・従属地域の関係を軸に，いくつかの帝国主義的勢力圏にわかれ，全体としては，工業の発達した「北」と，農産物や原料を供給するだけの「南」のあいだの格差がいっそう深まったことも意味した。そのうえ，あわせて10カ国にもならない帝国主義列強は，その勢力圏の拡大と再配分をめぐって争い，たがいにブロックをつくって対抗したので，この対立はついに第一次世界大戦をひきおこすことになった。

## 1　帝国主義の成立と列強の国内情勢

### 帝国主義とヨーロッパ

　19世紀末，欧米諸国の経済は重化学工業を中心に飛躍的に発展し，「石油」と「電気」を中心とする技術革新がおこった（第2次産業革命）。現代の

1　帝国主義の成立と列強の国内情勢　217

生活に必需品となっている，化学繊維・プラスチック・染料・電話・電信・電灯・蓄音機・自動車など，大半の発明品がこの時期のものである。これらの発明は大学・企業といった大きな組織体が研究の中心的役割を担った。

ところが1870年代にはいると，ヨーロッパは長く，かつ本格的な不況を経験することになった。この危機をのりこえるために，イギリスやフ

## 移民の流れ

19世紀後半から，世界史上かつてない規模で労働力の移動が生じた。とくにヨーロッパでは，工業化の進展とともに人口が急増して，都市への人口集中が進んだ（大都市の誕生）。また鉄道網や航路の発達は，国境と海をこえた人の移動を可能とした。ヨーロッパ・日本・中国から南北アメリカに，そしてイギリスからはオーストラリア・ニュージーランド・南アフリカに，多くの人びとが移住した。人類の歴史でこの時代ほど，大陸から大陸へ，また一つの大陸のなかで，人間の大規模な移住がおこなわれた時期はかつてなかった。

その最大の流れはヨーロッパ大陸からアメリカ大陸へむかうもので，1881〜1915年のあいだだけでも約3200万人がヨーロッパ大陸を去り，その7割がアメリカ合衆国に渡った。合衆国はもともと移民国家であったこともあり，当初から制限なしにヨーロッパからの移民をうけいれた。そもそもアメリカ合衆国への移民の時期は四つに分けることができる。第1は入植・植民地の時期（17〜18世紀），第2は19世紀後半までのおもにドイツや北欧などからの移民

の時期（「旧移民」とよばれる），第3はイタリアや東欧，ロシアなどから，文化的にはそれまで住んでいた住民とはやや異質な移民が来た時期（「新移民」），第4は戦後，とくに1965年に移民法が改正されたあとの時期であり，中国やベトナム，ラテンアメリカ諸国など，世界各地域から多くの移民が流入した時期である。

ただし，移民に対してはさまざまな反発があった。企業家は安価な労働力を求めるため移民の流入を歓迎するが，少し前に移住してきたような人びとは，職をうばいあう競争者がふえることになるため，移民の流入には反対した。一般に弱者に対して冷たい態度をとるのは，弱者よりもやや恵まれた階層という傾向が指摘できる。移民たちが文化的に異質であれば，なおさら移民に対する風当たりは強い。現在，アメリカ合衆国ではヒスパニック系移民に対する反発があり，ヨーロッパではイスラーム教を信仰するアラブ地域・北アフリカ・トルコなどからの移民たちが，宗教に関する習慣や食べものをめぐり，先住民の反目をうけている。

ランスなどの先進資本主義国は従来からの製品輸出や海外市場の確保に
くわえて，資本そのものを輸出して海外からの利子をえる方式に転換し
た。これに対しドイツ・アメリカ合衆国・日本などの後発の資本主義国
は保護政策を採用して国内市場をまもるいっぽうで，カルテル（業界の協
定）・トラスト（企業合同）・コンツェルン（金融資本を中核とする財閥）を形
成し，こうした独占資本と国家が提携しつつ，軍事力を背景に対外進出
をはかった。その結果，1890年代以降，アメリカ合衆国やドイツの工業
生産は，イギリスをしのぐようになり，列強の植民地獲得競争（分割と再
分割）は激化の一途をたどった。

　社会的には，1870年代の危機をのりこえると，海外進出でえた富を背
景に，大衆消費社会が誕生し，資本家だけでなく，労働者もふくめた幅
広い階層がこれを享受した。ヨーロッパ中心部では大きな戦争もおこら
ず，好景気が続いてヨーロッパは空前の繁栄期（「ベルエポック」）をむかえ
たのである。大都市では百貨店が多様な商品を展示し，ショーウィンド
ーや街灯が大都市の夜を演出した。さらに細菌学の発達によって，公衆
衛生の概念もうまれて大都市の生活環境は改善された。

　政府は社会主義や労働運動の高まりに対抗するためにも，また海外進
出を進めるためにも，国民の協力が必要だったので，義務教育の普及や
選挙権の拡大，生活安定のための社会政策を実施し，国家の存在を前面
に押しだし，中間層や労働者をとりこみつつ，「国民」としての統合を進
めた。その結果，各国ではヨーロッパ地域を「文明」，非ヨーロッパ地域
を「野蛮」とする意識が芽生え，偏狭なナショナリズムや人種差別が助
長された。その一方で，産業構造の劇的な転換によって伝統的な経済基
盤を失った人びと，とくに東欧や南欧の人びとは，移民となって海外に
移住した。この時期，アメリカ合衆国への移住者が急増した。


## 各国の政治情勢

　**イギリス**　イギリスは「世界の工場」の地位をすでに失ったとはいえ，
まだ世界最大の植民地帝国であった。この大英帝国をささえ，強めよう
とする帝国主義政策は，すでに1870年代後半，ディズレーリ内閣時代に
はじまっていたが，90年代後半，植民相ジョゼフ・チェンバレンのもと
で最高潮に達した。彼は本国と植民地の関係を緊密にし，さらに1899年，

1　帝国主義の成立と列強の国内情勢　**219**

**イギリス帝国主義の植民地** イギリス人が安い賃金でアフリカ人を酷使し、大きな利益をあげていることを風刺した漫画。

南アフリカ戦争（ブール戦争，1899〜1902年）をひきおこした。

　このような対外膨張政策はまた，1880年代以来激しくなっていた労働運動に対応するためでもあり，1906年にはイギリス労働党が結成され，同党は自由党と協力しながら，ゆるやかな改革を志向しつつ，国内政治での影響力を強めていった。しかし，第一次世界大戦前における国内紛争の焦点はアイルランド問題で，自由党内閣は1912〜14年，第3次アイルランド自治法案を下院に提出し，上院の反対をおして成立させた。しかし第一次世界大戦が勃発したため，その実施は戦後に延期され，アイルランド人の独立闘争はなお続いた。

　**フランス**　第三共和政下でロシアなどへの海外投資や植民地拡大政策が実行されたが，国内政治は軍部・カトリック・王党派などの保守派と共和派の対立で動揺がたえなかった。1889年には対独復讐を主張するブーランジェ将軍のクーデタ計画があり，94〜99年にはスパイ容疑のドレフュス事件をめぐり世論を二分する激しい対立がおこった。しかし20世紀になると共和政も安定し，中間層を代表する急進社会党が，社会主義者の一部と協力して，政教分離などの改革を進めた。一方，フランスの社会主義勢力は従来分裂していたが，1905年に統一社会党が結成され，以来着実に勢いをのばし，議会にも進出していった。

　**ドイツ**　ビスマルクが失脚した1890年から第一次世界大戦の勃発まで，ヴィルヘルム2世〈位1888〜1918〉治下のドイツでは，鉄鋼・電気・化学工業を中心に経済が著しく発展した。そして世界市場への進出をめざして，国家・独占資本・軍部が強力に結びつきあう「世界政策」を展開した。一方，国民に対しては愛国心を高めて軍国的な国民統合をはかろうとし

た。当時、支配層にとっていちばんの脅威は社会民主党の議会へのめざましい進出であった。社会主義者鎮圧法は1890年に廃止され、社会民主党の勢力は確実に伸張した。しかし社会民主党や労働組合の組織が大きくなるにつれて、指導部では急激な革命よりも段階的改良をめざす修正主義（議会主義的改革を重視する）の傾向が強まり、やがてそれが主流となった。

**ロシア**　ロシアは全体としておくれた農業国であったが、1890年代からフランスをはじめ外国の資本が流入し、工業化が進んだ。しかし国民の多くが貧しく、国内市場のせまいロシアでは、この時代、政府が率先して東アジアやバルカン方面で帝国主義的膨張政策を展開した。一方、国内では革命運動や政府批判が高まり、19世紀末から20世紀初めにかけて、レーニンらによるロシア社会民主労働党、農民を基盤とする社会革命党（エス・エル）、資本家による立憲民主党の結成があいついだ。日露戦争の戦況が不利になった1905年1月、首都ペテルブルクで労働者のデモ隊に兵士が発砲した「血の日曜日事件」がおこると、全国で農民蜂起や水兵の反乱がおこった（第1次ロシア革命）。政府は弾圧と譲歩でかろうじて革命をおさえこみ、革命後は設立されたばかりの国会を無視してふたたび専制政治にもどった。また首相ストルイピンは農村共同体（ミール）を解体し、富農を育てて、帝政の社会的基礎を広げようと努力したが、かえって農村社会は動揺した。

**アメリカ合衆国**　1880年代にアメリカでも独占資本（最初の独占資本はロックフェラーを創業者とするスタンダード石油）の形成が進み、一方でこ

**ローズヴェルトの外交**　アメリカは対中国政策では門戸開放や主権尊重をとなえたが、自国の「裏庭」カリブ海域では、しばしば軍事力を用いて強引な「棍棒外交」を展開した。たとえば、パナマ運河の建設に際してローズヴェルトは、1903年にパナマ共和国を独立させて運河地帯の租借権をえ、みずから強権をふるって14年に運河を完成させた。図は、棍棒をかつぎ、艦隊をひきつれてカリブ海をわたるローズヴェルトを風刺した漫画。

れに不満をもつ農民や労働者の運動もさかんになった。さらに1890年前後にはフロンティアが消滅し，19世紀末までにはイギリスをおいぬいて工業生産で世界一となった。アメリカはすでに1889年，パン・アメリカ会議を主催し，ラテンアメリカでの影響力を強めていた。その後，海外市場拡大の要求にこたえ，ラテンアメリカや太平洋・中国大陸への進出をくわだてた共和党のマッキンリー大統領〈任1897〜1901〉は，1898年にアメリカ・スペイン（米西）戦争をひきおこし，また国務長官ジョン・ヘイは99年，中国に対する「門戸開放宣言」を発表した。1901年マッキンリーが暗殺されたあと就任したセオドア・ローズヴェルト大統領〈任1901〜09〉は，中産階級の不満をくんで革新主義をとなえ，反トラスト法を強化して独占の弊害をのぞこうとしたが，国外では活発な帝国主義外交を展開した（棍棒外交）。1913年からは民主党のウィルソン大統領〈任1913〜21〉が国内政治で革新主義の政策をうけつぎながら，対外的にはおおむね平和的手段で海外市場の拡大につとめた。

# 2　植民地支配の拡大

### アフリカ分割と南アフリカ戦争

　列強の植民地獲得競争の最初の焦点となったのはアフリカ大陸で，1870年代から分割はしだいに内陸部に進んだ。イギリスは1882年にエジプトを事実上保護国としたのち南下し，大陸を縦断してケープ植民地にいたり，さらにインドとも結ぶ植民地支配の大動脈をつくる3C政策（カイロ・ケープタウン・カルカッタ〈現コルカタ〉を結ぶ）を推し進めた。一方フランスも同じ頃チュニジアを保護国とし，サハラから東南方に進出した。またドイツは大陸の南部や中部にあいついで植民地を獲得し，イタリアはソマリランドやトリポリをえた。

　このような列強の侵入に対し，アフリカ人はさまざまな抵抗をおこない，1880年代におこった東スーダンのマフディー運動（1881〜98年）はイギリスの南下をおくらせ，またイタリアも96年エチオピアに侵入しようとしてアドワで撃退された。一方，列強間の対立も激化し，1898年にはスーダンでイギリスとフランスの軍隊が衝突し（ファショダ事件），両国の

222　第8章　帝国主義時代の始まりと 第一次世界大戦

アフリカにおける列強の植民地化

関係は一時緊張した。イギリスは1899年にケープ植民地の北隣で金とダイアモンドの産地であったブール（ボーア）人のオレンジ自由国（1854〜1902年）・トランスヴァール共和国（1852〜1902年）を併合しようとして南アフリカ戦争（ブール戦争，1899〜1902年）をひきおこした。これは国際世論の非難をうけたうえ，ブール人の強い抵抗にあって大きな損害をだし，鎮圧と併合に3年を要した。

## 列強の太平洋および東アジアへの進出

　一方，太平洋の島々へも列強はきそって進出した。1880年代にはドイツが南太平洋の諸島を占領し，イギリスも北ボルネオを領有し，東部ニューギニアをドイツとわけた。またアメリカは1898年，アメリカ・スペイン（米西）戦争でスペインからフィリピン・グアム島をうばい，その間にハワイも併合した。

　しかし，当時の帝国主義列強の分割競争は，中国大陸でもっとも激しかった。1895年，日本は日清戦争でえた遼東半島を露・仏・独の三国干渉にあって返還を余儀なくされたが，ロシアは翌年，東清鉄道の敷設権をえて中国東北での地歩を着々とかためていた。おくれて進出したドイツも，1898年の宣教師殺害事件を機会に膠州湾の租借権をえて，山東省を勢力圏とした。これに対抗して露・仏・英もそれぞれ旅順・大連，広州湾，威海衛・九竜半島を租借した。そしてこれら4カ国と日本は中国国内に自己の勢力圏をもうけ，鉄道敷設権や鉱業権・関税特権などをえて，それぞれの地域に独占的地位をえた。こうして中国は事実上列強によって分割しつくされようとしたので，1899年，アメリカは「門戸開放」「機会均等」などの原則をかかげて，みずからも中国への進出をはかった。

## やり直されたハワイ併合

　ハワイは，1778年クックにより発見され，1810年にはカメハメハ1世により全土が統一され，アメリカ合衆国や中国と通商をおこなった。その後まもなくキリスト教宣教師がこの島に赴き伝道を進め，その子孫のなかには砂糖業を経営するものが多くあらわれた。しかし彼らは，1890年のアメリカの関税法改正によって打撃をうけた。

　この状況下，1891年にハワイ王国の女王リリウオカラニが即位し，ハワイ人のためのハワイを号し，1893年1月の勅令で新憲法の制定を準備した。ハワイ在住アメリカ人は自分たちの地位や財産が失われることを恐れて強く反発し，王政の打倒を計画し，アメリカ公使もこれを支援して米軍の水兵を動員した結果，女王は退位を余儀なくされた。合衆国政府はハワイ併合条約を締結して上院の承認を求めたが，この時，ハリソン大統領の任期は残り2週間であっ

たので，次期大統領クリーヴランドに委ねられた。1893年3月，新しい大統領に就任したクリーヴランドは反帝国主義の立場から条約案の撤回を求め，現地に調査団を送った。その結果，アメリカ公使の介入が明らかになって併合は中止され，女王の復位こそならなかったものの，ハワイは共和国として不安定な時期を過ごすことになった。

　しかし，1897年，クリーヴランドに代わってマッキンリー大統領が就任するとふたたび併合の機運が高まり，1897年に新併合条約が調印された。翌年4月，アメリカ・スペイン（米西）戦争の開始で補給基地としてのハワイの重要性が認識されたため，まもなく上下両院合同決議で併合条約は承認された。1900年に準州となったハワイは，1959年第50番目の州として合衆国に加入した。

# ３　アジアの民族運動

## アジア諸民族の自立

　帝国主義諸国の武力をともなった政治・経済上の干渉や侵略によって，アジア諸地域の多くは，植民地や保護国あるいは半植民地となった。しかし，アジアの諸民族はしだいに民族としての自覚を強め，民族自立の運動や立憲をめざす改革運動，王朝打倒をめざす革命運動などをおこすようになった。

## 中国の変法運動と排外運動：戊戌の政変・義和団事件

日清戦争の敗北とその後の欧米諸国や日本による露骨な干渉のなかで、中国の若い官僚や知識人のあいだには、危機意識が急速に高まった。彼らは、これまでの洋務運動を批判し、救国のためには日本の明治維新に

## 西太后の真価

西太后は、中国史上に登場した悪女の1人とされている。東太后を毒殺し、咸豊帝の第1子を生んだ麗嬪（麗貴妃）の手足を切断して「生きダルマ」にした話など、「悪い噂」が伝えられている。さらに食事に関しては新鮮な材料を使って椀だけでも百椀もつくらせ、戦争準備のための国家予算を流用して自己の還暦を祝う頤和園の増改築をおこない、京劇に熱中して民間の名優に自分が好む芝居を紫禁城内で演じさせるなど、彼女は桁ちがいの贅沢な生活を送った。

しかし、たとえば「生きダルマ」にされたとされる麗嬪が後宮で天寿をまっとうしている事実など、「悪い噂」のほとんどには根拠がない。同治帝の皇后の排除や光緒帝が寵愛した珍妃の殺害命令などは事実であったが、権力争いで競争者を排除するのは中国史では当たり前で、贅沢三昧の生活もとくに目新しいことではない。むしろ「悪女」とされたことで、西太后が葬られた陵墓が国民革命軍によって盗掘され、高価な副葬品がうばわれたばかりでなく、その遺体に対しても屈辱的な損傷が加えられたことは同情に値する。

それでは、清の西太后の真価はどこにあるのだろうか。西太后の生きた時代は激動の時代であった。アロー戦争（第2次アヘン戦争）、太平天国の乱、清仏戦争、日清戦争、義和団事件、日露戦争など、中国は半植民地化し、清は滅亡の道を歩んでいた。この内憂外患の危機の時代にあって、明確で戦略的な国家像をもってはいなかったが、臨機応変に現実的な対応をしつつ、咸豊帝の弟や東太后と結んで有力官僚を粛清して幼少の同治帝を使って垂簾聴政の道を切り開いてから死去するまで、じつに47年もの長きにわたって女性でありながら、権力をにぎり続け、失脚しなかった。異例ともいうべき長期の専権行使は、注目に値する。

この間、曾国藩らの洋務派を改革の必要があると判断して登用し、息子の同治帝の親政を妨害し、同治帝死後は、自分が選んだ光緒帝が康有為らの変法派の影響をうけると保守派と結んでクーデタをおこして排除した。さらに義和団事件では、庶民の力を利用して帝国主義列強の排除をめざして宣戦布告しながら敗北した。北京議定書（辛丑和約）締結後、再度権力を掌握し、帝国主義列強にもその存在を容認させ、そして今度は変法派の改革案そのままに科挙の廃止など清朝の改革を進め、清朝の延命を図った。

ならって議会制の立憲君主制をうちたてることが必要であると主張した。康有為や梁啓超らがおこしたこの運動を変法運動（1895〜98年）という。彼らの主張はやがて光緒帝〈位1875〜1908〉を動かし，1898年（戊戌の年）に変法は実行に移された。しかし，その成果はあがらず，かえって西太后を動かした保守派に弾圧され，新政は3カ月余りで失敗した。これを戊戌の政変という。康有為らは亡命し，光緒帝は幽閉され，西太后がふたたび政治を動かすようになった。

東アジアにおける列強の勢力圏

　戊戌の政変の頃，国内では民衆の排外運動が激しくなっていた。すでに1860年の北京条約で清朝がキリスト教の国内布教を認めて以来，教会の建設や宣教師の布教活動，信者の行動などが，風俗・習慣のちがう中国民衆の反発を招き，各地でキリスト教に対する反対運動（仇教運動）がおこっていた。その動きは，日清戦争以後ますます激しくなり，山東省での義和団の蜂起となって爆発した。キリスト教の排斥や扶清滅洋をかかげた運動は華北から東北に広がり，1900年には，公然と首都北京に出

**義和団事件に共同出兵した連合軍の兵士たち**　左からイギリス，アメリカ，ロシア，イギリス領インド，ドイツ，フランス，オーストリア，イタリア，日本の各国兵士。

226　第8章　帝国主義時代の始まりと第一次世界大戦

**中国というケーキをわけあう列強** 帝国主義諸国の指導者たちを描いた風刺画。左からヴィルヘルム2世(独)、ルーベ大統領(仏)、ニコライ2世(露)、明治天皇(日)、ローズヴェルト大統領(米)、エドワード7世(英)。

入りして、外国人をおびやかすようになった。このため8カ国が居留民の保護を名目に共同出兵にふみきった。清朝内部では、義和団の是非をめぐる論争のすえ、保守排外派が反対派をおさえ、各国に宣戦を布告した。しかし、清はたちまち敗北して連合軍に北京を占領され、翌年結ばれた北京議定書(辛丑和約)で、多額の賠償金支払いや外国軍隊の北京駐留などを認め、中国の半植民地化を深めた。

## 中国の革命と共和政の成立：辛亥革命・中華民国の成立

　清朝では、義和団事件ののち、官制や教育制度を改めるなど諸改革を進め、1905年には長い伝統をもつ科挙を廃止した。また立憲準備もはじめられ、1908年には憲法大綱を発表して議会の開設を公約した。当時、外国にうばわれた利権の回収運動を進めていた民族資本家たちはこれを支持し、その早期実現を求めた。同じ頃、清朝を倒して漢民族の主権国家を建設しようとする革命運動が留学生や華僑を中心に進められていた。1905年、興中会の指導者孫文は、日本の東京で革命諸団体を結集し、中国同盟会を組織して民族・民権・民生の三民主義をとなえ、革命勢力の強化をはかった。

　1911年、清朝は責任内閣制をとったが、その内容は満州人貴族を中心に支配体制をかためようとするものであった。しかもこのとき、財政難解消のために幹線鉄道を国有化して、それを担保に外国からの借款をえようとしたことから、各地で反対運動がおこり、四川では暴動となった。

## 孫文の関連史跡

「三民主義」(民族・民権・民生) をかかげ，新しい中国の建設に一生を捧げ，辛亥革命で中心的役割をはたした革命家孫文は中国本土のみならず，台湾 (中華民国) でも「民族運動の先駆者」「国父」として尊敬されて関係施設が整備されている。親日家でもあったことから，日本にも関係史跡がある。

そもそも孫文は孫逸仙または孫中山ともよばれ，逸仙は男子が成年後につける「字」であり，「中山」は本名や字以外につける「号」である。「文」という表記を使わないのは，孫文があまりにも偉大なために本名をよびすてにはできないという感覚があり，中国ではおもに「中山」，欧米では「逸仙」を使っている。

「中山」という名称は，中国や台湾の各地でみかけることができる。中国本土では南京に「中山陵」という孫文の大きな墓廟があり，東隣りには「中山紀念館」があり，三民主義の全文が刻まれ，入口には支援者の1人である日本人梅屋庄吉 (映画の日活の創始者) が送った胸像もある。広東省中山市にある孫中山故居紀念館は孫文の屋敷を改装した博物館で，愛国主義精神と思想体系，革命実践を紹介している。また広州市には広州市民や華僑の寄付で建設された中山紀念堂があり，観光名所の一つとなっているし，孫文が設立した中山大学という名門大学もある。マカオにも國父紀念館があり，上海にも孫中山文物館があって，孫文死後も妻宋慶齢が住み続けた孫中山故居がすぐ隣りにある。台湾には台北に国父紀念館があり，公園や道路にも「中山」に由来する名が冠されている。日本では兵庫県神戸市舞子公園に孫文関係の資料を展示する孫文記念館 (移情閣) がある。この建物は中国人実業家がたてた建物であるが，孫文が1913年3月に神戸を訪れたとき，神戸の中国人や政・財界有志がひらいた歓迎の昼食会の会場になった。

いずれにせよ，孫文の思想と行動は多くの人びとに感銘を与え，先駆者としての試行錯誤はあったにせよ，近代中国建設にはたした役割は大きかった。

このため同年10月10日，武昌の軍隊が蜂起し，革命の口火をきると (辛亥革命)，たちまち各省に広がり，1912年1月，南京に孫文を臨時大総統とする中華民国が成立した。清朝は革命がおこると，袁世凱を起用してこれに対処させた。袁は革命勢力が未熟なのをみて，清帝の退位を条件に臨時大総統の地位を袁がゆずりうけるという密約を革命側と結んだ。この結果同年2月，宣統帝溥儀〈位1908～12〉は退位し，清朝の支配はおわった。

228　第8章　帝国主義時代の始まりと 第一次世界大戦

## 中国の軍閥政権と文学革命

　革命後，中国同盟会は解体し，あらたに国民党が結成され，議会勢力の確立がはかられた。袁はこれを弾圧し，正式な大総統となって独裁権を強め，1915年末には帝政復活を宣言した。しかし，内外の反対をうけたため翌年これをとりけし，まもなく病死した。以後の民国では，軍閥が政権を争う不安定な時代がはじまった。

　政治の不安定ななかで，民衆のなかに新しい思想を根づかせる必要性から，文学・思想界では儒教道徳を否定して科学と民主を重視する気運が高まり，陳独秀や胡適らによる文学革命が進んだ。陳独秀は啓蒙雑誌『新青年』を刊行し(1915年)，胡適は白話(口語)運動をとなえ(1917年)，魯迅はこれを実践して『阿Q正伝』(1921～22年)などの作品をあらわした。運動の中心をなした北京大学では，李大釗らによるマルクス主義の研究もはじまった。


## インド・東南アジアの民族運動

　インドでは，19世紀後半になると，綿工業を中心に民族資本が成長した。また，都市の労働者が待遇改善運動をおこすようになり，農村では地主への土地集中で貧困化した農民がしばしば暴動をおこした。近代教育をうけた知識人もふえ，彼らはイギリスのインド人差別に不満をいだきはじめた。

　1885年，ボンベイ（現ムンバイ）で第1回のインド国民会議がひらかれた。これに参加したのは穏健な知識人たちであったが，しだいに民族意識を強め，1905年にヒンドゥー・イスラーム両教徒の対立を利用して反英運動を弱めようとするベンガル分割令がだされるとこれに反対し，ボイコット（英貨排斥）・スワデーシ（国産品愛用）・スワラージ（自治獲得）・民族教育の4綱領を採択してイギリスと対決した。一方，ヒンドゥー教徒を主体とする政治組織である国民会議派の運動に少数派としての不安をもったイスラーム教徒の指導者たちは，1906年に親英的な全インド・ムスリム（イスラーム教徒）連盟を組織した。

　東南アジアでも，このころから民族運動がさかんになりはじめた。フィリピンでは知識人による民族運動に続いて大規模な反スペイン反乱がおこり，1898年，アメリカ・スペイン（米西）戦争を機にアギナルドを指

導者として独立を宣言したが，アメリカに鎮圧された。ベトナムでは，20世紀初め，ファン・ボイ・チャウの東遊（ドンズー）運動（日本へ留学生を派遣する運動）がおこり，反仏独立をめざした。インドネシアでも1910年前後から民族主義団体があいついで結成された。このように国ごとに時期的なずれがあるが，多くの国々で民族運動が展開され，その波は第一次世界大戦後にいっそう高まることになった。

### 西アジアの民族運動

オスマン帝国では，立憲政治をかかげる「青年トルコ人」（統一と進歩委員会）が，1908年に決起し政権を獲得した（青年トルコ革命）。彼らはミドハト憲法を復活させ，内政改革を推し進めようとした。しかし，政情は安定せず，イタリア・トルコ戦争，第1次バルカン戦争の敗北によって混迷が深まった。

イランでは，財政危機を外国への利権譲渡によってきりぬけようとするカージャール朝政府に対して民衆の不満が高まり，抗議の運動があいついだ。とくにイギリスの利権に反対したタバコ・ボイコット運動は，大衆的性格を帯びた。1905年には，第1次ロシア革命の影響で立憲運動がおこり，翌年，憲法が発布された（立憲革命）が，11年，ロシアの軍事干渉により，革命は挫折した。シーア派の宗教指導者（ウラマー）は，これら一連の運動を指導し，その社会的な影響力を強めた。

## 4 列強の対立激化と三国協商の成立

### 日露戦争

義和団事件以後，ロシアは中国東北から朝鮮への支配を広げようとし，朝鮮へ進出する日本はこれに脅威をおぼえた。1902年日本とイギリスはロシアに対抗するため日英同盟を結び，アメリカもこれを支持した。一方ロシアの背後には露仏同盟で結ばれたフランスと，ロシアの極東進出を支持するドイツとがいた。日露戦争（1904〜05年）はこうした国際対立を背景にひきおこされ，開戦後約1年間，日本は中国東北で連勝し，ついで日本海海戦でロシア艦隊を破った。

# 東アジアのナショナリズムの二つの進路

19世紀なかば，あいついで開国した東アジアの中国・日本・朝鮮は，帝国主義列強の再分割競争が激化するなかで，それぞれ別の道を歩んだ。

植民地化が進む清朝の中国では，腐朽した異民族の専制政治に対して，と同時に帝国主義の強まる搾取や支配に対しても戦わねばならず，このなかでしだいに民衆は民族主義（ナショナリズム）にめざめていった。とくに日清戦争は中国の知識人に深刻な衝撃をあたえ，康有為や梁啓超などの変法派の知識人は，日本の明治維新以来の改革を模範とすべきと主張した。その後，変法運動に失敗すると，彼らは日本に亡命し，梁啓超の場合，日本の文献をつうじて精力的に西洋近代の政治思想を吸収し，改革・愛国を鼓吹して，中国のみならず朝鮮やベトナムなど東アジアの知識人に多大な影響をあたえた。革命派の孫文も三民主義をかかげて，日露戦争勝利後の東京で中国同盟会を結成している。

一方，日清戦争に勝って強国への道を歩む日本は，義和団事件や日露戦争の勝利をつうじて帝国主義列強の仲間入りをした。アジアの一員である日本の躍進はアジア諸民族を勇気づけた。インドではベンガル分割令反対運動が鼓吹され，ベトナムのファン・ボイ・チャウが日本へ留学生を送る東遊（ドンズー）運動をはじめるなど，東南アジアの民族主義者を刺激し，さらに西アジアのイスラーム教徒や，ロシアに圧迫されている諸民族まで影響をあたえた。しかし，日本は日露戦争で勝利したあと朝鮮の植民地化を進め，中国東北地方南部の利権をロシアから継承したことにみられるように，日本の国民主義（ナショナリズム）はしだいに近隣の他民族を抑圧する膨張主義的国家主義（ナショナリズム）へとかわっていった。

この日本の膨張主義の直接の犠牲になったのが，朝鮮であった。日清戦争では中国（清），日露戦争ではロシアという，植民地支配の競争相手を日本は排除することに成功した。すなわち前者では中国からの朝鮮の独立を認めさせ，後者の頃から韓国（1897年以降，大韓帝国と改号）への介入が3次にわたる日韓協約によって強化され，反日義兵闘争を弾圧しつつ併合への道を歩んだ。

しかし日本の戦力はここでつき，ロシアも国内で革命がおこったため，アメリカ合衆国の斡旋により1905年ポーツマスで講和条約が結ばれた。ロシアはこの敗北で東アジアへの進出をあきらめ，以後ふたたびバルカン方面にむかった。そして日本は南樺太（サハリン南部）を領有し，朝鮮や遼東半島南部を勢力圏として手にいれ，韓国における武装抗日闘争（反日

義兵闘争）を弾圧して，1910年には韓国を併合した。

　日本の勝利は，日本が列強の一員となり，帝国主義的海外進出をはたしたことを示すとともに，その一方でヨーロッパの植民地支配に抵抗していたアジア各地の民族運動に希望をあたえた。

**反日義兵部隊**　朝鮮では，国家の危機に際して自発的にたちあがった人びとを義兵とよぶ。19世紀末から20世紀にかけて，反日をとなえる義兵闘争がくりかえされた。

## 三国協商の成立

　日露戦争後，世界情勢のあらたな展開がはじまった。すでに戦争中からイギリスはフランスに近づき，この二大植民地帝国は世界中で両国間にあった対立を解消し，とくにエジプトとモロッコをたがいに相手国の保護領と認めあって，1904年英仏協商を結んだ。ついでイギリスとロシアも，中国での対立が緩和したので接近しはじめた。そしてドイツの中東への進出とイランでの立憲革命の高まりが直接の動機となり，英露両国はイランや中央アジアでたがいの勢力圏を確認しあいながら，1907年英露協商を結んだ。この英・仏・露の友好関係を三国協商というが，これは3国の植民地支配体制維持をめざすとともに，ドイツが中心となった三国同盟に対抗してヨーロッパの勢力均衡をはかる協定であった。一方，三国同盟では，イタリアがオーストリアとの対立からフランスに近づきはじめていたので，ドイツは民族問題になやむ弱体なオーストリアだけを実質的な同盟国として，しだいに孤立を深めていった。

## 英・独の対立

　日露戦争後，英・露にかわって英・独の対立がうかびあがった。それは世界市場ですでに卓越した地位を占める植民地帝国（英・仏など）と，「日のあたる場所」におくれた新興の帝国主義国（独・伊など）の対立を代表していた。両国は世界市場で激しい経済競争を展開したばかりか，1898年ドイツが大艦隊建造にのりだしてから，海軍力増強をめぐって建艦競争が激しくなった。1905年ドイツはイギリスとフランスの関係をさくた

め第1次モロッコ事件をおこしたが，かえって国際的に孤立し，英・仏の協力関係は強まった。また1911年の第2次モロッコ事件でも，イギリスはフランスを支持してドイツとの戦争も辞さない強硬態度をとったため，ドイツの外交攻勢は二度とも失敗におわった。

　一方，1903年以来ドイツはオスマン帝国から敷設権をえてバグダード鉄道の建設を進め，ベルリン・ビザンティウム（イスタンブル）・バグダードを結ぶ3B政策を本格化し，対外進出の重点を中東方面に移した。しかしドイツの3B政策は，解体しかかったオスマン帝国に野心をもつ他の列強との摩擦を増大させ，とくに地中海への出口ダーダネルス・ボスフォラス両海峡の支配をめざすロシアと，ドイツの急速な進出を3C政策への挑戦とうけとるイギリスとがこれに反発した。

## バルカン問題

　これとともにバルカン半島での紛争も国際対立をいっそう激化させた。半島の諸民族はオスマン帝国の支配から独立しながら，それぞれ国内の政情が不安定なうえ，領土的な野心をもっていた。ここには列強，とくにロシアとオーストリアがはやくから進出していたが，ロシアはパン・スラヴ主義を旗印にスラヴ系諸民族の結集をはかり，一方オーストリアはこの影響で国内が不安定になることを恐れ，ドイツの支持をえて，バルカンなどのオスマン帝国領進出政策で対抗した。

　1908年，オスマン帝国内で革命（青年トルコ革命）がおこり，ブルガリアが独立すると，オーストリアがスラヴ人の住むボスニア・ヘルツェゴヴィナ2州を併合した。これに対抗してロシアは，1912年セルビア・ブルガリアなどをバルカン同盟に結束させた。しかし，同盟側は同年，オーストリアではなくオスマン帝国と開戦し（第1次バルカン戦争，1912〜13年），さらにオスマン帝国からえた領土の分配をめぐり，ブルガリアとセルビアその他の国々がまた争った（第2次バルカン戦争，1913年）。敗れたブルガリアは以後ドイツ・オーストリアに接近したが，セルビアの勝利はロシアのパン・スラヴ主義の勝利を意味し，オーストリアは大きな打撃をうけた。こうしてバルカンでは大国の利害と小国の膨張主義的野心が複雑にからみあい，「ヨーロッパの火薬庫」といわれた同地域での紛争が，全ヨーロッパに広がる危険な情勢がつくりだされた。

4　列強の対立激化と三国協商の成立　233

## 「世紀末」の技術と文化

　この時代，第2次産業革命の進展により，生産は飛躍的に増大し，世界をつなぐ交通や情報伝達のはやさは何倍にも高まった。それはまた軍事技術と結びついて，やがてみるように，第一次世界大戦で戦争の規模と災害をいまだかつてないほど大きくすることになった。

　一方，「世紀末」の文化は，表面上のはなやかさにもかかわらず，社会不安や戦争の危機をうつして，ヨーロッパの近代文明に対する深刻な反省をうんでいた。哲学者ニーチェはキリスト教や民主主義の形式化を強く批判し，人間の内面的な「生」や「権力への意志」を強調した。またドイツの新カント派哲学は，文化や歴史現象の，自然科学と異なる特殊性に注目し，社会学者ヴェーバーがこの立場から資本主義の社会や政治に深い洞察を示した。さらに芸術の分野では東洋(中国趣味や日本趣味)やアフリカなど，海外の文化をとりいれつつ，新しい芸術潮流(「世紀末芸術」)がうまれた。19世紀末から20世紀にかけて，大衆社会に対応し，芸術を生活のなかにとりいれようとする動きがあるいっぽうで，象徴主義・表現主義・超現実主義などが登場し，主観的な傾向が強まった。

## 20世紀の始まり

　20世紀は他の世紀とは異なるいくつかの特徴をもっている。第1に，国民すべての生活と経済をまきこむ総力戦体制のもとで，戦争がおこって数百万人，数千万人の死者をだしたことである。19世紀の大きな戦争である南北戦争の死者は約60万人であった。20世紀前半はまさに「戦争の世紀」であった。第2に，ロシア革命が1917年に成功して社会主義国家が登場し，90年代にソ連が消滅するまで，20世紀の大半は，ソ連およびソ連に同調する諸国（東側）と，アメリカおよび西欧諸国（西側）の東西対立が国際関係の基軸となった。第3に，ナショナリズムが高揚したことである。ナショナリズムは時と場所によって「国民主義」「国家主義」「民族主義」の三つに訳され，その性格は多様である。とくに第二次世界大戦後の場合，欧米諸国による植民地からの解放というかたちをとった運動がアジア・アフリカで大きなうねりとなった。さらに冷戦終了後は東西対立の枠組みが崩壊したことにより，偏狭なナショナリズムの動きもあらわれている。

## ジャポニスムの背景

ジャポニスム（フランス語でJaponisme，英語ではJaponism ジャポニズム）は19世紀後半に開催された万国博覧会への展示をきっかけに浮世絵，琳派，工芸品などが注目されて，印象派やアールヌーヴォーの作家たちに影響をあたえた「日本趣味」のことを意味している。ゴッホ，モネ，ルノワール，ドガ，マネ，ゴーガン，マティス，セザンヌらの印象派の画家，アールヌーヴォーの画家としてはドーム，ミュシャ，ギマールなどに影響をあたえ，またルイ・ヴィトンのダミエキャンバスやモノグラムキャンバスは，日本の市松模様や家紋の影響をうけたとされている。

ジャポニスムを考察するとき，単に日本の絵画による西洋絵画に対する影響だけにおわらせてはならない。西欧の画家たちは日本の文化の実像を詳細かつ正確に理解しようとしたのではなく，自分たちに必要かつ刺激をうけた範囲で，「遠くて見知らず，しかもエキゾチックで，ちょっと興味深い」というまなざしで，日本の絵画（浮世絵，北斎漫画，琳派など）の技法をとりいれ，流行になったにすぎないのである。キュビスム（立体主義）に大きな影響をあたえたとされるアフリカの黒人アートも，あくまでも一時的であり，決してアフリカの民族運動や独立運動の支援にはつながっていない。プッチーニのオペラ『蝶々夫人』も同様であり，音そのものには政治性はないが，そのシナリオはあくまでもヨーロッパ側の男性の視点から構成されている。

この時期うまれた優生学や人類学などの新興の学問も，人間の頭蓋や身体各部位を計測したりすることで，ヨーロッパ人の優越を証明するための人種的な性格の強いものであった。ジャポニスムの背景には，こうしたヨーロッパ人のアジア・アフリカに対する軍事・経済・文化の優越意識があり，ほぼ同じ時期に黄色人種脅威論である黄禍論（イエロー・ペリル）が台頭し，第一次世界大戦後，日本の軍事的・経済的伸張が顕著になると，ジャポニスムは急速に後退して消滅した。

第4に，大量生産・大量消費の経済システムがうまれたことから，大都市の誕生とその巨大化，都市生活の基準としてのホワイトカラーなどの新中間層の消費生活様式，それを最初にはじめたアメリカの生活様式（アメリカンスタイル）が世界に普及したことである。文化もプロスポーツ・ジャズ・映画・ラジオ，第二次世界大戦後はテレビなどの大衆文化がひろく生活に定着した。第5に，オスマン帝国・ロシア帝国・オーストリア＝ハンガリー帝国など，特定の家系が皇帝を継承する多民族国家が崩

## 新常識 20世紀とは何か

20世紀とはどのような特徴をもつ世紀と考えるか，歴史家の試みが少しずつはじまっている。その一つが「短い20世紀」と「長い20世紀」の二つの考え方である。「短い」とか「長い」というのは，20世紀を考えるうえで，暦上の100年間より短い期間内で20世紀の特徴を示すことができる場合を「短い20世紀」とし，暦上よりも長い期間にわたる場合を「長い20世紀」という。

「短い20世紀」の考え方では，第一次世界大戦中におこった1917年のロシア革命でソヴィエト政権という社会主義国家が誕生したことにより，社会主義対資本主義の両陣営が対立するという基本構図ができたとする。第二次世界大戦では全体主義諸国との戦争で両陣営は同盟関係を形成することになったが，基本的には両陣営の対立は続き，第二次世界大戦後の冷戦を経て，1989年にブッシュ（父）アメリカ大統領とソ連共産党書記長ゴルバチョフが地中海のマルタ島で会談して冷戦の終結を宣言し，そしてその後の社会主義国家ソ連と東欧社会主義圏との消滅によって，20世紀は終了したとする。

しかし，この「短い20世紀」の考えはヨーロッパ中心の歴史観に裏づけされているとして，「長い20世紀」を主張する学者があらわれた。彼らは20世紀の特徴を，支配された地域に住む人びとの軍事的・政治的・暴力的植民地支配から脱しようとする動きと考え，その始まりを19世紀の最終四半世紀や1870年代に求めた。そしてアフリカ分割，それに続く中国・東南アジア・太平洋地域の分割など，ヨーロッパ諸国の帝国主義的侵略の暴力性について言及している。この動きは20世紀における二つの大戦を経て，アジア・アフリカの民族運動において，各地の指導者のもと独自な展開をみせて徐々に，しかし確実に脱植民地化・独立化を進めることになった。

そして21世紀になった現在でも，中国におけるチベット弾圧やウイグル人の独立運動が今なお続く新疆，ロシアによるチェチェン民族運動の弾圧，クリミア併合（292ページのコラム参照）など，抑圧された人びとの解放が模索され，この意味で「長い20世紀」が今日でも続いているとする。

壊し，一定の領域に主権を行使する国民国家が主流となった。民族が異なっていても，「国民」としての自覚をもたせるために初等教育の義務化・無償化が，欧米や日本では19世紀末から整備されはじめ，20世紀にはいるとそれが世界各地に定着した。しかし一つの国が一つの言語と文化に統合されることは少数民族文化の抑圧につながることもあるため，21世紀の現在，反発がおこっている地域もある。

## 5　第一次世界大戦

### 大戦の勃発
　バルカンでの紛争を中心に国際緊張が続いていた1914年6月，ボスニアのサライェヴォでオーストリア帝位継承者夫妻がセルビアの青年に暗殺された。1カ月後，オーストリアはドイツの支持をえて，バルカンでの劣勢を一挙に挽回するためセルビアに宣戦した。約1週間のちに，ヨーロッパの列強は連合国・同盟国のいずれかにつき，大戦争に突入した。

### 戦局の推移
　ドイツは開戦後すぐに中立国ベルギーに侵攻して北フランスに侵入し，また東部でもロシア軍を撃破したが，東西ともに決定的な勝利はえられず，戦線は膠着した。この間に日本・オスマン帝国も参戦し，戦線は中東や東アジアにも広がった。さらに1915年イタリアが連合国側に参戦し，ドイツ・オーストリア軍は東欧とバルカンで占領地を広げたが，海上ではイギリスにおさえられ，完全に封鎖された。この苦境を打開するため，ドイツは1916年2月，西部戦線のヴェルダンで大攻撃にでたが，フランスはこれをふせぎ，6月には英仏軍がソンムで反撃し，双方とも毒ガス・

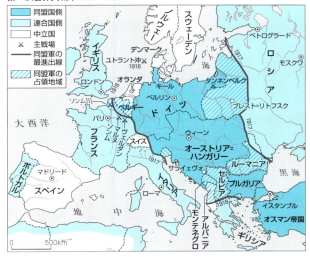

第一次世界大戦中のヨーロッパ

**サライェヴォ事件**　1908年，オーストリアがボスニア・ヘルツェゴヴィナを併合したことで，同地の併合をのぞんでいたセルビアの反オーストリア感情が高まっていた。写真は1914年6月，狙撃される直前のオーストリア帝位継承者夫妻。

戦車・飛行機など新兵器をくりだして死闘を展開した。

## 諸国の国内情勢

大戦がはじまったとき，各国政府はこの戦争を正義の戦いとよび，開戦前に戦争反対をさけんでいた各国の社会主義政党も，一部左派をのぞき戦争に協力した。しかし戦争が長びくにつれて，国民のあいだに不満が高まった。そこでこのような空気をおさえて，総力戦の体制をつくる努力がおこなわれた。

**軍需工場で働く女性** 総力戦となった第一次世界大戦は，戦場と銃後の別なく，国民の経済や生活をまきこんだ。開戦とともに各国の軍需工場には，労働力の不足をおぎなうため，非熟練労働者や女性が動員され，武器弾薬の大量生産をおこなった。

英仏両国は，それぞれ植民地から原料や労働力を導入して国民の負担を軽くすることができたが，植民地や海外市場を失った同盟国側では，物資の不足，国民生活の窮迫がはなはだしかった。ドイツは戦争を続けるために，経済統制を強め，さらに一般男性を工場に強制徴用した。そして1917年から軍部独裁が出現するいっぽう，独立社会民主党の反戦運動や労働者のストライキも国内に広がっていった。

## 大戦下の植民地・従属国

大戦の主戦場はヨーロッパ大陸であったとはいえ，戦争は中東や東アジアの一部にも広がった。そのうえ総力戦になったこの大戦では，本国はもちろん，植民地や従属国の民衆まで「血と汗」の犠牲をはらわされた。イギリスはインド人150万人を兵士や労働者としてヨーロッパや中東の戦場に送り，また多額の献金や食糧・原料の調達を植民地にたよった。このほか，中国・インドシナ・北アフリカ諸国からも多くの人員が，ヨーロッパ各地に送られ，英仏両国の戦争遂行に協力した。

このような大きな犠牲に対し，本国政府は植民地・従属国に将来の独立や自治の口約束をあたえただけで，かえって，イギリスの「インド防衛法」(1915年)やエジプトでの直接統治実施のように，植民地支配が強化された。

しかし経済の面では，本国経済の圧力が弱まったために民族資本によ

る工業も発達した。たとえばインドでは，本国から軍服や軍靴，鉄道レールの注文がふえたので，民族資本による紡績や製靴工業が成長し，製鉄工業さえおこった。また中国でも紡績業や製粉工業が発達し，1913年には65万人にすぎなかった工場労働者数が，19年には約3倍にふえた。

　こうして第一次世界大戦は結果的にヨーロッパ列強による植民地支配体制を大きくゆるがせ，植民地・従属国で成長した民族資本家は，労働者とともに，戦後各地で高まる民族独立運動の推進力になったのである。

## 大戦中の秘密外交

　大戦中，交戦国はそれぞれ味方や中立国に対して，戦後の領土や勢力圏の再配分を約束する秘密外交を展開した。連合国はイタリアに「未回収地」の回復を約束し，ロシアにはダーダネルス・ボスフォラス両海峡の支配権，フランスにはアルザス・ロレーヌの領有を保証した。一方，同盟国も，東欧やバルカンでの領土拡張を中心に，ヨーロッパ大陸の支配を戦争の目的にうたっていた。また列強は協力する中小国に領土を約束し，植民地には戦後の自治や独立の空約束をあたえた。とくにイギリスはインドに自治を約束し，またオスマン帝国治下のアラブ人にはフセイン・マクマホン協定（1915年）を結んで独立運動を支援し，ユダヤ人にはバルフォア宣言(1917年)を発して民族的郷土をつくることを約束した。

　日本は中国や太平洋でドイツの権益をうけついだうえ，1915年中国の袁世凱政府に山東省や中国東北・モンゴルにおける権益を中心に広範な特権を求める「二十一カ条の要求」をだし，最後通牒をつきつけてその大部分を承認させた。

## 戦争の終結

　1917年に大戦は最終段階にはいった。ドイツはこの年2月イギリスを逆封鎖する無制限潜水艦戦にうったえたが，これはかえってアメリカ合衆国の参戦を招くことになった(同年4月)。一方，政治・経済体制のおくれから長期戦にたえられず，軍需品・食糧の不足になやんでいたロシアでは，3月ついに革命がおこった。そして11月にソヴィエト政権が成立すると，ロシアは戦線からはなれ，翌18年3月ドイツと単独講和を結んだ(ブレスト・リトフスク条約)。

5　第一次世界大戦　239

# パレスチナ問題の淵源

パレスチナ問題とは，パレスチナをめぐる「ユダヤ人」と「アラブ人」の紛争のことをさし，19世紀後半に顕在化し，20世紀初めに矛盾が深刻化し，21世紀をむかえた現在も解決にいたっていない。パレスチナという名称は，「ペリシテ人の国」を意味するフィリスティアに由来し，ローマ帝国の支配下においてはシリアの行政区分の一つであった。

ユダヤ人のパレスチナへの入植はすでに1840年代にみられ，80年代に移住が増加するが，両民族の対立が深刻化するのは，第一次世界大戦中にイギリスのとった外交政策が原因であった。イギリスは1915年のフセイン・マクマホン協定のなかで，戦後のアラブ独立支援を約束するいっぽう，16年のサイクス・ピコ協定では，フランスとのあいだで大戦後のアラブ世界の分割をとりきめ，17年のバルフォア宣言においては，ユダヤ人に対してパレスチナにおける民族的郷土の建設支持を表明した。このイギリスの「三枚舌外交」ともいうべき矛盾に満ちた外交政策が問題を深刻化させ

た。結局，サン＝レモ会議において，サイクス・ピコ協定のとりきめにしたがったかたちで，現在のレバノン・シリアはフランスの，パレスチナ・トランスヨルダン・イラクはイギリスの委任統治下におかれることになった。

その委任統治の開始とともにユダヤ人の移住が本格化し，パレスチナにおけるユダヤ人人口は急激に増加し，アラブ人の不満は高まった。アラブ主義をかかげる急進的政党が躍進し，パレスチナ独立のために民主的政府の樹立とユダヤ人移民の停止，土地売却の禁止を要求する運動を展開した。そして第二次世界大戦後には，国連の分割案をきっかけにイスラエルが独立したことで4回の中東戦争が勃発し，イギリスは撤退したが，かわってアメリカがユダヤ人の新しい擁護者となり，アフガニスタンやイラクなどへの軍事介入をくりかえしたことから問題はますます深刻化している。とくにガザ地区ではイスラエルがその周囲に高い壁をつくったことから，ガザは「天井のない監獄」とよばれる状態になっている。

ロシア革命によって世界戦争の一角はくずれたが，さらにソヴィエト政府の和平よびかけ，秘密外交の暴露は全交戦国民に衝撃をあたえた。アメリカのウィルソン大統領は1918年1月に十四カ条の平和原則を発表して動揺をしずめようとした。一方ドイツは，対露講和を成立させた3月から西部戦線で最後の大攻勢にでたがついに力つき，11月には降伏と同時に国内で革命がおこった（ドイツ革命）。こうして5年にわたる大戦争は二つの革命をひきおこし，同盟国側の敗北でおわった。

第**9**章

# ヴェルサイユ体制と第二次世界大戦

## 両大戦間の世界情勢

第一次世界大戦前の世界秩序は，総力戦とロシア革命の衝撃によって大きくゆらいだ。ヨーロッパの力と役割は小さくなり，かわってアメリカ合衆国の経済力が世界を左右するようになった。しかしアメリカにはまだ世界政治を指導する力量と経験が欠けていた。一方，新しい社会主義国ソ連は，世界革命を断念したあと，困難な条件のもとで国家建設にとりくみ，また民族自決を求める運動や思想も植民地・従属国に広がった。しかし帝国主義の世界支配はなお続き，それは英・仏・米など第一次世界大戦の戦勝国を中心に再編成されたにすぎなかった。そのため敗戦国ドイツをはじめこの世界秩序のなかで脇役をつとめる国々は現状に不満をいだき，独・伊・日ではファシズムやそれに似た政治体制がうまれて国際対立が激化し，世界はふたたび，さらに大規模な世界戦争に突入した。

## 1 ロシア革命とヴェルサイユ体制

### ロシア革命

ロシアでは1917年3月，首都ペトログラードで戦争の重圧にたえかねた労働者や兵士がストライキや反乱にたちあがった。反乱はほかの都市にも広がり，各地に労働者や兵士のソヴィエト（評議会）がつくられた。政府は事態をおさめられず，帝政はあっけなく崩壊した（三月革命，ロシア暦二月革命）。その後国会の立憲民主党を中心につくられた臨時政府が

戦争を続け，ロシア社会民主労働党が分裂してうまれたメンシェヴィキ
や社会革命党が多数を占めるソヴィエトもこれを支持した。しかし4月
初めボリシェヴィキ（のちに共産党と改称）の指導者レーニンが亡命先から
帰国し，「すべての権力をソヴィエトへ」（「四月テーゼ」）をかかげて臨時
政府を批判すると，ソヴィエト内でボリシェヴィキの力が急速にのびた。
また全国では，農民が地主から土地をとりあげることを求めて反乱をお
こし，さらに少数民族の民族自決を求める闘争がこれに合流した。臨時
政府はなお戦争を続けながらボリシェヴィキを弾圧しようとしたが，反
革命派の反乱にあって失敗した。11月，ボリシェヴィキは首都で武装蜂
起し，社会革命党左派とともにソヴィエト政権を樹立した（十一月革命，
ロシア暦十月革命）。

## ソヴィエト政権の政策

　新政府はただちに休戦し，大地主の土地を没収し，土地の私有を廃止
したうえで農民に分配し，重要産業や銀行を国有化した。また全交戦国
に無併合・無償金・民族自決の原則による平和をうったえたが，ききい
れられなかったので，1918年3月ブレスト・リトフスク条約でドイツと
単独講和を結んだ。しかし革命後の国内情勢は新政府にとってきわめて
きびしく，憲法制定議会の選挙でも，農民に支持された社会革命党が第
1党になったので，ボリシェヴィキは議会を解散し，プロレタリア独裁
体制を確立した。

## ドイツ革命

　一方，ドイツでも敗戦が明らかになり，軍部独裁が倒れたのち，1918
年11月初めキール軍港で水兵が反乱をおこし，革命はたちまち全国に広
がった。共和政が宣言されて，各地に労働者や兵士の評議会（レーテ）が
設立され，首都ベルリンでは社会民主党と独立社会民主党からなる臨時
政府がうまれ，皇帝は亡命した。臨時政府は11月11日連合国と休戦条約
を結び，一方で革命の急進化をおさえ，秩序の回復につとめた。これに
反発した左派は評議会政府の樹立をのぞみ，19年1月共産党が武装蜂起
にたちあがったが（スパルタクス団の蜂起），臨時政府の武力により鎮圧さ
れた。

第一次世界大戦後のヨーロッパ
① ルール
② ラインラント
③ ロレーヌ
④ アルザス
⑤ チロル
⑥ トリエステ
⑦ ポーランド回廊

## ヴェルサイユ体制の成立

　これとほぼ同時に1919年1月，パリで連合国の講和会議がひらかれた。アメリカ大統領ウィルソンは「十四カ条」を講和の原則にしようとしたが，対独報復をめざす仏・英の現実政治にはばまれ，結局6月に成立したヴェルサイユ条約はドイツにとってきわめてきびしい内容になった。ドイツは海外植民地をすべて失い，アルザス・ロレーヌをフランスに返還し，軍備も極端に制限された。一方，ほかの同盟諸国ともそれぞれ個別に講和条約が結ばれた。ヴェルサイユ体制とはこれらの条約がつくるヨーロッパ中心の戦後国際体制のことである。この体制はドイツを弱め，オーストリアやオスマン帝国などの旧帝国を解体して東欧やバルカンに小民族国家群をつくってソ連を封じこめ，革命の影響がヨーロッパに広がるのをふせごうとしていた。ヴェルサイユ条約はまた，国際連盟の設立をきめた。それは個々の国家間の条約や軍事同盟にかわる平和維持機構として画期的な構想であった。しかしアメリカ合衆国が加盟せず，ドイツもソ連もしめだされていたうえ，イギリスやフランスは連盟をあまりに自国の利益本位に運営したので，国際連盟は本来の目的を達成できなかった。

## 対ソ干渉戦争とヨーロッパの革命情勢

　パリ講和会議の開催中，日・米・英・仏の4カ国はそれぞれソヴィエト領内に出兵し，干渉戦争(1918〜22年)を戦っていた。またソ連国内の

1　ロシア革命とヴェルサイユ体制　243

反革命派も反乱にたちあがり，革命政府は一時苦境におちいった。しかし外国の干渉はかえってロシア国民の愛国心を高め，政府は赤軍を増強して反撃したので干渉は失敗し，内戦もおわった。この危機のなかで，ソヴィエト政府は1919年3月世界の共産党が参加する第三インターナショナル（コミンテルン，1919〜43年）を設立し，世界革命を推進しようとした。当時ヨーロッパの各地で政情不安がなお続き，ドイツでは革命の急進化が阻止された19年1月以降も，左右両派の蜂起があいついだ。また19年の3月ハンガリーに共産党政権が成立したが，4カ月後フランスのあとおしで侵入したルーマニア軍によって倒され，翌20年春にはソヴィエト・ポーランド戦争(1920〜21年)がおこった。

# 2　大戦後のヨーロッパとアメリカ

## 東欧の新生諸小国

　大戦後の東欧ではドイツ・オーストリア・ロシアの3帝国が崩壊したあとにポーランド・チェコスロヴァキア・フィンランド・バルト3国（エストニア・ラトヴィア・リトアニア）・ユーゴスラヴィアなどの新国家がうまれた。これらの国々は大部分が農業国で，土地改革が不徹底なため民主政治がうまく根づかず，独裁政治におちいりやすかった。また東欧は民族の分布がひじょうに複雑だったので，各国とも国内にいろいろな少数民族をかかえ，紛争がたえなかった。ポーランドには1926年ピウスツキの独裁政権が成立し，ハンガリーでも19年にソヴィエト政権が倒れたあと独裁政権が24年間も続いた。唯一の例外は工業が発達したチェコスロヴァキアで，すぐれた指導者のもとで安定した民主政治が39年まで続いた。

## ヴァイマル共和国

　一方，ドイツでは1919年2月，ヴァイマル（ワイマール）共和国(1919〜33年)が発足し，社会民主党のエーベルト〈任1919〜25〉が大統領に選ばれた。しかし共和国はなお不安定で，とくに23年，賠償支払いの遅れを理由にフランスがドイツ工業の心臓部ルール地方を占領したため，経済

244　第9章　ヴェルサイユ体制と第二次世界大戦

が混乱におちいり，破局的なインフレーションが進行した。その後24年，アメリカの仲介でドーズ案が成立し，ドイツはアメリカから資本を導入して経済を再建し，輸出をさかんにして英・仏に賠償金を支払う経済復興の基本線がしかれた。これとともに共和国はようやく安定期をむかえ，外相シュトレーゼマンのもとで協調外交を展開し，25年にはロカルノ条約を結んで，ドイツ・フランス・ベルギーの国境不可侵を約束し，その代償として翌26年に国際連盟に加盟した。

## イギリスとフランスの停滞

　戦後，経済不振が著しかったのがイギリスで，国民の不満は労働党の進出をうながし，自由党が衰退した。労働党は保守党についで第2党になり，1924年には自由党とくんでマクドナルドが第1次労働党政権を成立させた。しかしこの連立内閣は，外交でソ連を承認したほかは，ほとんど成果をあげることなく，1年たらずで倒れ，以後保守党政権が続いた。

　このようなイギリス本国の力の衰えは，大英帝国の再編を余儀なくさせた。まず22年，イギリスはアイルランドを自治領として独立させ（アイルランド自由国）が，アイルランド人は完全独立を求め，37年には国名を「エール」，ついで49年にはイギリス連邦からも脱退した。26年と30年のイギリス帝国会議ではすべての自治領を本国と平等の国家とし，イギリス帝国をこのような諸国家からなる連邦とする方針を採択した（1931年ウェストミンスター憲章の成立により実施）。

　また大戦で大損害をうけたフランスでは，国民の対独復讐心が強く，これを背景に保守派が政権をにぎった。政府は対ソ干渉をおこない，1923年にはルール占領を強行した。しかし，いずれも失敗したため国民の不満が高まり，24年政府は倒れ，「左翼連合」政府が成立した。外相ブリアンはルール撤兵やロカルノ条約締結を実現し，ドイツのシュトレーゼマンとくんで協調外交を進めた。28年にはアメリカ合衆国国務長官ケロッグと協力して不戦条約を成立させている。

## イタリアでのファシズムの成立

　イタリアは戦勝国とはいえ，戦後の講和条約で領土要求が満たされず，また経済状況が悪化したため，国民の不満が高まった。戦後の2年間は

2　大戦後のヨーロッパとアメリカ　245

社会党が進出するいっぽう、農民や労働者の争議が激しくなり、とくに1920年北イタリアでは労働者が工場を占拠して革命前夜を思わせた。この間ファシスト党のムッソリーニは、中産階級の革命に対する恐怖心を利用して勢力をのばした。彼は22年「ローマ進軍」の大示威行進をおこない、資本家・地主・軍部は強力な政府の出現を期待してこれを支持し、

## ひと 巧妙な大衆操作 ムッソリーニ

　黒シャツ隊を使って反対派を暴力で攻撃し、ファシズムとよばれる全体主義的独裁国家をつくったムッソリーニ。国民統合のレベルからいえばヨーロッパのなかでも弱い部類に属し、都市や地域への帰属性のほうが強いはずのイタリアで、なぜこのような体制が浸透したのだろうか。

　彼の成功の秘訣は時宜にあった政策の実施である。自動車専用道網の建設、鉄道の電化、農地の改良などの公共事業を成功させ、さらには母子保険や労働災害保険などの社会立法の制定によって、第一次世界大戦後のイタリアが直面していた政治・経済・社会の不安を払拭した。そしてもっとも重要なのは、ムッソリーニが大衆を基盤とする政権を確立したことにある。

　そもそも彼は深くものを考えるタイプではなく、行動を重視した。演説の際にはテンポの変化、抑揚、強弱、言葉に注意し、数万人の巨大集会をひらいて大衆の前でみずから演説することを好んだ。国民軍の制帽をかぶり、おでこをそりあげ、あごを突きだして鋭い目つきで周囲をにらみまわすしぐさをともなって。ラジオなどのマスメディアの影響力を利用して大衆操作の手段とした。ドイツのナチ党も同じであるが、ファシズム体制下の国民はよく歌う。国家や独裁者をたたえ、郷土を愛し、同志と連帯し、青春を謳歌する内容が大半である。

　彼がはじめた制服の着用、軍隊式の行進、右手を挙げる敬礼など、ナチ党をふくめ、他のファシズム運動の模範となった。彼は変幻自在だった。あるときはつるはしを構えた労働者や脱穀機を操った農民を演じ、さらに上流階級や小市民を演じるために衣装に凝った。国民との距離を短くするためには、どのようなパフォーマンスもやってのけた。国民の各階層はその姿に自分たちの代理人としてのイメージを重ねあわせたのである。ファシズムは反体制派に対する強力な暴力装置をそなえているだけでなく、巧妙な大衆操作をとおして、「大衆の国民化」をめざす運動であった。

国王はムッソリーニを首相に任命した。政権をにぎったムッソリーニは，国内でしだいにファシスト党の独裁体制をきずき，国外ではフィウメを獲得し（24年），アルバニアにも勢力をのばすなど，国威を高めて国民の支持をえた。

## アメリカ合衆国の繁栄

　アメリカ合衆国の経済は大戦中にめざましい発展をとげ，ヨーロッパに対し債権国になった。さらに「繁栄の1920年代」には，アメリカ工業は自動車・電気家庭用品・電話・建築などを中心に，月賦販売制度の普及にもささえられて飛躍的な成長をとげ，世界経済の発展と大量消費社会への移行の推進力になった。また都市を舞台に映画・ラジオ・ジャズ音楽のような大衆文化も開花した。

　国内政治では共和党の政権下に大企業に有利な「自由放任」政策がとられた。その一方で，アジア系の移民制限を目的とした移民法が制定されたり，人種差別を公然と主張するK・K・K（クー・クラックス・クラン）のような団体の活動が活発になった。その対外政策は，国際連盟への加盟拒否にみられるように，「孤立主義」にかたむきつつも，自国の利害がかかわるところでは，国際問題に積極的に介入した。すなわち，合衆国はドイツの賠償問題解決を主導し，また中国・太平洋への日本の進出をおさえるため1921年にワシントン会議（〜22年）を主催して，軍縮やこの地域の現状維持を基礎に合衆国に有利な体制をつくりあげた。

## ラテンアメリカ諸国の苦悩

　大戦中，ラテンアメリカ地域の政治情勢にも変化がおこった。メキシコ革命（1910〜17年）は貧しい農民の闘いを原動力に激しくゆれ動いたすえ，35年も続いた独裁をおわらせ，立憲国家を成立させた。しかしラテンアメリカでは，その後も単一の農産物や鉱物資源に依存する経済構造や，少数の大地主と大多数の貧しい農民からなり，中間層の少ない社会のしくみはほとんどかわらず，独裁政治がうまれやすかった。また大戦以降イギリスの勢力が後退し，アメリカ資本の進出がめざましかったが，これとともにキューバをはじめ中米やカリブ海沿岸諸国に対する合衆国の政治的影響力と介入も増大した。

2　大戦後のヨーロッパとアメリカ　247

### ソ連の社会主義建設

　干渉戦争と内戦のあいだ，ソヴィエト政府は危機をのりこえるため戦時共産主義を実施した。工業では中小企業まで国有化され，商業も停止，穀物は農民から強制徴発して都市に供給された。しかし農民がこれに反発し，経済状態がきわめて悪くなったので，1921年レーニンは新経済政策（ネップ）を採用し，中小企業や国内商業に資本主義の復活を許し，穀物徴発をやめ，農民に現物税納入後の農産物の自由販売を認めた。こうして経済は安定にむかい，27年に生産はほぼ戦前の水準にもどった。一方，革命以来期待をかけてきたヨーロッパ革命の可能性がきえたあと，ソヴィエト社会主義共和国連邦（ソ連）が結成され，1924年に外モンゴルでソ連の影響のもとに成立したモンゴル人民共和国とともに，社会主義を建設する道をあゆむこととなった。この転換をめぐって共産党指導者間に対立がうまれ，レーニンの没(1924年)後，スターリンがトロツキーと争って亡命に追いやり，他の指導者も排除して，しだいに権力をかためていった。

## ❸　アジアの情勢

### ワシントン体制の成立

　第一次世界大戦によって，東アジアでは欧米列強勢力が後退し，日本の中国進出が顕著となった。とくにドイツとロシアの後退は，イギリスにとって日英同盟の必要性を消滅させ，かえってアメリカとともに日本に対する警戒心を高めることになった。また中国やインドでは民族資本が成長し，ロシア革命や民族自決の原則の理念の影響によりアジア各地で民族運動が高まった。

　1921年にひらかれたワシントン会議では，主力艦を制限する海軍軍備制限条約，太平洋の現状維持を約束した四カ国条約，中国に関する九カ国条約が結ばれた。この結果日英同盟が解消して日本の中国への単独進出がおさえられ，アメリカの主張する門戸開放・機会均等の原則による東アジアの国際秩序(ワシントン体制)が成立した。しかし不平等条約の改定をのぞむ中国の要求は満たされず，中国国内では列強の支配に反対する反帝国主義運動が高まっていった。

**三・一運動** 1919年3月にはじまった運動は全土に広がり，日本の軍・官憲の弾圧によって多数の死傷者をだしながらも，5月まで続いた。ソウル（当時は京城）での女性によるデモ。

## 三・一運動と五・四運動

　大戦中にアジア諸民族の民族的自覚は高まったが，パリ講和会議は彼らの要求にこたえようとしなかった。大戦後，アジアの民族運動は少数の知識人の運動から民衆の参加する大衆的な運動に発展した。

　日本の植民地支配下の朝鮮では，1919年3月1日ソウルで知識人があつまって独立宣言を発表し，学生たちは大規模な示威運動をおこなった。この三・一運動はたちまち全土に広がったが，きびしく鎮圧された。その後も，民衆の独立運動は朝鮮の内外で続いた。

　中国では，大戦中に日本の二十一カ条要求に反対して排日運動が高まったが，戦後パリ講和会議で山東にある旧ドイツ権益返還の提訴が無視されると，1919年5月4日，北京の学生たちはヴェルサイユ条約に反対する大抗議運動を展開した。この五・四運動は全国的に広がり，国内の軍閥と外国の帝国主義に反対する民衆運動の出発点となった。

## 中国革命の進展

　孫文は，五・四運動で民衆の力を知り，1924年中国国民党の改組をおこない，ソ連と提携して共産党とも協力し，労働者・農民を支援するという「連ソ・容共・扶助工農」の三大方針を定めて，国共合作（第1次）を宣言した。孫文は25年病死したが，同年上海におきた五・三〇事件を機に，反帝国主義運動が急速に発展した。26年国民党の蔣介石を総司令官とする国民革命軍が，軍閥の打倒・中国の統一をめざして北伐（1926〜28年）を開始し，武漢・南昌を占領し，翌年春には上海・南京にはいった。北

# 日本の植民地統治

日本は，日清戦争後の1895年に台湾を植民地化したのをはじめとして，1910年には韓国を併合し，45年にいたるまで両地域を植民地として統治した。日本は，欧米諸国以外の国としては唯一，植民地をもった国であり，また，その支配した主要地域が，漢字・儒教・仏教など歴史的に日本と共通の文字や思想・宗教をもつ文化圏に属していた地域であったという点で，欧米のアジア・アフリカに対する植民地支配とは異なる特徴をもっていた。

一般に，植民地支配のタイプとして，植民地の社会や文化を本国と同じものにかえていき，本国の一部としてあつかおうとする同化主義と，植民地の社会や文化をあまりかえず，本国とのちがいを維持する非同化主義とがあるといわれるが，日本の場合は，第一次世界大戦の頃から，台湾や朝鮮に対して強い同化主義的な政策をとった。たとえば教育についてみると，台湾・朝鮮の人びとに日本人としての意識をもたせる

ために，初等教育を整備して日本語による教育を強制した。これは，イギリスの支配下のインドで，英語教育がもっぱら高等教育に限定され，初等教育については放任的であったのとは対照的である。この同化主義はその後さらに強化され，1930年代後半からは神社参拝が強制され，朝鮮では姓を日本式に改める創氏改名などの「皇国臣民化（皇民化）」政策もおこなわれた。しかし，同化政策が進行しても，高等教育や就職における差別はきびしく，植民地の人びとの政治参加も，地方行政のせまい範囲に限定された。

経済的な面からみると，台湾は砂糖，朝鮮は米を中心とした農産品移出で日本経済と結びつけられていたが，1930年代から農産物加工業を主とする工業部門が成長しはじめ，戦時期には重化学工業も発展した。工業においては，台湾人・朝鮮人の民族資本もみられたが，規模は小さく，大工場では日本資本が圧倒的な優位を占めていた。

伐の進展とともに労働者や農民の運動が発展し，共産党の勢力も増大すると，蔣介石は27年4月，上海でクーデタをおこして共産党を弾圧し，南京に国民政府を樹立した。蔣介石は北伐を続け，28年，東北軍閥の首領張作霖を北京から追いだし，中国の統一をほぼ完成した。そして財閥と結びつつ，アメリカやイギリスの支援をうけて国民党一党体制をめざした。他方，国共分裂後，農村に根拠地を求めた共産党は，土地革命を進めながら勢力をのばし，31年には江西省の瑞金に毛沢東を主席とする中華ソヴィエト共和国臨時政府を樹立した。これに対し蔣介石は30年末

から共産党攻撃に全力をあげ，激しい内戦が続いた。

## 大戦後の日本

　日本は大戦中，中国に進出し，また軍需品の生産や輸出の増大により飛躍的な経済発展をとげたが，戦後はたちまち恐慌にみまわれた。この間，財閥の産業支配が確立した反面，社会不安が増大し，1918年には米騒動がおこった。また民主主義・社会主義運動も広がり，政党政治や普通選挙が実現したが，政党政治は徹底せず，民主主義運動の発展もおさえられた。27年には金融恐慌におちいり，ついで世界恐慌にまきこまれ，深刻な経済危機に直面した。対外的には，ワシントン会議以後，米・英との協調政策をとり，中国に対する干渉をひかえたが，国内で経済が動揺し，中国で北伐が進むと，武力ででも勢力範囲を確保しようとする動きが強まり，27～28年山東にたびたび出兵した。また28年には中国東北で張作霖爆殺事件をおこした。ついで31年9月，日本軍は奉天（瀋陽）近郊で鉄道を爆破し（柳条湖事件），それを中国側のしわざだとして，一挙に東北に軍を進め，中国に対する武力侵略にふみだした（満州事変）。

## 東南アジア・インドの民族運動

　東南アジアでも，大戦後の民族運動は民衆的な性格を強め，フランス領インドシナでは，1920年代にベトナムを中心にさまざまな民族運動組織が活動し，30年にはインドシナ共産党が結成された。インドネシア（オランダ領東インド）では，26年に大規模な共産主義者の蜂起があったが鎮圧され，その後スカルノらの組織する国民党が中心になって民族運動を進めた。フィリピンでは，16年のジョーンズ法で議会の設置が認められたが，独立への強い要求の前に，アメリカは34年，将来の独立を約束した（1946年独立）。

　イギリスは大戦勃発とともにインドを戦争にひきこみ，戦後の自治を約束することによって，インド人の協力をえようとした。しかし大戦後の1919年にだされたインド統治法では，形式的な自治をあたえたにすぎず，一方で民族運動を抑圧するローラット法を発布した。インドでも大戦中に民族資本が発展して，労働者の数もふえたので，民衆的な基盤を広げた国民会議派は，ガンディーの指導のもとに非協力・非暴力・不服

## 民族資本家の役割

　工業化にともなう民族資本家と労働者の成長は，この時代の植民地・従属国での民族解放運動のあり方にあらたな問題を投げかけた。民族資本家は本国経済の圧迫に反対し，民族の自立を求めるかぎり，労働者・農民など勤労大衆と共通の利害をもち，戦後各地で爆発した民族独立運動でも指導的な役割をはたした。しかし，農業地域の民族産業が先進諸国の工業と競争する際の最大の武器は低賃金であり，地主が支配する貧しい農村はこの経済構造をささえる土台であった。それゆえ，民族資本家は労働者の待遇改善や農民の土地改革の要求には，反対ないし消極的であった。そしてこの時期，労働者や農民の闘争が高まり，それを背景に共産党などが結成されると，民族資本家の行動はしだいに穏健になったり，また内部に左右の対決をはらむようになった。

　インドの国民会議派，中国の国民党，エジプトのワフド党，インドネシアの国民党は，いずれもひろく国民政党をめざしながら，1920〜30年代にはむしろ民族資本家や地主の政党の性格を強めた。この時期，帝国主義諸国は自国の勢力圏内の民族運動を力でおさえきれなかった場合，次善の策としてこれら現地の有産階級を利用し，彼らに国内政治である程度の自治権を認めたうえで，植民地支配の枠組みを維持することに努めた。

　またトルコやイランでは，民族資本家の政党ではなく，軍人出身の政治家がそれぞれ自国の政治的な独立を回復するのに活躍し，その成功を背景に国民の支持をえて独裁者となった。彼らは民衆の社会改革の要求をおさえながら，上からの政治制度や社会の近代化を推し進めた。これもひろい意味で，民族資本家や地主の利害にそった民族主義の一潮流といえよう。

従の運動を展開し，やがて完全な自治を要求した。イギリスはこれに対し弾圧と妥協をくりかえしたがかえって運動は高まり，国民会議派左派のネルーらは29年に「完全な独立」（プールナ・スワラージ）を主張した。イギリスはやむなく，3次にわたる英印円卓会議をひらいたり，新インド統治法を制定して（1935年），ある程度の自治を認めるなど，妥協をはかったが，独立運動をおさえることはできなかった。

### 西アジアの情勢

　オスマン帝国の領域は敗戦で分解し，その領土は1920年のセーヴル条約で著しくせばめられた。しかもその財政はイギリス・フランス・イタ

リア3国がにぎった。ムスタファ・ケマル（のちのケマル・アタテュルク，任1923～38）は，民族主義勢力を結集して20年アンカラに新政府を樹立し，当時小アジアに侵入していたギリシア軍を撃退した。22年にスルタン制を廃止したのに続いて，23年にはあらたに連合国とローザンヌ条約を結んで治外法権を撤廃し，関税自主権を回復することに成功して，同年トルコ共和国を樹立した。彼は大統領に就任し，人民党の一党独裁を実行して，政教分離・法律の改正など諸改革をおこなった。

　西アジアは石油資源が豊かで，しかも交通のかなめでもあった。大戦の結果，イラク・パレスチナはイギリスの，シリアはフランスの委任統治領となり，イギリスはさらにイラン・アラビア半島などに影響力を保持した。また欧米の石油会社が進出して西アジアの経済的実権をにぎった。一方，諸民族の独立運動も高まり，1919年にアフガニスタン，32年にイラク・サウジアラビアが独立した。イランでは25年にレザー・シャー〈位1925～41〉が王位につき（パフレヴィー朝，1925～79年），近代化政策を進めた。またパレスチナでは戦後，ユダヤ人の移住がふえてアラブ人との抗争をうみ，パレスチナ問題がおこった。エジプトは，14年にイギリスの保護国となったが，大戦後，ワフド党を中心とする民族運動が発展した。22年イギリスは独立を認めたが，軍隊を駐屯させたままであった。エジプト人はこれを不満として闘争を続け，36年にイギリスは，スエズ運河地帯の軍隊駐留権などを保留して，軍を撤退させた。

# 4　世界恐慌とファシズムの台頭

## 1929年の恐慌

　1920年代なかば，アメリカはかつてない経済の繁栄をほこっていたが，それはやがて過剰生産と異常な投機熱をもたらし，29年秋にはニューヨーク株式市場の大暴落から大恐慌におちいった。その影響はたちまち他国に広がり，世界経済を大混乱におとしいれた（世界恐慌）。資本主義諸国はきそって輸入制限・関税引上げ・経済ブロックの形成などの手段をとって恐慌からのがれようとしたので，国際協調と安定の時代はおわった。ナチ党が支配するドイツ，軍部が主導する日本，ファシズムの思想

や運動が広がりをみせたイタリアは、全体主義的国家体制の確立をめざしつつ対外侵略を進めた。また世界恐慌のしわよせを強くうけ、大きな犠牲をしいられたアジア・アラブの植民地・従属国やラテンアメリカ諸国では、民族運動や反帝国主義運動のあらたな高まりがみられた。

### 米・英の恐慌対策

アメリカは恐慌によって、工業生産は約半分におち、失業者は1000万人をこえた。1933年大統領に就任した民主党のフランクリン・ローズヴェルト〈任1933～45〉は、ニューディール政策の実施を宣言した。それは政府が経済に積極的に介入し、生産の調整・公共投資・農産物価格の引上げなどをおこなって恐慌を克服しようとするもので、政府の統制により独占資本は強化された。他方、民主政治の基盤である「草の根」（グラスルーツ）を重視し、労働組合の発展をたすけるなど諸階級の利益を調整しながら恐慌対策を進めた点に大きな特色がある。対外的には、ラテンアメリカ各地から軍隊をひきあげ、内政干渉をひかえて、「善隣外交」を展開し、またソ連と国交をひらき、外交をつうじて貿易の拡大をはかった。

イギリスでは、労働党の第2次マクドナルド内閣（1929～31年）が、失業の増加による国家財政の悪化を救うため、1931年失業保険の切下げをおこなうと、労働党は彼を除名した。しかしマクドナルドは保守党を中心に挙国一致内閣(1931～35年)をつくり、金本位制の停止・保護関税の採用で危機の打開をはかった。32年にはオタワ会議をひらいて、英連邦内に排他的な特恵関税制度を樹立し、スターリング・ブロック（ポンド・ブロック）を結成して貿易を維持しようとしたが、これは他のブロックの形成を招き、世界の経済競争をさらに激化させた。

フランスに対する世界恐慌の影響は1932年になってあらわれたが、政治は混迷し、2年間で10回も内閣が交替した。またイギリスと同様にブロック経済（フラン・ブロック）の結成をはかった。

**職を求めるイギリスの労働者**　プラカードには、3人の子どもをかかえ、3カ月失業している、一つでよいから仕事がほしい、と書かれている。

## 病魔を克服 フランクリン・ローズヴェルト

　ニューディール政策を進めて世界恐慌にたちむかい，第二次世界大戦で全体主義諸国と戦い，戦後の国際秩序の方向性を指導し，4選をはたした唯一の大統領がF・ローズヴェルトである。20世紀に登場した，偉大な指導者の1人である。

　ただ彼がアメリカ史上唯一の身体障害をもった大統領だったことは，アメリカ人のなかでも知らない人がいる。これは彼が車いす姿の写真や映像を嫌い，メディアの側もあえて報道しなかったことによる。ローズヴェルトの身体に異常がおこったのは1920年の大統領選挙で，民主党の副大統領候補となったが敗北し，妻と子どもにかこまれた家庭生活にもどったときだった。突然，小児麻痺またはギランバレー症候群と推定される病に冒され，下半身が動かなくなった。以後必死にリハビリに努め，温泉治療の効果もあって回復をみせ，なんとか歩行できるようにまではなった。

　このできごとはローズヴェルトにとっては悲劇であったが，性格的には大きなプラスとなった。もともと金持ちの名門生まれで，少年時代はヨーロッパの貴族のように家庭教師が教育にあたり，庶民との交流はゼロだった。そのため上流階級の人間にありがちなエリート意識と感性をもっていたが，この悲劇のあと，傲慢さが消え，他人の言葉に耳をかたむけるようになった，と彼と親しかったパーキンス女史は証言している。

　ラジオをとおして国民に直接語りかけた炉辺談話の「あたたかさ」は，素質としての社交性の豊かさやすぐれた弁舌だけに依拠しているのではなく，この病魔の克服という彼自身の必死の努力の結果であり，それが国民の圧倒的な支持をえる背景となった。彼の偉大さは他人にはまねができない自信，エネルギー，行動力，楽天性を備え，どんな状況になってもたえず努力し，最後まで消化不良をおこすことがなかった点にある。もちろん彼には，第二次世界大戦中において日本人だけを強制収容所に収容したことや，黒人の公民権法案に反対したことなど，人種差別的な側面もあったことも事実であるが，大統領として「草の根民主主義」の手法で，アメリカ国民が直面した問題の解決をはかった。

## ナチ党の権力獲得

　アメリカ・イギリスのように豊かな経済力をもたない国々では，恐慌の打撃はさらに深刻であった。賠償の負担をおうドイツでは，恐慌発生とともにアメリカ資本がひきあげられたため大打撃をうけ，1932年には失業者は620万人に達し，社会不安が増大した。こうしたなかで，ヒトラー〈総統位1934〜45〉のひきいる国民(国家)社会主義ドイツ労働者党(ナ

## ひと ヒトラーの二面性

ヒトラーは，ユダヤ人を迫害しつつ強制収容所において大量殺戮をおこない，共産党や自由主義勢力を抑圧し，言論や出版の自由をうばい，暴力組織（親衛隊〈ＳＳ〉）や秘密警察（ゲシュタポ）を使って反対派を迫害するなど，一党独裁体制のもと画一的な全体主義国家をつくりあげ，近隣諸国への侵略を本格化して第二次世界大戦をひきおこした。

ドイツ国民は，ヒトラーの率いる暴力的・侵略的ナチ党を，1932年の総選挙で第一党に躍進させた。33年にヒトラーは内閣を組織し，その後一党独裁体制を確立した。ドイツ国民はなぜ支持したのだろうか。資本主義を非難して新しい秩序の確立を叫び「改革」の必要性を大衆に訴えた，巧みな宣伝と大衆運動の組織化に成功した（たとえば，ニュルンベルク大会にみられる集会でのきわめて巧妙な演出など），ヒトラーは演説がうまかった，賠償問題などヴェルサイユ体制に対する強い不満があった，ドイツ国内に根強い反ユダヤ人感情を利用した，フォルクスワーゲン（国民車）を一家に1台所有させる約束をした（結局だれももらえな

かった），世界恐慌で大衆の生活が困難に陥ったときにアウトバーンの建設など公共事業を実施して失業問題を解決した，などなど諸説考えられるが，その理由の一つとして指摘しておきたいのが彼の「健康志向」「清潔感」である。

彼は，ラフな格好で人前には決して出なかったし，日常生活のなかで，禁酒・禁煙を実践し，自室では決して部下に喫煙させなかった。結婚もベルリン陥落直前に防空壕のなかでエヴァ・ブラウンと正式に結婚するまでは，表面的には「独身」を貫いている。あたかも「聖職者」のようである。政権運営のなかでも国民に対して「健康的で清潔」な生活を熱心にすすめ，食品の安全基準やアスベストなどの有害物質対策を進め，子どもの教育でもヒトラーユーゲントをとおして，森などの自然のなかでの青少年の育成をめざした。一方で，優生学思想にもとづき，障害者を「安楽死」させる政策を実施した。

ヒトラーには「独裁・暴力・侵略」と，「健康・清潔」という矛盾する概念が共存する。

チ党）と共産党とが急速に台頭した。ナチ党はヴェルサイユ条約の破棄やゲルマン民族至上主義を説き，ユダヤ人排斥・反共産主義をとなえた。一方で資本主義をも非難し，たくみな宣伝と大衆運動によって，中産階級を中心にひろく支持者をあつめ，32年の選挙で第１党となった。大資本家や軍部もナチ党に期待をかけ，33年１月ヒンデンブルク大統領〈任1925～34〉はヒトラーを首相に任命した。ヒトラーは共産党を弾圧し，や

## 新 常 識 ポピュリズム
### （populism 人民主義・大衆主義・大衆迎合主義・民衆主義）

ポピュリズムの概念は，時と場所によって異なる使い分けがなされている。「人民」を中心におく政治・社会運動としては，世界史上では二つの事例がしばしばとりあげられる。一つは19世紀後半のロシアにおいて，「ヴ・ナロード（人民のなかへ）」をスローガンに，ツァーリの専制政治打倒をめざし，都市の知識人が農村にはいって農村共同体を基盤に社会主義的改革を実施しようとしたナロードニキ（人民主義者）の運動である。しかし彼らの運動は，人民である農民の支持をえられず，初期の目的を達成することはできなかった。もう一つは19世紀末のアメリカ合衆国の西部・南部の農民を基盤として結成された人民党（People's Party）による第三政党運動である。鉄道・電信電話会社の国有化，累進所得税，上院議員の直接選挙，大企業の寡占防止などを要求し，民主・共和の二大政党による政治支配に対抗して，反独占・政治の民主化を主張する政治綱領をかかげて地方および連邦レベルで政権奪取をめざした。

これらの19世紀のポピュリズムに加えて，

20〜21世紀のポピュリズムはエスタブリッシュメント（既存の支配階級や社会制度）への批判・不満を背景とし，感情を重視して大衆の集団的熱狂をともない，不正確な情報を意図的に誇張し，排他的傾向を助長し，民主主義を否定するなどの特徴をもつ。

ドイツのヒトラーが率いたナチス政権，イタリアのムッソリーニのファシスト運動など，20世紀のファシズム運動は，まさにこの事例に該当し，時には暴力も使いながら，一般大衆の支持をえて選挙に勝利し，独裁政権となった。1930年代以降のブラジルのヴァルガスの政権運営，第二次世界大戦後のアルゼンチンのペロンの政治運動，1950年代前半におこったアメリカでの反共産主義運動「マッカーシズム」，イタリアのベルルスコーニ首相の誕生，オバマ政権を批判する草の根保守運動である「ティーパーティー運動」，イギリスのEU脱退をめぐる国民投票，そのほか2016年のフィリピンやアメリカ合衆国の大統領選挙で，ドゥテルテやトランプが勝利したこともポピュリズムの一種とされている。

がて他の諸政党や労働組合を解散させて短期間で一党独裁制を樹立し，34年総統になった。こうしてナチ党は民主主義を否定し，反対者やユダヤ人を迫害し，文化統制や教育の支配を強めて画一的な全体主義国家をつくりあげるとともに，大規模な公共事業をおこして失業者を急速に減らし，36年には四カ年計画を実施して軍備増強にのりだした。

4　世界恐慌とファシズムの台頭　257

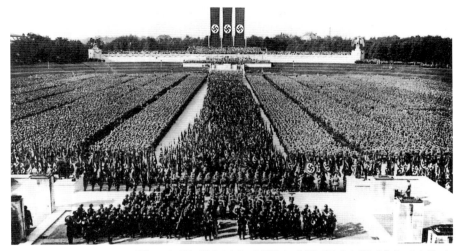

**ナチ党の全国大会** ヒトラーは理論よりも感情に訴えるたくみな演説で、生活に疲れた人びとの心をつかんだ。また、ヒトラー青年団やナチス婦人団体など性別・年齢別・職業別の党の付属組織を設け、リクリエーションにいたるまで日常生活の細部にはいりこみ、大衆動員に成功した。写真は1937年のニュルンベルク大会。

## ヴェルサイユ・ワシントン体制の打破

　ヒトラーは政権をにぎると、ヴェルサイユ体制に挑戦した。1933年、国際連盟を脱退し、35年にはヴェルサイユ条約に違反して、一方的に再軍備宣言をおこなった。これに脅威を感じたフランスとソ連とが接近すると、ドイツは36年、ロカルノ条約を破棄して、ラインラントの非武装地帯に軍隊を進駐させた。こうしてヴェルサイユ体制は崩壊した。これよりさき日本も、「満州国」をリットン調査団の報告にもとづいて国際連盟が承認しなかったことに反発して、33年、連盟脱退を通告した。また恐慌の打撃が大きかったイタリアも35年エチオピアを侵略し、翌年これを併合した。連盟はイタリアの経済制裁を決議したが、制裁品目から石油を除外したためにほとんど効果がなく、イギリス・フランスともにエチオピア併合を承認したので、連盟の威信はいっそう低下した。

## ソ連の五カ年計画

　社会主義体制下のソ連は、1928年から重工業建設と農業の集団化に重点をおいた第1次五カ年計画に着手し、ついで33年から第2次五カ年計画を実施した。その結果37年には工業生産額はアメリカについで世界第

2位となり,世界の注目をあびた。コルホーズ（集団農場）やソフホーズ（国営農場）の建設による農業の集団化もほぼ完了した。36年,いわゆるスターリン憲法が制定され,ソ連の社会主義国家体制が確立した。しかし,上からの官僚主義的な指令による急速な工業化のなかで,製品の量のみが重視され,質の面は軽視された。また農業の集団化の過程で数百万人の農民たちが強制的に追放され,生産性の低下と減産を招いた。農業と工業の発展の不均衡もめだった。こうしたなかで政策をめぐる対立が生

## 鋼鉄の人 スターリン

　スターリンは1928年から第一次五カ年計画を実施して,重工業を育成し,農業の集団化に努めた。さらに1933年からは第二次五カ年計画を実施して,消費財の増産など国民生活の向上にも配慮した。おりしも1929年以降,世界各国はアメリカの株式市場の大暴落に端を発する世界恐慌におそわれていた。ソ連はこの世界恐慌の影響をうけず,社会主義経済を順調に進展させていたことから,その計画経済は資本主義諸国からも注目された。スターリンは字義どおり「鋼鉄の人」として,そして巧妙なプロパガンダ（宣伝）ときびしい情報統制により,第二次世界大戦においても国家を強力に指導してドイツを破り,諸民族の団結に成功したなど,肯定的な評価がなされていた。

　しかし,1956年のフルシチョフの「スターリン批判」によって,ソ連の歴史に大きな汚点となった大粛清がおこなわれていたことが明らかになった。共産党幹部だけではなく,多くの一般党員や民衆までもが,反革命や外国のスパイであるといった理由で,処刑されたり,シベリアの強制収容所送りとなった。口数が少なく,不寛容で,独断的で強い猜疑心に満ち,パラノイア（偏執病）で,彼の意見に反対する者を徹底的に排除するスターリンの性格が,この大粛清を実行させたのはまちがいないだろう。

　ロシア国民は,秘密警察の監視や隣人の密告を恐れて,息を潜め,自分の生活の維持に努めていたが,一方で巷にはアネクドート（風刺の内容をもつ小話）が広まっていた。一つだけ紹介すると,「スターリンが死んだとき,学校の校長は生徒たちに,スターリンの肖像画の前にひざまずき,泣くように命令した。すぐにそれができなかった子どもたちは後頭部をひっぱたかれながらも,よく泣かなかったと激励された」。このような小話なら文字にも残らず,摘発されずに済んだのだろう。

じたが，共産党の一党独裁のもとでスターリンの個人的権威が絶対化され，反対派に対しては徹底した粛清（処刑や追放）がおこなわれた。対外的には，日独両国脱退後の国際連盟に34年加盟して常任理事国となり，またドイツの脅威に対して，35年フランス・チェコスロヴァキアと相互援助条約を結んだ。

## 反ファシズム人民戦線

　1930年代のヨーロッパには，ファシズムと戦争の脅威に対し，左翼政党・労働組合・知識人のあいだに民主主義勢力をひろく結集する動きがうまれていた。35年，モスクワのコミンテルン大会は，従来の社会党への非難をやめ，社会党と共産党の協力を中心にした反ファシズム統一戦線（人民戦線）の結成をよびかけた。フランスでは35年に急進社会党・社会党・共産党間に協定が成立し，翌36年の選挙で勝ち，社会党のブルムを首相とする人民戦線内閣がうまれた。この内閣は1年余りで倒れたが，フランスでの人民戦線の成立はヨーロッパの民主陣営に大きな影響をあたえた。

　1931年共和政の成立以来左右の対立が激化していたスペインでも，36年人民戦線政府が成立したが，右翼勢力が反対し，フランコ将軍がモロッコで反乱をおこし，やがて本土に上陸して内戦となった。ドイツ・イタリアは反乱軍を支持して武器と兵員を送った。ソ連は人員や武器を送って共和政府を助け，またおもに欧米諸国から多くの市民が義勇兵として政府側に参加した。こうしてスペインの内戦はファシズムと反ファシズムの国際的な対決の場となったが，イギリス・フランスは不干渉政策をとった。39年フランコは首都マドリードを占領し，諸外国もフランコ政権を承認した。これはドイツ・イタリアを元気づけ，ヨーロッパの反ファシズム勢力の分裂と弱体化をもたらした。

## 日中戦争

　中国では満州事変以来，抗日救国の世論が高まっていたが，蔣介石はそれをおさえて，共産党に対する内戦を続けた。そのため共産党はやむなく，江西省の瑞金から奥地に根拠地を移す長征（1934 ～ 36年）をおこなった。その途中の1935年8月，共産党は八・一宣言を発して抗日民族統一戦線の結成をよびかけた。蔣介石はこれを無視したが，36年12月，西

260　第9章　ヴェルサイユ体制と第二次世界大戦

安で抗日的な東北出身の張学良の軍隊によって蔣介石が軟禁される西安事件がおき，これが転機となって37年9月国民党と，延安に移った共産党とのあいだに一致抗日の第2次国共合作が成立した。

　他方，日本では1936年の二・二六事件以来，軍部の勢力がますます強まり，政治や社会の全体主義化が進んだ。対外的にも，36年日独防共協定を結びドイツ・イタリア枢軸国との提携を強めた。すでに華北の支配をはかっていた日本は，37年7月北京郊外で日中両国軍が衝突した盧溝橋事件がおこると，宣戦布告なしに全中国に戦線を拡大し（日中戦争），上海・南京・武漢などのおもな都市を占領した。この過程で市民を大量殺害した南京虐殺事件をはじめ，多くの虐殺事件をひきおこした。しかし抗日民族統一戦線を結成した中国側の抵抗は，日本の予想に反して激しく，国民政府は首都を四川省の重慶に移して抗戦を続け，アメリカ・イギリス・ソ連も中国を援助したので，戦争は長期戦となった。農村では共産党の八路軍・新四軍を主力とするゲリラ戦が活発になり，日本軍を苦しめた。日本軍は中国語の呼称である「三光政策」（殺しつくす，奪いつくす，焼きつくす）をおこなったので，中国側に甚大な犠牲者がでた。日本は40年，重慶から脱出した汪兆銘に親日的な南京政府をつくらせ，局面の打開をはかったが失敗した。

**日中戦争**　中国が何度もダメージをうけつつもたちあがり，結局，勝利することを描いた漫画。

4　世界恐慌とファシズムの台頭　261

# 5　第二次世界大戦

## ミュンヘン会談

　1938年3月ドイツはオーストリアを併合し，同年秋にはチェコスロヴァキアのズデーテン地方の併合を要求した。対ドイツ宥和政策を続けるイギリス首相ネヴィル・チェンバレンは，ドイツ・イタリア・フランスの首脳とミュンヘン会談をおこない(9月)，チェコスロヴァキアを犠牲にして，ドイツの要求を認めた。ヒトラーはズデーテン地方を併合したのち，さらに39年3月にはチェコを保護領，スロヴァキアを保護国とした。同年4月，イタリアもアルバニアを併合した。ドイツはさらにポーランドに領土要求を広げた。ここにいたってイギリス・フランスもポーランド援助の姿勢をはっきりさせ，それまで消極的だったソ連との同盟をのぞんだ。しかしミュンヘン会談の結果をみてイギリス・フランスへの不信感を強めていたソ連は，39年8月ドイツと独ソ不可侵条約を結んだ。

## 大戦の勃発

　1939年9月1日，ドイツ軍は突然ポーランド侵略をはじめた。これに対しイギリス・フランスは9月3日ドイツに宣戦し，第二次世界大戦(1939～45年)がはじまった。ドイツは短期間でポーランドの西部を占領したが，一方，ソ連も出兵してポーランド東部を占領した。10月ソ連は防衛体制の強化を理由にフィンランドに領土の交換を申し入れ，ことわられるとフィンランドと戦い，また翌40年にはバルト3国を併合した。ドイツは同年4月デンマーク・ノルウェーを急襲し，しばらく平穏であった西部戦線においても，5月中立国オランダ・ベルギーを強行突破して，フランスにせめこんだ。それまで情勢をみまもっていたイタリアはドイツの優勢をみて参戦にふみきった。6月フランスは降伏し，国土の北半分はドイツ軍の占領下におかれ，ペタンを首相とするフランス政府は南のヴィシーにうつってドイツに協力した。これに対してド＝ゴール将軍は，ロンドンに亡命してそこから抗戦をよびかけ，国内でも抵抗運動（レジスタンス）がはじまった。

　イギリスではこの年チェンバレンにかわってチャーチルが首相となり，

262　第9章　ヴェルサイユ体制と第二次世界大戦

第二次世界大戦中のヨーロッパ

ドイツ空軍の激しい空襲にたえて抗戦を続けた。そのためドイツ軍はイギリス上陸を実行することができず、ヒトラーの意図に反して長期戦となった。ドイツはバルカン諸国の制圧にのりだし、40年から41年にかけてハンガリー・ブルガリア・ルーマニアを同盟にひきいれ、ユーゴスラヴィアとギリシアを占領した。これらはソ連との関係を緊張させた。

## 独ソ戦争から太平洋戦争へ

1941年6月、ドイツ軍は大軍を動員して突如ソ連に侵入し、たちまちモスクワ近くまでせまった。しかしソ連軍は激しく抵抗して進撃をくいとめた。独ソ戦の開始を機に、イギリスはソ連と軍事協定を結び、またアメリカも大量の戦略物資をソ連に送った。同年8月大西洋上で会談したフランクリン・ローズヴェルトとチャーチルは、大西洋憲章を発表してナチス打倒の決意と戦後の平和構想を明らかにした。これはやがて連合国側の共通の原則となった。こうして第二次世界大戦は反ファシズムの戦い・抵抗という性格が強まり、国民の戦意やドイツ軍占領地での抵抗運動も勢いを増した。

　一方、中国で予想もしない長期戦をしいられた日本は、フランスがドイツに降伏したのに乗じて1940年9月フランス領インドシナ北部に軍事進駐し、また日独伊三国同盟を結んだ。翌41年4月には日ソ中立条約を結んで北の安全をかため、ついでフランス領インドシナ南部に軍隊を送った。アメリカ・イギリス・オランダは経済封鎖をもってこれに対抗し

5　第二次世界大戦　263

## 新 常 識　『アンネの日記』と『私は証言する』

アンネ・フランクはドイツ生まれのユダヤ人で，4歳のとき，一家はナチ党の迫害を逃れてオランダのアムステルダムに移住した。1940年，オランダがドイツに占領され，強制移住を免れるために知人の屋根裏に住んだが，13歳から15歳までの約2年間の緊迫した生活を彼女は日記に記した。44年に一家は逮捕されてアウシュヴィッツ収容所へ，さらにベルゲンベルゼン収容所に送られて45年に殺された。

ただ1人生き残った彼女の父親が1947年に『隠れ家』と題して日記を刊行すると，ナチ党のユダヤ人迫害について類のない告発書として全世界で話題となり，50をこえる国々で翻訳・出版されて1800万部をこす大ベストセラーとなった。それから40年たった86年，オランダ国立戦争資料館は，『アンネの日記』(邦訳文春文庫)に関する詳細な研究を発表し，刊行にあたって削除された部分を明らかにした。編集・出版に携わった父親の配慮で削除された部分には，少女期の性への目覚めや両親との確執など，従来の「清純な乙女」像とはかならずしも一致しない部分がみてとれる。

ただ，その記述内容は隠れ家の内部などアンネの身の回りの話題にほぼ限定されており，例えばヴィクトール・クレンペラーの日記『私は証言する』(邦訳大月書店)などと比較すると，当時の社会全般を知る資料としての利用価値に乏しいことは否めない。ユダヤ人の大学教授であったクレンペラーの日記の場合は，ヒトラーへの忠誠の強制的宣誓，教授職からの追放，ユダヤ人専用建造物への強制移住，ユダヤ人を特定するための「ダビデの星」の着用義務など，ユダヤ人に対する迫害がしだいに強化されるようすが正確に記述されている。彼はいったんは亡命しようとするが失敗し，殺されるかもしれないという恐怖におそわれつつ，ドイツのドレスデン大空襲に遭遇したときは，その混乱にまぎれて「ダビデの星」の印をはずして，逃避行を続け，生き延びた。

---

たので，資源の少ない日本は苦境にたたされた。情勢の打開をはかって41年春から日米交渉がおこなわれたが，日本軍の中国撤兵問題をめぐってゆきづまった。石油の欠乏をおそれた日本は開戦を急ぎ，同年12月ハワイの真珠湾を奇襲攻撃し，アメリカ・イギリスに宣戦した。こうして太平洋戦争(1941〜45年)がはじまった。さらにドイツ・イタリアもアメリカに宣戦し，日本・ドイツ・イタリアなどの枢軸国(ファシズム陣営)と，アメリカ・イギリス・ソ連など連合国(反ファシズム陣営)との戦争となり，戦争は全世界に広がった。最初日本は，フィリピン・シンガポール・マ

レー・ジャワなどを占領し，日本を盟主とする大東亜共栄圏の建設をう
たった。しかし実際にはアジア諸民族の自立と自由をおさえて，戦争の
ための協力を要求し，占領地ではきびしい軍政をおこなった。

## 連合国の反撃

　1942年なかばから連合国側の反撃がはじまった。太平洋では6月，ア
メリカはミッドウェー海戦に勝ってから，西南太平洋諸島をつぎつぎと
うばいかえした。44年にはフィリピンに上陸し，占領したサイパン島か
らの日本本土に対する空襲も激しくなった。東南アジアの住民たちの反
抗も広がり，とくにベトナム・フィリピンなどでは日本軍に対するゲリラ
戦が活発となった。中国でも日本軍占領地域内に八路軍を主とするゲリ
ラ根拠地が建設された。

　ヨーロッパでは，1943年初めソ連軍がスターリングラード（現ヴォルゴ
グラード）でドイツ軍を破り，これを転機に戦局の主導権はソ連軍側に移
った。一方，米英両軍は北アフリカからシチリア島をへてイタリア本土
に上陸した。イタリアの反ファシズム活動も強まり，ムッソリーニ政権
は倒れ，43年9月バドリオ政権は連合国に無条件降伏した。同年11月，
アメリカ・イギリス・中国3国首脳はカイロ会談をおこない，日本の戦
後処理の原則をかかげたカイロ宣言を発表した。ついでアメリ
カ・イギリス・ソ連の3国首脳によるテヘラン会談で，対ドイツ戦略と
戦後の協力について協議した。

## 大戦の終結

　1944年6月，アイゼンハワーを総司令官とする連合軍は北フランスの
ノルマンディーに上陸作戦を実施し，第二戦線をひらいた。諸国民の抵
抗運動もいっそう活発になった。45年ドイツ軍は各地で総くずれとなり，
東西からソ連軍とアメリカ・イギリス軍がドイツ領内に進撃した。ヒト
ラーは自殺し，5月7日ドイツは無条件降伏した。

　1945年2月，アメリカ・イギリス・ソ連3国首脳はヤルタ会談でソ連
の対日参戦とその条件について密約した(ヤルタ協定)。4月アメリカ軍は
沖縄に上陸し，日本本土は連日の空襲で荒廃して敗北は決定的であった。
7月，アメリカ・イギリス・中国はポツダム宣言を発表して日本に降伏

5　第二次世界大戦　265

# 北方領土問題

北方領土とは，歯舞・色丹，国後・択捉の4島をさす。日本政府はこの4島が日本固有の領土であることを，歴史的事情によって解明しようとする。択捉島とウルップ島の中間を日露両国の国境と定めた1855年の日露和親条約，サハリンをロシア領，千島列島を日本領とした1875年の樺太・千島交換条約の二つが歴史的な根拠としてあげられる。

これに対して，ソ連側は第二次世界大戦の戦後処理を決めた諸条約によって，つぎのように反駁してきた。(1) カイロ宣言(1943年)では，日本が「暴力と貪欲」によって獲得した地域はすべて放棄されなければならない。(2) ヤルタ協定によって，ソ連参戦の代償として千島列島のソ連ひきわたしが決められた。(3)1945年のポツダム宣言により日本の主権のおよぶ範囲は，「本州・北海道・九州・四国および若干の諸小島」に限定されている。(4)1951年のサンフランシスコ講和条約で日本は千島列島と南樺太に対する権利を放棄した。

このようなソ連の主張に対して日本は，ヤルタ協定は連合国の秘密協定であり，非当事国として日本はこれに拘束されない，サンフランシスコ講和条約で破棄した千島列島には北方領土は含まれないなどと反論している。

日ソ両国は1956年の日ソ共同宣言で戦争状態を終結させ，国交を回復した。ソ連の平和共存外交への転換，鳩山内閣の自主外交路線によって交渉は進んだが，領土問題について合意がえられず，平和条約の締結にはいたらなかった。この共同宣言により日本の国連加盟（1956年）は促進され，抑留日本人の送還も実現した。さらに，平和条約の締結後，歯舞・色丹両島は返還されることが定められた。

ところが，日米安保条約の改定とともにフルシチョフ首相は「領土問題は解決済み」と宣言し，平和条約の締結交渉もおこなわれなくなった。しかし，ゴルバチョフの新思考外交により領土問題解決の糸口がえられるかのような期待が高まり，ゴルバチョフ大統領は北方領土問題の存在を認め，日ソ共同宣言を再確認した。その後，ソ連国内の激変により，領土問題の交渉はロシア連邦にひきつがれたが交渉は進展せず，かえって北方領土の実効支配が強化され，ロシア化が進められている。

をよびかけたが，日本政府はこれを黙殺した。アメリカは8月6日広島に，9日には長崎に原子爆弾（原爆）を投下した。ソ連も8日，日ソ中立条約を破棄して対日宣戦し，中国東北に進撃した。日本は8月14日ポツダム宣言を受諾し（15日国民に発表），9月2日降伏文書に調印した。こうして第二次世界大戦は連合国の勝利におわった。

**原爆ドーム** 広島に投下された原子爆弾による死亡者の数は正確にはわかっていないが，1945年末で約14万人と推定され，残留放射能で多くの人びとが後遺症で苦しんでいる。原爆ドーム（旧県産業奨励館）は負の世界遺産となっている。

### 大戦の性格と結果

　第二次世界大戦はその性格・規模において大きな影響を世界にあたえることになった。

　第1に，戦争は民主主義対ファシズムの戦いの性格をおびた。民主主義国家が戦後の平和構想をうちだすなど普遍的な理念を提示したのに対し，ファシズム諸国は自国民の優秀さを誇示したり，占領地に対する暴力的な支配をおこなったことから，各地で抵抗運動がおこり，世界からは支持されなかった。

　第2に，アジア・アフリカなどの枢軸国の占領地では民族主義（ナショナリズム）運動が高まった。この民族主義運動はファシズム諸国家の苛酷な支配に対する抵抗運動としてはじまったが，戦後になると欧米諸国の植民地からの解放運動（独立運動）のかたちをとった。

　第3に，資本主義対社会主義の両勢力はファシズム打倒で「連合国」を形成したが，大戦中をつうじてその対立が見え隠れし，勝利が確実になると深刻なものとなった。戦後になるとヨーロッパの地位は大きく低下し，

# 現代戦争とその破壊力

**戦場の拡大**　第二次世界大戦は第一次世界大戦の何倍もの規模になり（交戦国数33→72，動員兵力7000万→1億1000万），したがって死傷者数も少なく見積もっても約3000万から6700万へと増加した。この数字には民間人もふくまれているが，20世紀の総力戦はいわゆる前線と銃後の区別をなくし，市民も戦争に巻きこまれて犠牲をだすことが多くなった。そしてこの点でも第二次世界大戦は第一次世界大戦にくらべてまさに桁ちがいで，第二次世界大戦では空襲，パルチザン戦（レジスタンス），集団虐殺，飢餓などにより2000万から3000万人にのぼる犠牲者が出た。戦場が大きく広がったのである。

**人種戦争がうんだ犠牲**　第二次世界大戦をはじめたヒトラーはアーリヤ人を「支配民族」，スラヴ人やユダヤ人を「劣等民族」とみなす人種差別にもとづいて，東欧の占領地域で大々的な人種迫害，とくにユダヤ人やシンティ・ロマ人への大量殺戮をおこなった。日本も日中戦争以来中国本土で戦闘を続けるなかで，各地で多数の捕虜や一般人を殺害した。1937年12月，日本軍が南京占領でおこした南京事件──その規模について議論はあるが──もつねづね国際法規を無視してきた日本軍の行動がうんだ事件の一つであった。

**無差別爆撃**　この大戦で市民の犠牲を大きくしたのは，爆撃機による都市無差別爆撃であった。航空機はこの戦争で兵器の主役を演じ，大型爆撃機が敵の大都市に爆弾や焼夷弾の雨を降らせる無差別爆撃をくりかえし，一般市民に大きな被害をあたえた。この爆撃を最初におこなったのは枢軸諸国で，日本の重慶爆撃（日中戦争）やドイツのゲルニカ爆撃（スペイン内戦）がその例であるが，大戦末期には連合空軍が日本やドイツに対して大規模な空襲をくりかえし，大都市のほとんどを廃墟にした。そしてこの無差別爆撃の最終段階でアメリカは開発したばかりの新兵器，原子爆弾（原爆）2発を広島と長崎に投下し，推定数十万人の命を一挙にうばった。原子爆弾は究極の破壊兵器で，これにより戦争は核兵器の時代にはいり，人類絶滅の危険が現実になった。

アメリカとソ連の2国に国際政治の重心がうつるにいたった。

　第4に，第二次世界大戦の死者は軍人・民間人を含め数千万人におよび，その規模と被害は従来の戦争をはるかにこえるものであった。またアメリカによる広島・長崎への原子爆弾投下など，科学技術の発達が人類全体の存在そのものをゆるがす可能性がでてきたことから，世界各地で平和を求める声が大きくなった。

# 第10章

# 現代の世界

## 大戦後の世界

　第二次世界大戦では、アメリカ・ソ連を中心とした連合国が協力し、さらに各地域の抵抗運動が協調して勝利をえた。この協力・協調を戦後の平和維持と国際協力にいかそうとして、大戦直後に国際連合の成立をみた。また各地で民族的自覚が高まり、戦後、アジア・アフリカ地域では旧植民地の独立が進み、新興の勢力として戦後世界に登場した。

　しかし戦後まもなく、ヨーロッパを中心に、米ソ両陣営が形成されて、戦後処理や復興政策をめぐって対立し、「冷たい戦争」(冷戦)がはじまった。1950年代以降には、一方で両陣営の集団防衛体制が形成されながら、

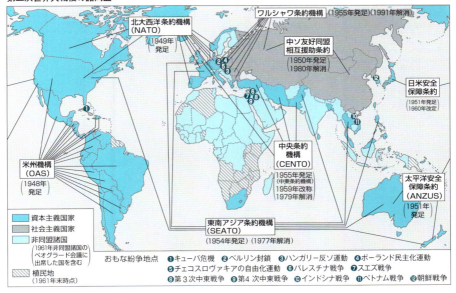

第二次世界大戦後の諸同盟

他方では平和共存の動きがあり，また米ソ以外の国々の復興・発展にともなって，両陣営内での分裂や動揺・対立をうみ，国際情勢は複雑化かつ多元化した。両陣営の対峙は1980年代末にくずれさったが，この間の半世紀は地域紛争はあっても，世界戦争はおこらなかった。

インターネットの普及や交通機関の発達，多国籍企業の展開などにより，世界各地の交流と相互依存は飛躍的に進み，それとともに南北問題や人口・資源・核兵器・環境問題など，全人類的な視野にたって解決しなければならない深刻な課題に直面するにいたった。

# 1 二大陣営の対立とアジア・アフリカ諸国の登場

### 東西両陣営の形成

大戦の結果大きな被害をうけた西欧諸国は，戦後，経済困難に直面した。イギリスでは1945年にアトリー労働党内閣が成立し，重要産業の国有化に着手した。フランスでは46年，第四共和政が発足し，同年イタリアは王政を廃止し，共和国となった。大戦の戦火をうけずに，ひとり巨大な

第二次世界大戦後のヨーロッパ

生産力を発展させたアメリカは，西欧の復興援助にのりだした。47年3月，トルーマン大統領〈任1945～53〉は反ソ反共のために，ギリシア・トルコへの援助をよびかけたトルーマン宣言を発表した。ついでマーシャル国務長官はマーシャル・プラン（ヨーロッパ経済復興援助計画）を提案し，西欧諸国はこれをうけいれた。48年チェコスロヴァキアで政変がおこり，

## 新 常 識　地域主義（リージョナリズム Regionalism）

地域主義とは，地域統合とも訳され，地域的に近接する複数の国が，社会的・軍事的な場合もあるが，おもに経済的関係を強化することを意味している。そもそも地域主義は，世界恐慌対策としてイギリスやフランスが形成した，排他的傾向をもつブロック経済に起源をもち，大日本帝国が構想した「大東亜共栄圏」も一つの事例である。

第二次世界大戦後，ブロック経済が世界の対立を激化させたとの反省から，関税貿易一般協定（GATT）が1948年発足し，自由貿易主義の理念に立脚した通商秩序を樹立した。さらに冷戦が終了して社会主義圏が消滅したあと，自由で多角的な貿易秩序をめざす動きが顕著となり，GATTにかわって世界貿易機関（WTO）が1995年設立された。

しかしこうした世界的な規模で自由貿易主義が追求されるいっぽうで，地域主義も確実に進行した。冷戦の時代，ソ連を中心に東欧社会主義諸国などが参加した経済相互援助会議（COMECON），ヨーロッパの欧州共同体（EC）や欧州自由貿易連合（EFTA），東南アジアの東南アジア諸国連合（ASEAN），アフリカのアフリカ統一機構（OAU）などがその事例で，大国主導による地域統合，米ソの超大国に対抗するための連合，弱小の国々が地域的に連合して対抗する場合などがあった。冷戦が終結したあとも，地域主義の進行は続いている。ヨーロッパではECが欧州連合（EU）へ発展して経済同盟としての性格を強め，北米では自由貿易協定としての北米自由貿易協定（NAFTA）が発効し，南米の関税同盟としての南米南部共同市場（MERCOSUR）が発足し，アフリカのアフリカ連合（AU）が結成された。

一方，アジアでは「東アジア共同体」構想が語られつつ，ASEAN自由貿易圏が結成され，さらに，日本は日中韓FTA（自由貿易協定）実現にむけての政府間交渉を開始し，他地域との独自の経済連携協定（EPA）も進め，2015年には環太平洋経済連携協定（TPP）に大筋で合意した（2017年，アメリカが離脱を表明）。また「開かれた地域主義（open regionalism）」を標榜しつつ，環太平洋地域での多国間経済協力を進めるアジア太平洋経済協力会議（APEC）が1989年発足し，93年からは首脳が集う会合となった。

1　二大陣営の対立とアジア・アフリカ諸国の登場　271

共産党政権が成立すると，イギリス・フランスおよびベネルクス3国（ベルギー・オランダ・ルクセンブルク）の5カ国は反共軍事同盟的な西ヨーロッパ連合（WEU）を結成した。翌49年アメリカはこの5カ国にカナダ・イタリアなどを加えた12カ国からなる北大西洋条約機構（NATO）の結成を進め，ソ連の指導する社会主義圏に対して「封じこめ政策」を強化した（西側陣営）。

　大戦中，ナチスの占領下で抵抗運動を続け，ソ連の軍事力によって解放を実現した東欧諸国では，戦後，ソ連の指導下に社会主義圏が形成された。1947年のマーシャル・プランの提案に対抗して，同年，ソ連は東欧諸国のほかフランス・イタリアの共産党を加えたコミンフォルム（共産党情報局，1947〜56年）を結成し，49年には経済相互援助会議（COMECON）を組織するなど，ソ連を中心に東欧陣営をかためた（東側陣営）。しかし自主的姿勢の強いティトーのひきいるユーゴスラヴィアを，48年コミンフォルムから除名した。

## 冷たい戦争

　東西両陣営の成立により，旧枢軸国の戦後処理問題でも東西の対立は深まり，戦争にはいたらないが，きびしい対立が続く「冷たい戦争」が進展した。とくに戦後のドイツはアメリカ・イギリス・フランス・ソ連の4カ国に分割占領され，東ドイツにあるベルリンも分割占領された。1948年6月，米・英・仏3国が西ドイツ単独の通貨改革を強行すると，ソ連は西ベルリンへの交通を禁止した（ベルリン封鎖）。3国はベルリン空輸作戦でこれに対抗し，情勢は緊迫したが，翌年5月，ソ連は封鎖を解除し，危機は回避された。しかしドイツの分裂は決定的となり，49年9月に西ドイツではドイツ連邦共和国が成立し，同年10月に東ドイツではドイツ民主共和国が成立した。

## アジア諸国の独立

　大戦をつうじてアジア諸民族の独立や革命の動きは急速に高まり，1950年までにインドネシア・ビルマ（ミャンマー）・フィリピンなどの国々が独立を達成した。しかしベトナムでは，45年9月，ホー・チ・ミン〈任1945〜69〉を大統領とするベトナム民主共和国が成立を宣言したが，ま

## ひと　田舎のおじさん ホー・チ・ミン

　ホー・チ・ミンは「ホーおじさん」の愛称でよばれている。古ぼけたカーキ色の服とゴムサンダルに象徴される衣食住の質素な生活、いつも笑顔でユーモアを欠かさない気さくな性格、どこにでもいるような「田舎の老人」というイメージが国民のあいだに定着している。

　彼はできるかぎり体を使う作業をいとわなかった。荷車は押す、薪は割る、部屋は掃除する、体操はやる、食事はつくる、菜園はつくるなど。そしてみずからを律しながら禁欲的生活を送り、しぶとい抵抗精神と戦略的思考をもちながらも、独裁的な政治権力に固執せず、「貧しさを分かち合う社会主義」の建設をめざした。彼自身、自分の欠点として意中の女性と結婚できなかったことと、タバコを止められなかったことの二つをあげているが、これは一国の指導者としての資質をそこなうものではない。

　社会主義圏の指導者や権力者はその権力の絶対性を維持するために、しばしば反対派を強制収容所に入れたりして政治的な抹殺を図ってきた。しかしベトナムでは土地革命のときの混乱や不祥事、路線闘争などはあっても、スターリン時代のような大規模な粛清はおこらなかった。死去したときの遺言はしばらくたってから発表されたが、そこには中国の唐代の詩人杜甫を引用したあと、党、労働青年団員と青年たち、勤労人民にふれ、最後に個人的問題として「私亡きあと、盛大な葬儀をして人民の時間とお金を浪費しないようにしてほしい」とあった。1976年のベトナム社会主義共和国成立後、ホーにちなんでサイゴンはホー・チ・ミン市となった。

　ホー・チ・ミンは確かにタフな共産主義者であった。しかしホーの見識にはベトナム民族を基礎にした人類全体に対する広い視野があり、彼自身の言葉によれば「独立と自由ほど尊いものはない」が一生の課題であった。ただ1980年代後半から貧しさからの脱却を求める声が高まり、ソ連をはじめとする社会主義国家の行き詰まりが明確になったことで、ホー・チ・ミンの生きざまは「時代的」限界をもちはじめ、ベトナム自身は「ドイモイ（刷新）」政策を進めて生活水準向上のための市場経済体制を導入した。

**若き日のホー・チ・ミン**　第二次世界大戦中の抗日闘争に続いて、フランスからの独立戦争、アメリカとのベトナム戦争を戦いぬいた。

もなく復帰したフランスの攻撃をうけ，インドシナ戦争（1946〜54年）がはじまった。

インドでは統一独立をのぞむ国民会議派と分離独立をのぞむムスリム（イスラーム教徒）連盟とが対立したが，1947年インドとパキスタンにわかれて独立した。スリランカ（セイロン）も48年独立した。

西アジアでは，シリア・ヨルダンが1946年に独立した。パレスチナではアラブ・ユダヤ両民族が対立するなかで，47年，国連はパレスチナを分割する案を決定した。しかし48年，ユダヤ人居住者がイスラエル国をたてると，これに反対するアラブ連盟諸国が侵攻した（パレスチナ戦争，第1次中東戦争）。戦争は翌年イスラエルの勝利におわったが，両者の対立はその後長く続いた。

## 中華人民共和国の成立

抗日戦争を戦った中国は，戦後国際連合の安全保障理事会常任理事国の地位をえた。しかし国内では，アメリカの援助にたよる国民党と，抗日戦をつうじて農民に支持されて成長した中国共産党とが対立し，戦後まもなく内戦へと進んだ。結果は中国共産党の勝利となり，1949年10月，北京で毛沢東を主席とする中華人民共和国が成立し，蔣介石の中華民国政府は台湾にのがれた。中華人民共和国は，封建的な地主制度を廃止して農民に土地を分配し，銀行や大企業を国有化するなどの諸改革を進めた。また50年2月に中ソ友好同盟相互援助条約を結び，ソ連の援助をうけ，53年から第1次五カ年計画に着手した。

**中華人民共和国の成立を宣言する毛沢東**　1949年10月1日，北京の天安門広場をうめた30万人の兵士や民衆を前に，宣言文を読みあげた。

## 朝鮮戦争

　朝鮮は大戦後，日本の植民地支配を脱したが，北緯38度線を境にして北をソ連，南をアメリカが占領したことから，ドイツと同じく両者対立の場となった。こうしたなかで1948年8月に南で李承晩〈任1948〜60〉を大統領とする大韓民国，9月に北で金日成〈主席任1972〜94〉を首相とする朝鮮民主主義人民共和国（北朝鮮）が成立した。統一をめぐりきびしい対立が続いたが，50年6月，全面戦争（朝鮮戦争）に突入し，北朝鮮軍は韓国軍を圧倒した。これに対して国連安全保障理事会は，ソ連欠席のまま戦争を北朝鮮からの武力攻撃とみなし，国連軍派遣を決定した。アメリカ軍を主力とする国連軍は38度線をこえて北上し，一時は中国国境にせまったが，中国が北朝鮮軍援助の義勇軍を派遣したので，戦局は再度逆転した。こうして東西の対立はアジアで「熱い戦争」となったが，やがて休戦会談が実現し，53年7月に休戦協定が成立した。

## 集団防衛体制の強化

　朝鮮戦争で中国の力を認識したアメリカは，ヨーロッパだけでなくアジアでも反共（反共産主義）陣営の結成を急ぎ，中国封じこめのための軍事ブロックをつくりはじめた。1951年の米・フィリピン相互防衛条約，太平洋安全保障条約（ＡＮＺＵＳ，オーストラリア・ニュージーランド・アメリカの3国）と日米安全保障条約，53年の米韓相互防衛条約，54年の米華相互防衛条約はそのあらわれである。またアメリカは，54年に反共諸国を結集して東南アジア条約機構（ＳＥＡＴＯ）をつくり，さらに西アジアでも55年に中東条約機構（ＭＥＴＯ，のち中央条約機構〈ＣＥＮＴＯ〉）を結成した。この間，ヨーロッパでは，54年のパリ協定で西ドイツの北大西洋条約機構参加と再軍備を認めた。

　他方，ソ連は1955年5月東欧諸国と東欧8カ国友好協力相互援助条約（ワルシャワ条約）を結んで西側に対抗する姿勢を強めた。

　大戦後，米ソは核兵器開発競争の時代にはいった。1949年，ソ連が原子爆弾を所有すると，52年にはアメリカが水素爆弾（水爆）の実験をおこない，ソ連・イギリスもこれにつぎ，フランス（60年）・中国（64年）も核兵器所有国となった。

## 緊張の緩和

　こうしたなかで，両陣営の話合いもはじまった。1954年4月，朝鮮統一とインドシナ休戦問題を討議するジュネーヴ会議がひらかれ，北緯17度線を南北ベトナムの休戦ラインとし，フランス軍は撤退し，2年後に統一選挙をおこなうことをきめたジュネーヴ協定が成立した。しかし，アメリカは最終宣言に加わらず，その後，フランスにかわってベトナムへの干渉を強めた。

　翌55年5月にはオーストリア国家条約が調印され，オーストリアは4カ国による占領をおえ，永世中立を宣言した。

　一方，54年ジュネーヴ会議出席の途中インドにたち寄った中国の周恩来首相は，ネルー首相と共同で，平和五原則（領土主権の尊重・不侵略・不干渉・平等互恵・平和共存）を発表した。その精神に同意するアジア・アフリカの29カ国は，55年，バンドン会議（アジア・アフリカ会議）をひらき，相互の連帯を強めた。


## 西欧諸国の復興

　西欧諸国は，マーシャル・プランによって，戦後の復興を軌道にのせ，さらに諸国間の経済協力を進めた。フランス・西ドイツなど西欧6カ国は，1951年にヨーロッパ石炭鉄鋼共同体条約を結び（52年発足），58年にはヨーロッパ経済共同体（ＥＥＣ）がうまれ，さらに67年には，ヨーロッパ原子力共同体を加えてヨーロッパ共同体（ＥＣ）を結成した。

　フランスでは，1959年にド＝ゴール〈任1959～69〉が大統領となり（第五共和政），独自の自主外交を展開したが，68年に大ストライキ（五月危機）がおこり，翌年退陣した。西ドイツでは，49年以来首相だったアデナウアーが63年退陣した。66年，大連立内閣が成立し，東欧諸国との関係改善につとめ，69年，社会民主党のブラントが首相となると，東側との話し合いはさらに進んだ。

　アメリカでは，1961年に大統領に就任した民主党のケネディ〈任1961～63〉が，国内改革のためのニューフロンティア政策を進めたが，63年に暗殺され，副大統領ジョンソン〈任1963～69〉が昇任した。この前後，黒人を中心とする公民権拡大運動が高まり，その結果64年に公民権法が成立した。

## 日本の戦後処理と経済復興

　第二次世界大戦後，日本は，アメリカ軍を中心とする連合軍に占領され，そのもとで軍隊の解散・女性解放・農地改革・教育改革・財閥解体など，徹底した民主的改革が実施された。また極東国際軍事裁判所が設置されて戦争犯罪が裁かれ，1946年には主権在民・基本的人権の尊重・戦争放棄などをうたった日本国憲法が公布された。50年代にはいり，日本はサンフランシスコ講和会議で平和条約に調印し，独立を回復したが，これは社会主義国と一部のアジア諸国の不参加や反対をおしきったものであり，同時に結ばれた日米安全保障条約で日本はアメリカ軍の駐留・軍事基地と関係施設の存続を認めた。また朝鮮戦争の勃発によって国連軍への物資供給（朝鮮特需）が必要となり，これが日本の経済復興のきっかけとなって，60年代の驚異的な経済成長につながった。しかし経済成長を優先するあまり水俣病に代表される公害も発生した。70年代にはいり，太平洋戦争時においては戦場となり，戦後はアメリカの軍政下におかれていた沖縄が72年日本に返還されたが，アメリカ軍基地はその存続が認められ，軍事基地の問題は未解決のまま残された。73年になって石油危機が発生し，一時日本経済は大きな打撃を受けたが，省エネ技術を進展させてその後も成長を続け，87年には世界最大の債権国になった。

## 社会主義圏の変化

　ソ連では，1953年にスターリンが没すると集団指導制がとられ，西側との平和共存を積極的に主張するようになった。56年2月のソ連共産党第20回大会では，フルシチョフ第一書記（書記長のこと）〈任1953～64〉がスターリン時代の粛清や個人崇拝の誤りを指摘するスターリン批判をおこなった。55年にはユーゴスラヴィアとの関係を回復し，56年コミンフォルムを解散した。しかしその後61年，東ドイツは東西ベルリンを遮断する「ベルリンの壁」をきずいた。

　ソ連でのスターリン批判は，各国共産党に大きな衝撃をあたえた。東欧諸国では，1956年にポーランドのポズナニで自由化を求める労働者の暴動がおこった。つづいてハンガリーでも反ソ暴動がおこったが，ソ連軍の力によっておさえられた。その後，68年にはチェコスロヴァキアが自由化への改革を進めたが（「プラハの春」），ワルシャワ条約機構のソ連・

1　二大陣営の対立とアジア・アフリカ諸国の登場　277

**「プラハの春」** 1968年，チェコスロヴァキアではドプチェクが第一書記に就任し，「人間の顔をした社会主義」をとなえて，民主化・自由化政策を推進した。しかし，ソ連はワルシャワ条約機構のソ連・東欧5カ国軍を派遣して，ドプチェクを解任させ，市民の抵抗もむなしく民主化運動は挫折した。

東欧5カ国の軍隊によって鎮圧された。これは世界に衝撃をあたえ，とくに資本主義国の共産党はこれを機に自主独立の傾向を強めるようになった。

　社会主義圏のなかのもっとも大きな変化は中ソ関係である。スターリン批判後，革命や社会主義建設の方式などをめぐって両国は対立し，1958年，中国が人民公社中心の社会主義建設方式をとると，ソ連はこれを批判し，対立は表面化した。60年代には，中国国内でも政策をめぐる対立が生じ，66年，思想の変革を重視する毛沢東らは文化大革命（1966〜77年）をおこし，生産の増大をより重視する劉少奇国家主席〈任1959〜68〉，鄧小平総書記らを失脚させた。この間，ソ連では，64年フルシチョフが解任され，ブレジネフ〈任1964〜82〉体制が成立した。しかし中ソ両国の対立はますます激しくなり，69年には国境で武力衝突もおこった。

## アジア諸国の動向

　アジアの一部の地域では，政治運動を抑圧しながらも，経済の近代化を進める独裁体制（「開発独裁」）がうまれた。

韓国では1960年，学生・市民の運動によって，李承晩の独裁政権が倒れたが（四月革命），翌年軍部がクーデタをおこし朴正熙〈任1963～79〉が政権をにぎった。65年日韓両国は基本条約を結んで国交をひらき，経済の発展に力をそそいだ。

フィリピンでは，1965年に大統領に就任したマルコス〈任1965～86〉が72年戒厳令をしき，独裁体制をかためた。インドネシアでは，スカルノ〈任

# 文化大革命

文化大革命（文革）は正式にはプロレタリア（無産階級）文化大革命で，1966年に毛沢東が発動し，毛沢東の死（76年）により，77年に終結した政治運動である。大躍進の失敗により，実権を失っていた毛沢東ら急進的社会主義路線を支持する勢力が，多数派であった劉少奇・鄧小平ら実権派（走資派）を打倒するために発動した。

1965年11月の姚文元の論文「新編歴史劇『海瑞免官』を評す」を口火とする実権派批判を契機とし，翌年5月には中央文化革命小組が設立され，実権派の打倒と徹底的な革命を主張する政治運動が発動された。学生は紅衛兵の組織をつくり，労働者も造反し，運動は全国に拡大，劉少奇・鄧小平らは失脚した。しかし，紅衛兵や造反労働者らの行動が過激化し，各地で武闘が拡大して大混乱に陥ったため，1967年2月には軍主導で秩序回復がはかられ，軍事独裁のような状況になった。この軍の指導者として毛沢東の後継者とみなされるようになった林彪は1971年9月，毛沢東に対するクーデタを計画して失敗し，ソ連に亡命す

る途中，モンゴルで墜落死した。その後は江青らの四人組が権力をにぎったが，1976年に毛沢東が死去すると四人組は逮捕され，77年に文革は終了を告げた。毛沢東の死後，党主席となった華国鋒が文革の継続をめざしたが，鄧小平に実権をうばわれることになる。

文革は，100万人以上という大量の死傷者をだし，中国経済を低迷させただけでなく，社会秩序の崩壊や人間関係の破壊など，社会面でも深刻な爪痕を残した。路線は転換し，1980年に劉少奇の名誉回復が決定された。文革に対する現在の中国の公式史観は，1981年の共産党中央委員会の，以下の規定である。「歴史がすでに明らかにしているように，「文化大革命」は指導者がまちがってひきおこし，それが反革命集団に利用されて，党と国家と各民族人民に大きな災難をもたらした内乱である」。

被害者・加害者として関与した人びとの多くが健在であるために，中国では文革についていまだ自由に議論することができないのが現状である。

1　二大陣営の対立とアジア・アフリカ諸国の登場　279

1945 ～ 67〉のもとで挙国一致体制が続いたが，65年のクーデタ事件〈九・三〇事件）を機に軍部が政権をにぎり，68年スハルト〈任1968 ～ 98〉が大統領となり，アメリカに接近して工業化や近代化を進めた。なおシンガポール・インドネシア・マレーシア・フィリピン・タイの5カ国は，67年東南アジア諸国連合（ＡＳＥＡＮ）を結成し，経済の相互協力を強めている(84年にブルネイが独立し，加盟。現在は10カ国)。

インドは1950年代，ネルーのもとで非同盟中立政策を進めたが，62年の中印国境紛争についで，65年には，カシミール帰属問題をめぐってインド・パキスタン戦争がおこった。

## アラブ・アフリカ諸国の動向

アラブ・アフリカ諸国の動きも活発になった。1952年の革命で王政を廃止したエジプトでは，54年にナセル〈任1956 ～ 70〉が政権をにぎって農地改革を推進し，対外的には反植民地主義・非同盟政策をとってアラブ諸民族の支持をえていたが，56年アスワン・ハイダム建設の援助をアメリカ・イギリスが中止したのに反発して，スエズ運河の国有化を宣言した。これに対して，イスラエルはイギリス・フランスと共同してエジプトに侵攻した（スエズ戦争，第2次中東戦争）。しかし国際的な非難をあび，国連の決議をうけいれて撤兵した。

この前後，アフリカ諸国の独立があいついだ。1956年にフランスから独立したチュニジア共和国・モロッコ王国についで，57年にはサハラ以南のアフリカではじめてガーナ共和国が，58年にはギニア共和国が成立した。さらに60年は「アフリカの年」といわれ，カメルーン・トーゴなど17カ国が独立した。62年には，長いあいだフランスと激しい独立戦争(アルジェリア戦争，1954 ～ 62年)を戦ってきたアルジェリアが独立をはたした。

こうして1963年には，アフリカ統一をめざすアフリカ統一機構（ＯＡＵ）が成立した（2002年にアフリカ連合〈AU〉に改変）。しかし苛酷な植民地支配の影響，部族対立や人種問題，さらには独立後も政治的・経済的手段を使って間接的に支配しようとする新植民地主義との対決などの難問題があり，独立後しばしば内乱や紛争がおこった。旧ベルギー領コンゴ（現コンゴ民主共和国)は60年に独立したが，すぐ内乱となった（コンゴ動乱）。

**キューバ危機** 1962年10月,アメリカのケネディ大統領は,キューバに建設中のソ連ミサイル基地の撤去を要求し,ミサイルの搬入を阻止するため海上封鎖をおこなうと声明。ソ連はこれを拒否してミサイル輸送を強行しようとし,米ソ正面衝突の危機がせまった。写真はカリブ海上でソ連の貨物船を偵察するアメリカ軍機。

政府の要請で国連軍が派遣されたが,ベルギー・アメリカ・ソ連などの利害の対立もからみ,紛争は長びいた。

### ラテンアメリカの動き

　ラテンアメリカ諸国は,1948年に米州機構(OAS)を組織して共産主義に対抗する体制をとった。しかし大土地所有制を基盤とする軍事独裁政権が多く,土地改革や政治改革を求める運動がおこり,政情は不安定で,独裁政権を支持するアメリカへの反発も高まった。52年,ボリビアに革命政権が成立し,錫産業の国有化や土地改革を進めたが,64年クーデタに敗れた。中米のグアテマラでも51年,左翼政権が成立して土地改革に着手したが,54年アメリカの支持する軍部に倒された。

　キューバでは,1959年にカストロが,アメリカ資本に支持されてきたバティスタ政権を打倒し,革命政権を樹立した。彼が農地改革と外国会社の接収・国有化を進めると,アメリカは61年国交を断絶した。カストロは社会主義を宣言し,ソ連への接近をはかった。62年,ソ連はキューバに核ミサイル基地を建設し,これを知ったアメリカは激しく反発し,あわや核戦争という危機に直面した(キューバ危機)。しかし,まもなくソ連が基地を撤去したため,衝突はさけられた。

## 2　米ソの動揺と多元化する世界

### ベトナム戦争

　1950年代なかばから，米ソ両国は一進一退ではあったが，平和共存路線で接近していった。その反面，アメリカはベトナムに対する介入を強めていった。

　1954年のジュネーヴ協定成立後，南ベトナムではアメリカの支持するゴ・ディン・ジエム政権がきびしい独裁政治をおこない，南北統一選挙を拒んだ。この政権に反対する人たちは，60年，南ベトナム解放民族戦線を結成し，内戦になった。アメリカは南ベトナム政権への援助を本格化し，65年，北ベトナム爆撃（北爆）を開始し，またアメリカ軍が続々と南ベトナムでの戦闘に加わり，その数は50万に達した。そのためベトナムの村々は破壊され，多数の民衆が死傷したが，北ベトナムが支援する解放民族戦線はかえって勢力を拡大した。ソ連・中国の北ベトナムへの援助も増大した。一方，アメリカ国内では67年反戦運動が高まり，戦争反対の国際世論も広がった。

　1968年，アメリカは北爆を停止し，パリ和平会談にふみきった。73年，和平協定が成立し，協定によってアメリカ軍は撤退した。戦争は75年に最終段階にはいり，カンボジア・南ベトナム，さらにラオスでも解放勢力が勝利をおさめ，76年には南北統一したベトナム社会主義共和国が成立した。

### 国際体制の変化

　1960年代後半から70年代にかけて，世界は大きくかわった。アメリカがベトナム戦争による国内社会の分裂や巨額の財政赤字に苦しみ，ソ連経済が停滞しているあいだに，西欧諸国および日本は経済発展をとげた。一方，中ソ対立も激しさを増し，西欧諸国・日本，さらに中国が自立した大国として登場し，また南の国々の発言力も著しく増大した。さらに韓国・シンガポール・ブラジルなど新興工業経済地域（NIES）がふえた。こうして米ソ両極化の時代はおわり，多元化の時代をむかえた。

　アメリカのニクソン大統領〈任1969～74〉はベトナムからのアメリカ軍

# ドル・ショック

第二次世界大戦後の国際通貨体制は，ブレトン・ウッズ体制の成立によって確立された。これは金（ゴールド）の裏づけをもつドルを基軸通貨とし，金・ドル交換性と固定相場制を特徴としていた。金1オンス＝35米ドルに固定され，各国の通貨はドルとの交換比率を固定していた。1960年代以降，西ヨーロッパが戦災から復活し，対米輸出が増大した。アメリカ国内でも，ケネディ・ジョンソン両政権が社会福祉費やベトナム戦費の支出などのため赤字財政政策を採ったため，市場に出回るドルが急増し，インフレが進行した。これによって，ドルの実質的な価値と「金1オンス＝35米ドル」との乖離（かいり）が大きくなり，アメリカから金が流出し，利益を狙った投機によって市場は混乱した。

これに対し，1971年8月15日，米大統領ニクソンは，ドルの金交換を一時停止させることを宣言した。これは「ドル・ショック」とよばれる。その後，スミソニアン合意（1971年12月）によって，金に対する米ドルの価値が引きさげられたり（35→38米ドル），米ドルに対する各国通貨の変動幅が拡大（±1%→±2.25%）されたりしたが，国際通貨制度の安定は実現できず，73年までに主要各国は変動相場制を導入した。これによって，米ドル・金交換性と固定相場制が崩壊し，それはブレトン・ウッズ体制の終焉を意味し，世界経済における，アメリカの相対的な地位低下が明らかになった。

日本にとって，このドル・ショックは大きな衝撃となった。1ドル＝360円という固定為替レートのもとで，日本は輸出を基軸として急激な経済成長を達成していたからである。変動相場制に移行してからも，日米両国はしばしば円ドルの為替レートをめぐって対立したが，ドル安を実現した1985年のニューヨークのプラザ合意はその妥協の結果でもある。アメリカはドル安によって競争力を高め，貿易赤字を縮小しようとしたのである。

の撤退を実現し，1972年ソ連と敵対していた中国を訪問し，米中関係を改善した（79年，国交正常化）。一方で，国際収支の改善のために金・ドル交換停止や輸入課徴金の導入を71年に発表して世界に衝撃をあたえた（ドル・ショック）。戦後のIMF体制（ブレトン・ウッズ国際経済体制）は崩壊して変動相場制へ移行し（73年），第1次オイル・ショック（73年）もかさなり，世界経済は失速した。こうした国際的な課題を解決するために，75年以降，先進国首脳会議（サミット）がひらかれている。さらにアメリカの豊かさや民主主義国家としてのイメージは，ニクソン自身が74年ウ

2　米ソの動揺と多元化する世界　283

ォーターゲート事件で辞任に追いこまれたこともあって、大きくそこなわれた。

ソ連では、1970年代から80年代にかけてブレジネフ体制のもとで、内外の政策の変化はなかったが、経済の停滞がめだち、自由化への声は抑圧された。ハンガリーではこの間にさまざまな経済改革の試みがあり、ポーランドでは80年、自主的な労働組合「連帯」が結成されたが、翌年弾圧され戒厳令がしかれた。

西欧では、1973年にイギリスなどがヨーロッパ共同体（ＥＣ）に加盟し、80年代にはギリシアなども加わった（拡大ＥＣ）。東西ヨーロッパの交渉も進み、73年には東西両ドイツの国連同時加盟が実現した。

イギリスでは、1969年から北アイルランドでカトリック系住民たちの公民権をめぐる激しい暴動がおこった。79年にはサッチャー保守党内閣にかわり、国営事業の民営化など自由化路線を進め、戦後最長政権を維持した。西ドイツでは、82年、コールが首相となった。一方、フランスでは、81年にミッテラン〈任1981〜95〉が大統領に選ばれた。また長いあいだ独裁政治が続いていたポルトガルとスペインでは、74年から76年にかけて、民主政治への転換がおこなわれた。ギリシアでは、74年に王政が廃止され、80年代には社会主義政権が続いた。

## 中東戦争

パレスチナ戦争・スエズ動乱をつうじて対立を深めてきたアラブ諸国とイスラエルとのあいだに、1967年、第３次中東戦争がおこった。イスラエルはわずか６日間でシナイ半島など広大な領域を占領した。

1973年には第４次中東戦争が勃発した。エジプト・シリア両軍の攻勢で、イスラエルは苦戦したが、まもなく戦局は逆転した。このとき、ア

中東戦争によるイスラエルの領土の拡大

**イラン革命** 1963年以来パフレヴィー国王が強行した近代化政策は、かえって国内経済を混乱させ、独裁への反発も強まった。78年には反国王運動が全国規模に拡大し、翌年追放されていた宗教指導者ホメイニが帰国してイスラーム回帰を訴え、民衆に熱狂的にむかえられた。

ラブ石油輸出国機構（OAPEC）10カ国は原油供給の削減と値上げを発表した。この「石油戦略」によって、イスラエル支持の立場をとってきた欧米諸国や日本は大きな打撃をうけ（第1次オイル・ショック）、エネルギー問題の重要性があらためて各国で認識された。

　第4次中東戦争以後、激しく対立していたエジプトとイスラエルが関係改善をはかり、1979年両国間に平和条約が成立した。しかし他のアラブ諸国はこれに強く反発し、エジプトの大統領サダトは81年暗殺された。一方、国連では、74年にパレスチナ人の民族自決権が承認され、パレスチナ解放機構（PLO, 64年結成）をパレスチナ人の正当な代表と認める決議がなされた。

### アジア・中東の情勢

　イランでは、1978年にパフレヴィー国王〈位1941～79〉の長期独裁政治に反対する革命運動が高まり、79年初め彼は国外にのがれ、かわってフランスに亡命していたホメイニが帰国して、イラン・イスラーム共和国を宣言した（イラン革命）。翌80年には、突如イラクがイランを攻撃し、イラン・イラク戦争が勃発した（88年停戦）。79年12月、ソ連は親ソ勢力によるクーデタを支援してアフガニスタンに軍事介入したが、結局失敗し、89年に全面撤退した。その後内戦がおこり、96年になってイスラー

2　米ソの動揺と多元化する世界　285

# ソ連と中国の社会主義

**ソ連の社会主義**　1930年代にできあがったソ連経済は，すべて中央からの指令によって動く計画経済であった。計画経済はたしかに国内の資金・資源・労働力を中央で管理し，特定の目的・部門・地域にふりむける点で，後進国の工業化に適していた。

ソ連は1930年代から70年代初めまで，この体制のもとで，重化学工業の建設や航空機・核兵器・ロケットといった軍需産業で成果をあげ，また消費物資が不足がちだったとはいえ，国民に最低生活を保障し，医療や教育の普及・無料化では資本主義の福祉国家の手本にさえなった。また国家が経済を管理して恐慌や失業をなくすというソ連の実験が，ニューディールのような資本主義の改良・修正の試みに刺激をあたえたことも否定できない。

だがこの体制の欠陥は，なによりも個人の自由な創意を育て，活かすことができないことにあった。そしてソ連経済には，企業間の競争でうまれる技術革新，消費者のニーズにこたえる品質改良への刺激が欠けていた。1970年代，これまでの大量生産の重化学工業にかわって，市場の変化にすぐ対応できる技術と高い品質が必要な情報・ハイテク産業の時代がはじまると，この欠陥はソ連経済にとって命とりとなった。

**中国の社会主義**　中華人民共和国が成立したあと，毛沢東という強い個性と影響力をもった指導者の存在もあって，権力の乱用をともなった政治的混乱が続いた。大きくかわるのは，文化大革命後の1970年代に改革・開放路線を採用してからである。個人営業を認めるなど経済を大胆に自由化し，外資を導入することで，重化学工業を進展させ，消費物資を増産し，市場を通じて豊富に提供した。中国の高度成長はこの時期からはじまった。

ただ21世紀にはいり，中国の経済成長は鈍化し，不動産バブルにともなう不良債権問題が深刻化し，国有企業の非能率化が明確となってその改革が喫緊の課題となり，都市部と農村部の経済格差，および沿海と内陸の経済格差が増大するなど，その問題点が具体化しつつある。中国はソ連と同様に，複数政党間の自由な競争がなく，言論・出版の自由が制限されて政府批判や街頭行動が制限されていることから，新しい経済の動態に対応できるかどうか，その真価が問われている。

ム原理主義をとなえるターリバーンが権力をにぎった。

南アジアでは1971年，バングラデシュ（東パキスタン）がパキスタンから分離・独立した。

東南アジアでは，ベトナム戦争の結果，インドシナ3国に社会主義政権が成立したが，まもなくカンボジアのポル・ポト派政権とベトナムと

**中国の改革・開放**
2004年,「総設計師」とよばれた鄧小平の生誕100年を祝して,各地でさまざまなイベントがおこなわれ,巨大な看板が設置された。「(改革・開放の)基本路線は100年堅持する」と書かれている。

のあいだに紛争が生じ,ベトナム軍がカンボジアに侵攻し,1979年1月,ベトナムの支持するヘン・サムリン政権がプノンペンに成立した。同年2月,ベトナムのカンボジア侵攻に反対する中国がベトナムを攻撃した(中越戦争)。その後カンボジアではシハヌーク〈位1941～55,93～2004〉らの三派連合勢力がヘン・サムリン政権と対抗し,内戦が続いた。こうした戦争の混乱のなかで,大量の難民がインドシナから脱出し,大きな国際問題となった。タイでは王政のもとで軍事政権がうまれたときもあったが,周辺諸国と比較すると相対的に安定していた。

中国の文化大革命は1970年代にはいっておさまり,76年,周恩来・毛沢東の没後,文化大革命を指導した江青ら「四人組」が追放され,華国鋒〈首相任1976～80〉・鄧小平体制が成立した。78年,鄧小平を中心とする新指導部は,経済の近代化政策と対外開放政策を積極的に推し進めた。その後,農業・工業・国防・科学技術の「四つの現代化」など,改革・開放路線を推進していった。

韓国では,70年代に経済が急速に発展した。しかし,外資にたよった急激な経済成長政策のひずみと独裁政治に対する民衆の不満が広がり,79年に朴正煕大統領が暗殺され,それを機に全国的な民主化運動がおこった。その後軍部出身の全斗煥〈任1980～88〉・盧泰愚〈任1988～93〉の時代にソ連や中国との国交回復,朝鮮民主主義人民共和国との国連同時

加盟が実現した。

## 1970年代以降のアフリカ

　アフリカでは，1970〜80年代にも，エチオピア・ソマリア紛争をはじめ，いくつもの領土紛争が続き，多くの軍事クーデタがおこり，軍事独裁政権がしばしば登場した。この背景は，多くの国で経済活動や日常生活，教育・医療などの社会制度の基盤が未整備な点にある。こうした戦乱と自然災害によって，多くの難民が飢餓に苦しんでいるが，欧米諸国の援助による近代化への努力も進められている。

　南アフリカ共和国は白人少数派によるきびしい人種隔離（アパルトヘイト）政策を長く続けてきたが，内外の強い批判にさらされ，1989年，デクラーク大統領〈任1989〜94〉は従来の政策を大きく転換した。94年，全人種による総選挙がはじめて実施され，アフリカ民族会議（ANC）が大勝し，黒人指導者マンデラ〈任1994〜99〉が大統領に選ばれた。彼は白人閣僚をふくめた国民統合政府を組織した。同国の周辺では，80年，ローデシアに黒人政権が成立してジンバブエ共和国となった。

## 1970年代以降のラテンアメリカ

　ラテンアメリカ諸国では1960年代なかばから，多くの国で経済発展がみられた。しかし一方で貧富の差も広がったことから，政治的に不安定で，独裁政権が多く，しかも外国資本に依存していたことから累積債務問題やインフレーションになやむ国がふえた。

　チリでは1970年に社会党のアジェンデ〈任1970〜73〉が大統領に当選し，人民連合政権が発足したが，73年，軍部のクーデタによって倒された。しかし90年には民政が回復した。79年，ニカラグアでは独裁政権をたおして革命政権が誕生したが，90年になって選挙による中道政権が成立した。ペルー・ホンジュラス・アルゼンチン・ブラジルなど，全体として民政に移管する国々がふえている。

## 南北問題

　1960年代には，おもに地球の南半球に位置するアジア・アフリカ・ラテンアメリカ諸国が国連加盟国の3分の2を占め，強い発言力をもつよ

うになった。また東西の軍事ブロックに属さない非同盟政策をとる国々も，南の国々を中心にふえ，61年非同盟諸国首脳会議をひらいて，国際政治に大きな影響をあたえるようになった。

　しかし経済的には，南の国々と北に位置する先進工業国とのあいだの格差はかえって広がり，1960年代にはいると南北の関係が重大な国際問題（南北問題）として注目されるようになった。64年にひらかれた第1回国連貿易開発会議（ŪNĊTĀD）で，南の国々は「援助よりも貿易を」をスローガンに結束した。さらに70年代にはいると，南の国々は，先進工業国に有利なこれまでの国際経済秩序を改めるよう要求を強めた。しかし現実には経済格差はちぢまらず，また先進工業国むけの一次産品・資源の大量開発は，南の国々にさまざまな環境破壊と自然災害をもたらしている。

# ③　20世紀末から21世紀へ

### 転換期をむかえた世界

　1980年代後半から，世界は第二次世界大戦後最大の転換期をむかえた。社会主義圏の中核であったソ連は内部から崩壊して消滅し，東欧も民主化革命によって社会主義体制にかわって市場経済へと移行した。89年には冷戦の終結が宣言され，国際的平和の到来が期待されたが，実際は世界各地で地域の覇権をめざす国際紛争，宗教的対立や，民族主義による内戦，地域の自立を求める運動などが噴出した。アジア・アフリカ・ラテンアメリカでも，開発独裁・長期独裁政権はその数を減らし，民主化の波が広まっている。

　世界経済はアメリカ合衆国・EU・日本の三極構造を基本としながらも，2008年以来の世界的金融危機によって中国やインドなどの新興国の存在感が高まり，発展途上国では南北問題・南南問題が深刻化して混沌とした状態になっている。

　また情報技術をはじめとする科学の発達は，人びとの生活空間や価値観を大きく変化させ，一方で地球的規模での資源の大量消費・大量破棄が深刻な環境汚染・環境破壊を引きおこしている。

3　20世紀末から21世紀へ　**289**

## 社会主義圏の崩壊

　ソ連では，1986年，ゴルバチョフが停滞した国内社会のたてなおし（ペレストロイカ）政策を開始し，政治・経済制度の民主的改革に着手した。外交面ではアメリカ大統領レーガン〈任1981～89〉とのあいだで，中距離核戦力全廃条約（87年）を締結・調印し，ブッシュ（父）大統領〈任1989～93〉とはマルタで米ソ首脳会談（89年）をひらいて冷戦の終結と新時代の到来を確認しあった。90年，一党独裁制をやめ，大統領制を導入して，ゴルバチョフが大統領に就任した。91年，共産党保守派がクーデタをおこして失敗し，共産党は解散した。また，戦後ソ連に編入されていたバルト3国（エストニア・ラトヴィア・リトアニア）が独立を回復した。さらに同年末，11の共和国による独立国家共同体（CIS）が発足し，ソ連邦は消滅し，ゴルバチョフ大統領も辞任した。同年，ロシア連邦大統領にエリツィン〈任1991～99〉が就任し，ロシア連邦が旧ソ連の国連安全保障理事会常任理事国の地位を継承した。エリツィンが健康上の理由で退陣したあと，2000年の大統領選挙でプーチン〈任2000～08, 12～〉が当選し，「強いロシア」の再建を目標とする内外政策を進めた。プーチンはウクライナ東部の分離運動をおこしてクリミアを併合し，さらに2022年ウクライナにも侵攻した。

　東欧諸国では1989年が激動の年となった。ポーランドでは「連帯」主導の内閣が発足し，ハンガリーは人民共和国から共和国にかわった。東ドイツでは冷戦の象徴であった「ベルリンの壁」がこわされ，90年10月東西ドイツが再統一した。チェコスロヴァキアでも，共産党単独政権は崩壊し，民主化が進行した。しかし1993年，チェコスロヴァキアはチェコとスロヴァキアの2国家に分離した。ルーマニアでも，独裁

**マルタでの米ソ首脳会談**　1989年12月，地中海のマルタ島でおこなわれた米ソ首脳会談で，ブッシュ（父，右）とゴルバチョフ（左）は，東西冷戦の終結を宣言し，新時代の幕をひらいた。

**「ベルリンの壁」崩壊を喜ぶ市民** 1961年に壁がつくられて以後も,壁をこえて東ベルリンから西ベルリンへ命がけの脱出をこころみる人びとがあとをたたなかったが,1989年にいたって第三国を経由して不法に出国する東ドイツ市民が急増した。このため東ドイツ政府は11月9日「ベルリンの壁」を解放することを決定せざるをえなくなった。

的なチャウシェスク〈任1967～89〉が倒され,改革の波は90年,アルバニアにもおよんだ。

　こうしてソ連・東欧は大きくかわり,ソ連を中心とする社会主義圏は崩壊し,ワルシャワ条約機構も解体した。一方,急激な変革は多くの混乱をうみ,経済・政治制度の改革も順調には進まず,またこれまでおさえられてきた民族・地域紛争も広がった。アゼルバイジャン・アルメニアなどで民族紛争が表面化し,ロシアはチェチェンの連邦からの独立の動きを武力により抑圧した。多民族の連邦国家であるユーゴスラヴィアも分裂し,ボスニア・ヘルツェゴヴィナでは,国連の調停と国連保護軍の派遣にもかかわらず,深刻な武力紛争が続き,コソヴォ地域ではNATOが介入した。

### 多様化するアジア

　改革と開放政策を進めてきた中国では,1989年学生らの民主化要求運動が武力弾圧され(天安門事件),趙紫陽党総書記も失脚し,江沢民〈任

## 新 常 識　クリミア半島の歴史

この地域では前8世紀頃から遊牧騎馬民族であるスキタイ人の活動が本格化し，彼らはヘロドトスの『歴史』にも登場している。ギリシア人・ローマ人・ゴート人・フン人などのさまざまな民族がその後興亡しつつ，この半島を支配し，13世紀にはモンゴルによる征服によりキプチャク・ハン国が成立した。15世紀にはそれが衰退し，いくつかの地方政権が誕生した。そのうちの一つがクリミア・ハン国であった。この国はイスラーム教を信奉し，同じイスラーム教国のオスマン帝国の保護下にはいり，その宗主権のもとにあった。

ここに進出してきたのがロシアであった。エカチェリーナ2世は1768年，クリミア半島の領有をねらって，オスマン帝国に宣戦し，勝利した。74年にキュチュク・カイナルジャ条約を結んでクリミア・ハン国の保護権を獲得し，83年には強制的にクリミア・ハン国を併合し，ロシア化をはかった。さらに87年からのロシア・トルコ（露土）戦争の結果として結ばれたヤッシー条約（92年）でオスマン帝国にロシアのクリミア併合を認めさせた。19世紀にはいり，

1853年からクリミア戦争が勃発すると，この戦争では，セヴァストーポリ要塞の攻防戦が主戦場となり，ロシアはイギリス・フランス・オスマン帝国などの諸国と戦ったが敗北し，パリ条約が結ばれてロシアの南下政策は挫折した。20世紀にはいると，第二次世界大戦後の世界の体制を方向づける連合国首脳会談（チャーチル，ローズヴェルト，スターリン，265ページ参照）が保養地のヤルタで開催されている。

第二次世界大戦後の1954年，クリミア半島はロシアからソ連を構成する一共和国であるウクライナ共和国に移管された。しかし91年ソ連が解体してウクライナが独立すると，ロシア人が多いクリミア半島で翌年，独立運動がおこった。当時はチェチェンの独立運動をロシアが弾圧していたこともあってクリミアの独立支援をロシアはいったんは中止したが，2014年になってクリミアの帰属問題が再燃し，ロシアと親ロシア派が半島を掌握したあと，一方的な住民投票がおこなわれ，ロシアはクリミア併合を宣言した。国際社会の多数はこの併合を認めていない。

1989 ～ 2002〉が総書記になり，93年国家主席を兼任した。2002年には胡錦濤，12年からは習近平〈任2012 ～　　〉が総書記となり，世代交代が進んでいる。またこの間，中国経済は驚異的な成長をとげ，上海などの沿岸都市には高層ビルが林立し，2010年には日本を抜いて世界第二の経済大国となった。しかし一方でチベット自治区や新疆ウイグル自治区では，漢族との民族対立が激化し，チベットでは2008年，新疆では2009年に

暴動が発生した。なお，香港が1997年に，マカオは99年に中国に返還された。

　一方，台湾は輸出産業を成長させて経済力をつけ，政治的には国民党の一党独裁体制が崩壊した。88年には李登輝〈任1988〜2000〉が総統に就任し，その後，陳水扁〈任2000〜08〉が当選して台湾の独立志向を強めたが，2008年国民党の馬英九〈任2008〜16〉にかわり，2016年には民進党の蔡英文〈任2016〜　〉が当選して，脱原発などの政策を打ち出した。

　朝鮮半島では，1972年の南北共同声明以来，南北の話し合いが断続的に続いてきたが，91年，国連に同時加盟し，さらに相互不可侵に合意して，首相会談もひらかれた。韓国の民主化も進み，92年末の大統領選挙で文民出身の金泳三〈任1993〜98〉が当選してから，現在の尹錫悦〈任2022〜　〉まで非軍人出身者が大統領となり，文民政治は定着した感がある。ただ朴槿恵〈任2013〜17〉は，友人の国政介入問題に関連して現職の大統領としてははじめて罷免されて失職し，逮捕された。韓国は著しい経済成長を実現しながらも，日本との関係，財閥系会社の不祥事，サムスングループの成長鈍化，ＴＨＡＡＤミサイル配備をめぐる中国との軋轢など，内外の諸問題をかかえている。北朝鮮は，94年に国家主席金日成が没したあと長子の金正日〈任1997〜2011〉，金正日が死去した2011年からは三男の金正恩〈任2011〜　〉が後継者となった。北朝鮮は，農工業生産の低迷や深刻な食糧危機に直面しながらも，03年核拡散防止条約から離脱し，06年核実験を実施し，さらに長距離ミサイルの開発を進めるなど，軍事優先の体制を維持していることから国際的な緊張が高まっている。

　1990年代初め，バブル経済が崩壊し，以後日本経済は長期的な停滞期にはいってデフレが進行し，国民間の経済格差も拡大した。外交的には，カンボジアへのＰＫＯ派遣，イラク復興のための自衛隊派遣など，国際的な活動範囲を広げ，北朝鮮の核開発や中国の軍事的台頭に直面して，安全保障政策ではアメリカとの同盟関係を強化している。政治的には一時民主党政権も誕生したが，自民党・公明党の連立政権が長期化している。

　ベトナムは南北統一後，多くの難民をうむなど混乱もあったが，「ドイモイ（刷新）」政策のもと市場経済を導入し，東南アジア諸国連合（ＡＳＥＡＮ）にも加盟（1995年）した。内戦が続いたカンボジアでも，1991年に和平協定が成立し，93年，国連の管理下で総選挙がおこなわれ，その結果，

シハヌークを国王とするカンボジア王国が成立した。1998年にはポル・ポトが没して内戦は終結した。フィリピンでは86年，マルコスの独裁と不正選挙に反対する民衆運動が成功し，アキノ政権〈任1986〜92〉が発足し，その後民主的政権が続いている。しかしドゥテルテ〈任2016〜22〉・マルコス〈任2022〜　〉が大統領になってからはアメリカや中国との外交関係に変化があらわれている。ミャンマー（ビルマ）では，民主化運動の高まりによって，独裁を続けていたネ・ウィン〈任1962〜88〉が88年に退陣した。90年の総選挙ではアウン・サン・スー・チーらの国民民主連盟（ＮＬＤ）が圧勝したが，軍部が実権を手放さず，国際的に孤立した。その後2015年・2020年の総選挙でも国民民主連盟が圧勝して，一時文民大統領が誕生したが，2021年軍事クーデタがおこって，軍事政権が誕生した。タイでは1997年にはじまったアジア通貨危機で一時，経済が停滞したが，その後急激に回復した。しかし社会的・政治的な対立が深刻化し，さらに軍部のクーデタがおこるなど政情が不安定になっている。2016年にはプミポン国王（ラーマ9世）が死去し，長男のワチラロンコン皇太子が新国王（ラーマ10世）に即位した。

　インドでは，1984年にインディラ・ガンディー首相が暗殺され，あとをついだ長男のラジブも91年に暗殺された。1990年代後半，国民会議派にかわって，インド人民党を中心とする政権が成立した。その後，インドは核保有国となり，政治的には国民会議派とインド人民党勢力が対立を続けている。経済的には情報産業などを中心に急速な経済成長を達成しつつも，経済的格差や宗教対立が増大し，ヒンドゥー至上主義的傾向もあらわれている。パキスタンでは，軍人出身のムシャラフ〈任2001〜08〉が2001年に大統領に就任したが，ブット元首相の暗殺（2007年）を機に各地で暴動が発生し，さらにイスラーム原理主義勢力の浸透によって内政は不安定化している。

## 深刻化する中東問題

　イラン・イラク戦争が1988年に停戦したが，90年，イラクのサダム・フセイン〈任1979〜2003〉はクウェートを武力で併合した。国連安全保障理事会は撤退を要求し，91年アメリカを主力とする多国籍軍が進攻し，クウェートを奪回した（湾岸戦争）。一方で，93年イスラエルとパレスチ

## 南シナ海・東シナ海問題

かねてより，中国は南シナ海の南沙（スプラトリー）および西沙（パラセル）の両諸島をめぐり，ベトナム・フィリピン・台湾・ブルネイ・マレーシアなどと領有権を争ってきたが，2009年頃からこれらの国々が同地域において相互に漁船を拿捕する事件があいつぎ，急速に緊張が高まっている。とくに中国は圧倒的な海軍力を背景に，軍艦・漁船・監視船・海洋調査船などを動員して領有を拡大しようとしている。

2010年ハノイで開かれた東南アジア諸国連合（ASEAN）地域フォーラム会議において，中国と領有権を争うASEAN諸国の多くが，公的に中国の行動を非難した。また，アメリカも領土紛争を仲介する用意があること，航行の自由を求める点でアメリカも利害関係国であると発言して，中国を批判した。一方，中国はアメリカの仲介には強く反対している。02年には関係国が「南シナ海行動宣言」で合意したこともあったが，現在は中国に対して，それより拘束力のある「南シナ海行動規範」に高めることに同意するよう要求している。このような中国の最近の行動が原因で，他の国々はアメリカとの関係強化と独自の海軍力増強に動いている。

このようななか，2010年9月，尖閣諸島付近で日本の海上保安庁の巡視船に故意に衝突した中国漁船の船長を日本の排他的経済水域（EEZ）内で逮捕した。中国は尖

閣諸島（中国名で釣魚台列嶼）を自国領土と主張し，船長の釈放を要求しただけでなく，電子機器の製造に不可欠なレアアースの対日輸出禁止を実施した。アメリカは，尖閣諸島が日本の施政権下にあるため，日米安全保障条約に規定されたアメリカの日本防衛義務の対象になることを公的に表明した。日本が同年9月下旬に船長を処分保留で釈放したものの，この事件は日中関係を緊張させた。

中国は現在，それまでの平和的台頭を基本とした外交から，より強く主張する外交に転換しつつあるが，フィリピンが提訴した国際仲裁裁判所での判決（2016年）で，中国の主張が全面的に否定された。しかしフィリピンの大統領ドゥテルテは南沙諸島の領有問題を棚上げにし，中国との宥和外交に転じた。

ナ解放機構(PLO)は、アメリカの仲介により、イスラエルの占領地の一部にパレスチナ人の自治を認めるパレスチナ暫定自治協定に調印し、問題解決への希望がみえた。2003年になってアメリカがイラクの脅威を強調してイギリスとともに攻め入り、フセイン政権を打倒し、暫定政権を樹立した(イラク戦争)。これに対して外国軍の駐留に対するイラク国民の反発は強く、スンナ派・シーア派・クルド人勢力などが対立・抗争しつつ、一方でイラクからシリアにかけて過激派のイスラーム国(IS、ISIS、ISIL)が勢力を拡大し、自爆テロも頻発してイラクは分裂し、内戦に近い状態になっている。またイスラエルによる武力を背景とする入植地の拡大と、パレスチナ人を隔離してその生活基盤をうばう壁の設置は、中東問題の解決をさらに難しいものにしている。

## 地域紛争の多発

冷戦の終結にともない、世界各地で宗教・民族・経済的利害などの諸問題をきっかけとして地域紛争が多発した。アフリカではルワンダやブルンジの内戦、西アジアではトルコ・イラン・イラクにまたがるクルド問題、イラク内のスンナ派とシーア派の対立、南アジアではカシミール地方の帰属をめぐるインドとパキスタンの対立、スリランカにおけるシンハラ系多数派とタミル系少数派の内戦、東南アジアでは東ティモールの分離・独立などがおこり、さらに世界各地でイスラーム原理主義勢力によるテロ活動もおこっていて、問題の解決は容易ではない。国連が紛争の調停や内戦終了後に平和維持活動(PKO)を展開したり、民間ボランティア団体や非政府組織(NGO)が難民救済・医療活動・地雷除去などを一部の地域で進めているが、失敗におわったソマリアの例もある。

## アメリカ合衆国の動向

アメリカではレーガン、ブッシュの共和党政権のもとで、ソ連との関係改善が進められ、冷戦が終結して新時代をむかえることになった。しかし、財政や貿易上の赤字問題は先送りされた。1991年になってソ連が消滅すると、アメリカの軍事的優位をうみだすことになった。93年に成立したクリントン〈任1993〜2001〉民主党政権は、財政問題の解決につとめると同時に中東問題の調停にのりだし、イスラエルとパレスチナ解放

機構の相互承認，パレスチナ人の暫定自治の合意を実現した。2001年9月11日，4機の旅客機が乗っ取られ，ニューヨークとワシントンのビルに突入した。いわゆる「同時多発テロ事件」がおこると，クリントン政権をうけついだ共和党のブッシュ（子〈任2001～09〉）政権はイスラーム原理主義組織であるアル・カーイダが犯人として，それを保護したターリバーン政権のもとにあったアフガニスタンに軍事介入し，ターリバーンを追放して暫定政権を樹立した。しかしターリバーン勢力は抗戦をつづけ，アメリカは2021年に完全撤退した。また2003年イギリスとともにイラクに軍事介入したが(イラク戦争)，激しい抵抗運動にあい，アメリカ国内世論もイラクからの撤退の声が高まった。「変革」をスローガンにかかげ，黒人として初めて大統領に当選したオバマ〈任2009～17〉は，対外的には対話を重視した手法による国際情勢の改善や核兵器の廃絶，国内的には金融危機の解決と景気回復，そして環境問題の解決を課題とした。2016年の大統領選挙では，「暴言王」と評された共和党のトランプ〈任2017～21〉が当選し，メキシコ国境での壁の設置，イスラーム教徒の入国禁止などを主張し，「アメリカ第一主義」を掲げて「アメリカを再び偉大にする」とした。2021年になって，民主党のバイデン〈任2021～　〉が大統領に当選した。

## 地域経済統合の台頭

　冷戦終結後，アメリカを中心とする市場経済が世界を席巻したが，ＮＩＥＳばかりでなく，ＢＲＩＣＳ（ブラジル・ロシア・インド・中国・南アフリカ）も急速な経済成長をとげた。ＢＲＩＣＳは一枚岩ではないが，ブラジル・南アフリカをのぞき核兵器の保有国であり，21世紀なかばには世界経済ばかりでなく，軍事・政治的にも大きな役割をはたす可能性をもっている。

　ヨーロッパでは地域統合が進んだ。1993年にヨーロッパ連合条約（マーストリヒト条約）が発効し，ヨーロッパ連合（ＥＵ）が発足した。99年には貿易などの決済手段としてユーロが発行され，2002年からは一般市民の取引にもユーロが導入された。2013年には加盟国が28カ国におよび，経済的にはアメリカと肩をならべる大連合となった。しかし，ギリシアなどの南欧諸国での財政危機の発生（2011年），北アフリカや中東などか

3　20世紀末から21世紀へ　297

# EUの現状と将来

冷戦後の1990年代，グローバリゼーションの進む世界は，競争原理が支配する市場経済に覆われた。そのなかで，国境をこえた地域市場統合，あるいは地域経済圏形成の動きも強まった。これは経済のグローバル化とならび，貿易と投資をつうじて特定の地域に属する国々の相互依存が急速に深まっているからである。

この地域統合の筆頭はいうまでもなくヨーロッパのそれで，1952年のヨーロッパ石炭鉄鋼共同体（ECSC）から出発し，ヨーロッパ経済共同体（EEC），ヨーロッパ共同体（EC）を経て93年，ヨーロッパ連合（EU）になり，99年1月にはイギリス・デンマーク・スウェーデンをのぞく加盟国で通貨統合が実施され，単一通貨のユーロが誕生した。そして統一市場としての性格をいっそう強め，将来は外交，安全保障の分野にまで統一を進めようとしていた。こうした動きは，従来，地域統合や平和構築の成功例・理想として語られてきたが，実際には参加各国の国益と冷静な計算があった。たとえば第二次世界大戦で対決したドイツとフランスが共同して行動したのは，石炭・鉄鋼の国際管理が両国にとって合理的であったため，共産主義を防ぐには西ヨーロッパ諸国が団結する必要があったためといった理由があげられよう。

しかし，2004年に当時加盟国代表によって署名された欧州憲法条約が，その後複数の国で批准を拒否されたこと，08年以降の世界金融危機の影響をうけて，南欧・東欧諸国を中心にいくつかの加盟国の経済の脆弱性が明らかになったことなど，EUの将来に暗雲が立ち込めた。それに加えて大きな打撃となったのが，16年イギリスが国民投票を実施してEU離脱を選択したことである。これは「イギリスの危機であって，EUの危機ではない」ともいわれるいっぽう，「EU解体は事実上不可避」ともいわれる。EUの将来は依然として不透明である。

---

らの移民に反対する勢力の拡大，EUからのイギリスの脱退決定（2016年）など，その進路には暗雲が立ちこめている。

一方で北アメリカでの広域市場形成のためのNAFTA（北米自由貿易協定，1992年締結），環太平洋諸国によるAPEC（アジア太平洋経済協力会議，1989年発足）の結成，GATT（関税および貿易に関する一般協定）にかわるWTO（世界貿易機関，1995年成立）による情報やサービスの自由化が進められた。さらにG8（アメリカ，イギリス，ドイツ，フランス，イタリア，カナダ，日本，ロシア）サミットに加えて，ブラジル・中国・インドなどの有力新興国も含めたG20の会合も開かれている。

こうして世界経済は，飛躍的に発展しつつグローバル化し，世界の一体化と相互依存が強まった。しかし，経済格差は拡大し，南北問題も解決せず，さらに南の国々のあいだにも階層化が広がりつつある（南南問題）。また，生産と開発が進むにつれて，地球の温暖化・砂漠化・大気汚染など，地球環境の悪化が急速に進み，このままでは地球の破滅をもたらしかねない時代にはいっている。地球温暖化問題（気候変動問題）に関しては，気候変動枠組条約が1994年に発効し，第1回の条約国会議（ＣＯＰ1）が1995年に開かれ，以後毎年開催されている。

## 世界経済のグローバル化

　その一方で，グローバリゼーションが進展している。グローバリゼーションの理解はさまざまである。一般的理解は，情報処理・通信手段としてのコンピュータの進化を背景に，人・モノの交流のみならず，カネの移動，情報の伝達が世界的規模で高速化・大量化し，世界中の諸国・諸地域の多面的な相互関連の度合いが深まったことをさす。

　冷戦下では，世界経済は複数のシステムに事実上分断されていたうえ，1970年代までの世界経済システムは，資本主義体制下にあった西側陣営においても，現在のグローバル経済とは様相を異にするものであった。同時期の先進諸国では，政府による国際的資本移動への規制や，国内の経済活動への介入は概して現在よりも強かったといえる。このような体制は，1970年代にはいって国内産業，とりわけ製造業の国際競争力低下と，経済成長の停滞が深刻な問題とみなされるようになった英語圏の先進諸国でいち早く転換を迫られた。1970年代末から80年代前半にかけて，これらの国々では規制緩和・撤廃を経済政策の基調にかかげる政治指導者が多数あらわれた。そして冷戦後の1990年代以降世界に広まり，国際貿易・生産・投資などのグローバル経済が登場した。

　この結果，世界中が金融・情報・交通のネットワークで結ばれるようになり，国家の規制が緩和され，世界的に単一化する傾向がうまれた。製造業も同様で，調達から販売まで国際市場を目的とする。こうした経済の世界化は，政治や文化にも反映されてきた。近代社会の基礎単位と考えられてきた国民経済・国民国家といった存在は，その役割を減少させ，より地球規模で展開する政治・経済単位によって地位をうばわれる事態

が生じてきた。文化面でみると，世界中の大都市では交通・通信手段，商品・物価・生活・娯楽などで，何処でも似た文化圏をつくりだしている。

　一方で，グローバリゼーションによって経済的打撃をうける人びと，異文化の影響の浸透や異文化をもつ人びとの流入に脅威を感じる人びとも多く，ナショナリズムや排外主義などが強まる傾向もある。

## 現代の科学・技術

　20世紀は科学・技術が急速に進歩した時代であり，その結果，生産は飛躍的に高まり，物質生活は豊かで便利になり，人間の認識と活動の場が著しく広がるなど，われわれの生活は大きくかわった。ライト兄弟がはじめて空を飛んだのは1903年，そのときの最長飛行時間は59秒，最長飛行距離は約260mであった。それからわずか66年後の1969年には，人類は月にまで到達した。

　科学・技術の急速な発展なしに，現在のような高度産業社会は成立しえなかったであろう。しかしそれは必ずしも調和のとれた発展であったとはいえず，利潤を追求する資本主義の発展にみあう分野の発達は著しかったが，その反面，地球環境の保護や再生という面ははなはだ不十分であった。むしろ自然破壊のうえに技術と生産の発展があったといっても過言ではない。

　また，現代の科学・技術は軍事と密接に関連してきたことも重要な特徴である。地球的な規模で普及した情報ネットワークであるインターネットも，人びとに宇宙旅行の夢をいだかせる人工衛星や月ロケットも，軍需産業と結びついて開発されてきた。しかし軍事優先の科学・技術の発展は，旧ソ連邦の例が示しているように，健全な経済の発展をもたらすとはいえない。むしろ戦後の日本は非軍事的な分野の技術開発にもっぱら力を入れてきたからこそ，高度な経済発展が可能であったといえよう。

　さらに，科学・技術の発達によって，かえって人間が機械に管理され，働かされる現象も生じ，ことに先進工業国では人びとの不安と疎外感が強まっている。科学・技術のあり方をどのように自然や環境および人間生活と調和させていくかが人類にとって切実な課題となっている。

# ■ 世 界 史 年 表

| 実年代<br>(年前) | 地質<br>年代 | 史的<br>年代 | 考古<br>年代 | 人類 | 経済・社会・文化 |
|---|---|---|---|---|---|
| 700万年 | | | 旧石器時代（中石器時代） | 初期の人類の出現<br>アウストラロピテクス（猿人） | 獲得経済（狩猟・採集）<br>　礫石器の使用<br>　道具の製作<br>　火の使用　　　　　　群社会、野外・洞穴住居 |
| 240万年 | 更新世（氷期と間氷期）（後氷期） | 先史時代 | | ホモ＝ハビリス<br>ジャワ原人<br>北京原人　　（原人） | |
| 60万年 | | | | ネアンデルタール人（旧人） | 埋葬開始（宗教の起源）<br>　剝片石器の使用<br>　骨角器の製作　漁労<br>　弓矢の発明<br>　洞穴絵画 |
| 20万年 | | | | クロマニョン人<br>周口店上洞人　　（新人） | |
| 1万年 | | | 新石器時代 | | 農耕・牧畜開始，生産経済に入る<br>磨製石器・土器・織物・煉瓦・<br>村落定住 |
| 4000年 | 完新世（地質的現在） | | 青銅器時代 | シュメール人<br>セム語系・エジプト語系民族の出現<br>インド＝ヨーロッパ語系民族の出現 | 灌漑農業・犂耕・手工業・交易開始<br>青銅器・文字・神殿の出現<br>都市・階級の成立，奴隷の発生 |
| 3000年 | | 歴史時代 | 鉄器時代 | | 分業の発達，鉄器の普及<br>国家の成立 |

※上記の実年代算定は，人類学・考古学・地質学により，また研究者によって，相当の差がある。

| 年代 | ヨーロッパ | オリエント・西アジア | 南・北・東アジア | 日本 |
|---|---|---|---|---|
| 前3000 | ● 新石器時代に入る<br>● エーゲ文明おこる | ● エジプトに統一国家<br>● ピラミッド建造<br><br>● シュメール人，都市文明を築く | ● インダス文明 | 縄文文化 |
| 前2000 | ● クレタ文明<br>　　インド＝ヨーロッパ語系民族の大移動<br>● ミケーネ文明繁栄 | ● バビロン第1王朝成立<br><br>● ハンムラビ王の治世<br>● ヒッタイト建国<br>● アメンホテプ4世の信仰改革<br>● フェニキア人，海上活動開始 | ● 中国初期王朝の形成<br><br>● アーリヤ人，西北インドへ<br>　進入を開始　ヴェーダ時代へ<br>● 殷王朝繁栄<br>● 殷滅亡，周の「封建」体制 | |
| 前1000<br>前800<br>前700<br><br>前600 | ● ギリシアに鉄器普及<br><br>● ギリシアでポリス成立<br>　植民運動盛ん<br><br><br>● ソロンの改革<br>● アテネの僭主政治<br>● アテネの民主政<br>509頃 ローマ共和政開始 | ● ヘブライ，王政となり繁栄<br>● ヘブライ王国分裂<br>722　イスラエル，アッシリアに<br>　　　滅ぼされる<br>● アッシリアのオリエント統一<br>612　アッシリア滅亡，4王国分立<br>586　バビロン捕囚<br>550　アケメネス朝建国<br>525　アケメネス朝，オリエント統一 | ● アーリヤ人，ガンジス川流<br>　域に進出<br><br>770頃 周の東遷<br>770　春秋時代（〜前403）<br><br><br>551頃 孔子（〜前479）<br>● スキタイ文化 | |

| 年代 | ギリシア・ローマ，ヨーロッパ | オリエント・西アジア |
|---|---|---|
| 前500 | 490　マラトンの戦い<br>480　サラミスの海戦<br>450頃　ローマで十二表法制定／アテネの繁栄<br>431　ペロポネソス戦争（〜前404） | 500　ペルシア戦争開始（〜前449） |
| 前400 | 367　ローマでリキニウス・<br>　　　セクスティウス法制定<br>338　カイロネイアの戦い | 334　アレクサンドロスの東方遠征（〜前324）<br>330　アケメネス朝滅亡<br>● セレウコス朝・プトレマイオス朝分立 |
| 前300 | 287　ローマでホルテンシウス法制定<br>272　ローマの半島部征服<br>264　ポエニ戦争（〜前146） | ● パルティア王国・バクトリア王国建国 |
| 前200 | 146　カルタゴ滅亡<br>133　グラックス兄弟の改革（〜前121） | |
| 前100 | 73　スパルタクスの反乱（〜前71）<br>60　第1回三頭政治<br>43　第2回三頭政治<br>31　アクティウムの海戦，ローマの地中海域統一<br>27　ローマ，元首政（帝政）となる | 30　エジプトのプトレマイオス朝滅亡 |
| 紀元 | ● ゲルマン，ローマ領にしばしば侵入<br>30頃　イエス処刑<br>64　ネロ帝のキリスト教徒迫害<br>96　五賢帝時代はじまる（〜180） | |
| 100 | ● ローマの領域最大となる<br><br>161　マルクス＝アウレリウス＝アントニヌス帝<br>　　　即位（〜180） | |
| 200 | 235　軍人皇帝時代開始（〜284）<br><br>284　ディオクレティアヌス帝即位，専制君主<br>　　　政始まる | 224　サ サン朝建国（〜651）<br>260　シャープール1世，ローマ皇帝ウァレリ<br>　　　アヌスを捕虜とする |
| 300 | 313　ミラノ勅令でキリスト教公認<br>325　ニケーア公会議<br>330　コンスタンティノープル遷都<br>376　西ゴート人，ローマ領内に移住<br>392　キリスト教，ローマの国教となる<br>395　ローマ帝国の東西分裂 | ● ゾロアスター教，サ サン朝の国教となる |
| 400 | 451　カタラウヌムの戦い，フン軍を撃退<br>476　西ローマ帝国滅亡<br>481　フランク王国建国<br>496　クローヴィス，カトリックに改宗 | ● エフタルの侵入 |
| 500 | 527　ビザンツ帝国でユスティニアヌス帝即位<br>　　　（〜565）<br>529　ベネディクト修道会創設<br>568　ランゴバルド王国建国 | ● サ サン朝最盛期<br>531　ホスロー1世即位（〜579）<br>570頃　ムハンマド生誕（〜632） |
| 600 | | 622　ヒジュラ，ウンマの建設<br>642　ニハーヴァンドの戦い |

| インド・東南アジア | 北・東アジア | 日本 | 年代 |
|---|---|---|---|
| ● コーサラ国・マガダ国繁栄<br>● この頃ジャイナ教・仏教成立 | 403　戦国時代（～前221） | 弥生文化 | 前500 |
| | | | 前400 |
| 317頃 マウリヤ朝成立（～前180頃） | | | |
| 268頃 アショーカ王即位（～前232頃）<br>● 仏教，スリランカに伝わる | 221　秦，中国を統一（～前206）<br>● 匈奴強盛，冒頓単于<br>202　漢（前漢）建国（～後8） | | 前300<br>前200 |
| | 154　呉楚七国の乱<br>141　武帝即位（～前87）<br>139　張騫，西域に派遣される<br>108　楽浪など4郡設置 | | 前100 |
| | 91頃 司馬遷『史記』完成 | | |
| | ● 仏教，中国へ伝来 | | 紀元 |
| ● クシャーナ朝成立（～3世紀）<br><br>● 扶南成立 | 8　王莽，新建国（～23）<br>25　後漢建国（～220）<br>● 匈奴分裂，高句麗成立<br>91　班超，西域都護となる | ● 倭の奴国の使者，印綬をうける | 100 |
| ● サータヴァーハナ朝繁栄<br>130頃 カニシカ王即位（～170頃）<br>● ガンダーラ美術隆盛<br>● チャンパー成立 | 166　大秦王安敦の使節，日南郡にいたる<br>184　黄巾の乱 | | 200 |
| ● クシャーナ朝，ササン朝に服属 | 220　後漢滅び，魏呉蜀の3国分立<br>265　魏滅び，晋建国<br>280　呉滅び，晋が中国を統一<br>　　　（～316） | ● 邪馬台国女王卑弥呼，魏に遣使 | 300 |
| 320頃 グプタ朝成立（～550頃）<br><br>376頃 チャンドラグプタ2世即位<br>　　　（～414頃） | 304　五胡十六国時代（～439）<br>317　東晋建国（～420）<br>● 百済・新羅成立 | ● ヤマト政権の統一進む<br><br>古墳時代 | 400 |
| ● 法顕，インドを訪れる<br><br>● ヒンドゥー教の隆盛 | 420　江南に宋成立。南朝<br>439　北魏の華北統一。北朝<br>485　北魏孝文帝，均田制を施行 | | 500 |
| ● クメール人，カンボジアを建国<br>　　　（～15世紀） | 552　突厥おこる（～744）<br>562　加羅諸国滅亡<br>581　隋建国（～618）<br>589　隋の中国統一 | ● 仏教伝来<br>593　厩戸王（聖徳太子），摂政となる（～622） | 600 |
| 606　ハルシャ王，ヴァルダナ朝<br>　　　をおこす | 618　隋滅び，唐建国（～907） | 607　小野妹子の遣隋使<br>630　第1回遣唐使 | |

江南に仏教栄える

303

| 年代 | ギリシア・ローマ，ヨーロッパ | オリエント・西アジア |
|---|---|---|
| | | 651 　サンン朝滅亡 |
| | | 661 　ウマイヤ朝成立(〜750) |
| **700** | | |
| | 711 　西ゴート王国滅亡 | |
| | | ウマイヤ朝の領域拡大(北アフリカ・イベリア半島・中央アジア) |
| | 726 　ビザンツで聖像禁止令，東西教会対立 | |
| | 732 　トゥール・ポワティエ間の戦い | 750 　アッバース朝成立(〜1258) |
| | 751 　ピピン，カロリング朝をたてる | 751 　タラス河畔の戦い，製紙法西伝 |
| | 756 　ピピン，教皇領献上／後ウマイヤ朝，イ | 786 　ハールーン=アッラシード即位(〜809) |
| | 　　　ベリア半島に成立(〜1031) | |
| | 800 　カール大帝戴冠，「西ローマ帝国」復興 | |
| **800** | | |
| | 843 　ヴェルダン条約，フランク3分 | |
| | 870 　メルセン条約，独・仏・イタリアの起源 | ● バグダード繁栄 |
| | 882頃 キエフ公国建国 | |
| **900** | | |
| | 911 　ノルマンディー公国成立／東フランクの | 909 　ファーティマ朝成立(〜1171) |
| | 　　　カロリング家断絶 | 932 　ブワイフ朝成立(〜1062) |
| | 962 　東フランクのオットー1世，ローマ皇帝 | 946 　ブワイフ朝，バグダード入城 |
| | 　　　位を与えられ，神聖ローマ帝国成立 | ● 内陸アジアにカラハン朝成立 |
| | 987 　西フランク，カペー朝成立(〜1328) | 977 　ガズナ朝成立(〜1187) |
| **1000** | | |
| | 16 　クヌート，イングランドを支配(〜35) | |
| | 66 　英，ノルマン朝成立 | 38 　セルジューク朝成立(〜1194) |
| | 77 　カノッサの屈辱事件 | 55 　セルジューク朝，バグダード入城 |
| | 95 　クレルモン宗教会議 | 76 　ムラービト朝，ガーナ王国征服 |
| | 96 　第1回十字軍(〜99) | |
| **1100** | | |
| | 30 　両シチリア王国成立 | 32 　西遼成立(〜1211) |
| | | 48頃 ゴール朝成立(〜1215) |
| | 89 　第3回十字軍(〜92) | 69 　アイユーブ朝成立(〜1250) |
| | 98 　教皇インノケンティウス3世即位(〜1216) | |
| **1200** | | |
| | 02 　第4回十字軍(〜04) | |
| | 15 　英，マグナ=カルタ | |
| | 41 　ワールシュタットの戦い | モ ン ゴ ル |
| | 43 　キプチャク=ハン国成立 | |
| | 56 　ドイツ，大空位時代(〜73) | 50 　マムルーク朝成立(〜1517) |
| | 65 　シモン=ド=モンフォールの乱，イギリ | 58 　モンゴル軍，バグダードを占領，アッバ |
| | 　　　ス議会のはじめ | 　　　ース朝滅ぶ。イル=ハン国建国(〜1353) |
| | | 00頃 オスマン帝国成立(〜1922) |
| **1300** | | |
| | 03 　アナーニ事件 | |
| | 09 　教皇のバビロン捕囚(〜77) | ● イブン=バットゥータ，世界旅行をおこなう |
| | 39 　英仏百年戦争開始(〜1453) | |
| | | 47〜48頃 黒死病大流行 |
| | 56 　ドイツ皇帝の金印勅書発布 | |
| | 78 　教会大分裂(〜1417) | 70 　ティムール朝成立(〜1507) |
| | 81 　英でワット=タイラーの乱 | |
| | 86 　ポーランド，ヤゲウォ朝成立 | |
| **1400** | | |
| | | 02 　アンカラの戦い。オスマン軍惨敗 |
| | 55 　バラ戦争(〜85) | |
| | 79 　スペイン王国成立 | 53 　オスマン軍，コンスタンティノープルを |
| | 80 　モスクワ大公国，モンゴル支配より自立 | 　　　占領。ビザンツ帝国滅亡 |
| | 85 　英，テューダー朝成立 | |
| | 92 　スペイン，グラナダ占領／コロンブス， | |
| | 　　　アメリカ(サンサルバドル島)に到達 | |

| インド・東南アジア | 北・東アジア | 日本 | 年代 |
|---|---|---|---|
| ● インド，分裂期にはいる<br>● インドネシア，シュリーヴィジャヤ建国（～14世紀） | 676　新羅，朝鮮半島を統一<br>● 吐蕃強盛<br>698　渤海建国（～926） | 645　大化改新<br>663　白村江の戦い | 700 |
| ● 南詔，雲南周辺を統一，強盛<br><br>750頃 ジャワ，シャイレンドラ朝おこる（～832） | 755　安史の乱（～763）<br>780　両税法を施行<br>● ウイグルの中国侵入激化 | 710　平城京遷都<br>● 天平文化<br>754　鑑真，来日<br><br>794　平安京遷都 | 800 |
| ● ジャワ，ボロブドゥール建造 | ● ウイグル分裂，西方へ移動<br>875　黄巣の乱（～884） | 894　遣唐使派遣停止 | 900 |
| 937　雲南に大理建国（～1254） | 907　唐滅び，五代十国時代（～979）<br>916　遼建国（～1125）<br>918　高麗建国（～1392）<br>960　宋建国（～1127） | ● 摂関政治 | 1000 |
| 09　ベトナム，大越国（李朝）建国（～1225）<br>● イスラーム教，北インドに浸透<br>44　ビルマ，パガン朝成立（～1299） | 04　澶淵の盟<br>38　西夏建国（～1227）<br><br>69　王安石の新法施行 | <br><br><br>86　院政開始 | 1100 |
| 86　ゴール朝，ガズナ朝を滅ぼす | 15　金建国（～1234）<br>25　遼滅ぶ<br>26　靖康の変（～27）<br>27　南宋建国（～1276） | 85　平氏滅亡<br>92　源頼朝，征夷大将軍となる | 1200 |
| 06　デリー＝スルタン朝成立（～1526） | 06　チンギス＝ハン即位（～27） | | |
| 帝　国　の　成　立 | | | |
| 93　インドネシア，マジャパヒト王国建国（～1520頃） | 36　バトゥ西征開始<br>53　フラグ西征開始<br>58　高麗，モンゴルに服属<br>71　元建国（～1368）<br>76　南宋，元に降伏 | 74　蒙古襲来（文永の役）<br>81　蒙古襲来（弘安の役） | 1300 |
| | | 33　鎌倉幕府滅亡<br>38　足利尊氏，征夷大将軍となる | |
| 倭寇盛ん | | | |
| 51　タイ，アユタヤ朝成立（～1767） | 51　紅巾の乱（～66）<br>68　明建国（～1644）<br>92　朝鮮建国（～1910）<br>99　靖難の役（～1402） | 92　南北朝合一 | 1400 |
| 28　ベトナム，大越国（黎朝）建国（～1527，1532～1789）<br><br>98　ヴァスコ＝ダ＝ガマ，海路インド到達 | 02　永楽帝即位（～24）<br>05　鄭和，南海諸国歴訪（～33）<br><br>46　訓民正音を頒布<br>49　土木の変<br>● オイラト強盛<br>● エセン＝ハン活躍 | 04　勘合貿易開始<br><br><br>67　応仁の乱（～77）<br>● 戦国時代にはいる | |

| 年代 | 南・北アメリカ | ヨーロッパ |
|---|---|---|
| **1500** | ● マヤ文明(4～9世紀頃)<br>● アステカ王国成立(14世紀)<br>● インカ帝国成立(15世紀)<br><br>21　コルテス，メキシコ征服<br>33　ピサロ，ペルー征服。インカ帝国滅亡 | 17　ルター，九十五カ条の論題発表<br>19　マゼラン艦隊，世界周航(～22)<br>24　ドイツ農民戦争(～25)<br>29　オスマン軍の第1次ウィーン包囲失敗<br>34　イギリス国教会成立<br>45　トリエント公会議(～63)<br>55　アウクスブルクの和議<br>62　フランス，ユグノー戦争開始(～98)<br>71　レパントの海戦<br>81　オランダ独立宣言<br>88　スペイン無敵艦隊，イギリス攻撃に失敗<br>98　フランス，ナントの王令 |
| **1600** | 07　英，ヴァージニア植民地設立<br><br>20　メイフラワー号，プリマス着<br><br><br><br><br><br>64　英，オランダからニューアムステルダムを<br>　　うばい，ニューヨークとする | 03　英，ステュアート朝成立(～1714)<br>13　ロシア，ロマノフ朝成立(～1917)<br>18　ドイツ三十年戦争(～48)<br><br>40　イギリス革命開始<br>43　フランス，ルイ14世即位(～1715)<br>48　ウェストファリア条約<br>49　英，チャールズ1世処刑，共和政となる(～60)<br>52　イギリス＝オランダ戦争開始(～74)<br>60　英，王政復古<br>82　ロシア，ピョートル1世即位(～1725)<br>88　英，名誉革命(～89)<br>00　北方戦争開始(～21) |
| **1700** | 02　アン女王戦争(～13)<br><br>32　13植民地設立<br>44　ジョージ王戦争(～48)<br>54　フレンチ＝インディアン戦争(～63)<br><br>63　イギリス・フランスのパリ条約<br>65　印紙法<br>73　ボストン茶会事件<br>75　アメリカ独立戦争(～83)<br>76　アメリカ独立宣言<br>83　パリ条約，アメリカ合衆国独立<br>89　ワシントン，初代大統領に就任(～97) | 01　スペイン継承戦争(～13)／プロイセン王国<br>　　成立<br>07　大ブリテン王国成立<br><br>40　プロイセンのフリードリヒ2世即位(～86)／<br>　　オーストリア継承戦争(～48)<br>56　七年戦争(～63)<br><br>● イギリスで産業革命始まる<br>72　第1回ポーランド分割<br><br>89　フランス革命開始<br>92　フランス，第一共和政<br>95　第3回ポーランド分割<br>99　ブリュメール18日のクーデタで統領政府樹立 |
| **1800** | 03　フランスよりルイジアナを買収<br>04　ハイチの独立，以後ラテンアメリカ諸国の<br>　　独立運動開始<br>12　アメリカ＝イギリス戦争(～14)<br><br><br><br><br>20　ミズーリ協定<br>23　モンロー教書 | 04　ナポレオン皇帝即位(第一帝政，～14，15)<br>05　トラファルガーの海戦<br>06　神聖ローマ帝国消滅／大陸封鎖令<br>12　ナポレオンのロシア遠征<br>13　ライプツィヒの戦いでナポレオン軍敗退<br>14　パリ陥落，ナポレオン退位／ウィーン会議<br>　　(～15)<br>15　ウィーン条約調印／ワーテルローの戦い<br>21　ギリシア独立戦争開始(～29)<br>25　ロシア，デカブリストの乱<br>29　英，カトリック教徒解放法成立 |

| 西・南・東南アジア | 北・東アジア | 日本 | 年代 |
|---|---|---|---|
| 01 イラン，サファヴィー朝成立（〜1736） | 17 ポルトガル人，広州に来航 | | **1500** |
| 10 ポルトガル，ゴア占領 | ● アルタン＝ハン活躍 | 43 ポルトガル人来航 | |
| 20 スレイマン1世即位（〜66） | | 49 ザビエル来航 | |
| 26 ムガル帝国成立（〜1858） | | | |
| 31 ビルマ，タウングー朝成立（〜1752） | 倭寇，再び盛ん | | |
| 56 アクバル帝即位（〜1605） | 57頃ポルトガル，マカオ居住権獲得 | 73 室町幕府滅亡 | |
| 71 スペイン，マニラ建設 | ● この頃，江南で一条鞭法施行 | 82 天正遣欧使節 | |
| | 72 張居正の改革（〜82） | 92 文禄・慶長の役（壬辰・丁酉の倭乱）（〜98） | |
| | 81 イェルマーク，シベリア征服 | | |
| | 82 マテオ＝リッチ，マカオにいたる | | |
| 00 イギリス東インド会社設立 | | 00 関ヶ原の戦い | |
| | | | **1600** |
| 02 オランダ東インド会社設立 | 16 後金（清）建国（〜1912） | 03 徳川家康，征夷大将軍となる | |
| | 24 オランダ，台湾を占領 | 09 琉球王国，薩摩藩の支配下にはいる | |
| 23 アンボイナ事件 | | 13 支倉常長訪欧 | |
| | 36 後金，清と改称 | 37 島原の乱（〜38） | |
| | 37 朝鮮，清に服属 | 39 ポルトガル船の来航禁止 | |
| | 44 李自成，北京を攻略。明滅亡 | 41 オランダ商館を出島へ移す | |
| 58 アウラングゼーブ帝即位（〜1707） | 61 康熙帝即位（〜1722）／鄭成功，台湾に拠る | | |
| 61 英，ボンベイを取得 | 73 三藩の乱（〜81） | | |
| 64 フランス東インド会社再興 | 83 清，台湾を取得 | | |
| 74 フランス，ポンディシェリ取得 | 89 ネルチンスク条約 | | |
| | | | **1700** |
| ● マラーター同盟強盛となる | 17 広東で地丁銀制施行 | 16 享保の改革（〜45） | |
| ● ムガル帝国衰退にむかう | 27 キャフタ条約 | 20 洋書輸入の禁緩和 | |
| | 32 軍機処設置 | | |
| 44頃アラビア半島にワッハーブ王国成立 | 35 乾隆帝即位（〜95） | | |
| 52 ビルマ，コンバウン朝成立（〜1885） | 55 清朝，ジュンガルを滅ぼす | ● 田沼時代 | |
| 57 プラッシーの戦い | 57 貿易を広州1港に制限 | | |
| 65 英，ベンガルなどの徴税権獲得 | | | |
| 78 ベトナム，西山朝成立（〜1802） | | 74 杉田玄白『解体新書』 | |
| 82 タイ，ラタナコーシン朝成立 | | | |
| 96 イラン，カージャール朝成立（〜1925） | 93 マカートニー，中国にいたる | 87 寛政の改革（〜93） | |
| | 96 白蓮教徒の乱（〜1804） | 92 ラクスマン，根室来航 | |
| 98 ナポレオン軍エジプト遠征 | | | **1800** |
| 02 阮福暎，ベトナムを統一 | | 04 レザノフ，長崎来航 | |
| 05 ムハンマド＝アリー，エジプト総督となり実権を握る | | 08 間宮林蔵，樺太探検フェートン号事件 | |
| 16 オランダ，ジャワを回復 | 16 アマースト，中国にいたる | | |
| 19 英，シンガポールを取得 | | | |
| 25 ジャワ戦争 | | | |
| 26 英，海峡植民地成立 | | 25 異国船打払令 | |
| 28 トルコマンチャーイ条約 | | | |

| 年代 | 南・北アメリカ | ヨーロッパ |
|---|---|---|
| 30 | 先住民強制移住法 | 30 フランス，七月革命 |
| | | 32 英，第1回選挙法改正 |
| | | 34 ドイツ関税同盟発足 |
| 45 | テキサス併合 | |
| 46 | アメリカ＝メキシコ戦争（～48） | 46 英，穀物法廃止 |
| 48 | カリフォルニア領有，金鉱発見 | 48 フランス，二月革命／ドイツ・オーストリア，三月革命 |
| | | 49 英，航海法廃止 |
| | | 52 フランス，第二帝政となる（～70） |
| | | 53 クリミア戦争（～56） |
| 61 | リンカン，大統領に就任（～65）／南北戦争（～65）／フランス，メキシコ出兵 | 61 ロシア，農奴解放令／イタリア王国成立 |
| 63 | リンカン，反乱諸州の奴隷解放宣言 | 64 第1インターナショナル結成（～76） |
| 65 | 憲法修正で黒人奴隷解放 | 66 プロイセン＝オーストリア戦争 |
| 67 | フランス，メキシコ撤兵／米，アラスカ買収 | 69 スエズ運河開通 |
| 69 | 初の大陸横断鉄道開通 | 70 プロイセン＝フランス戦争（～71）／イタリア，教皇領占領 |
| | | 71 ドイツ帝国成立（～1918）／パリ＝コミューン |
| | | 77 ロシア＝トルコ戦争（～78） |
| | | 78 サン＝ステファノ条約／ベルリン会議 |
| | | 82 ドイツ・オーストリア・イタリア，三国同盟締結 |
| | 84 ベルリン＝コンゴ会議（～85） | |
| 86 | アメリカ労働総同盟（AFL）結成 | 87 独露再保障条約 |
| 89 | 第1回パン＝アメリカ会議 | 89 第2インターナショナル結成（～1914） |
| 90 | シャーマン反トラスト法制定 | 90 ドイツ，ビスマルク引退 |
| | | 94 露仏同盟 |
| | | 94 フランス，ドレフュス事件 |
| 98 | アメリカ＝スペイン戦争／ハワイ併合 | 98 英仏，ファショダ事件 |
| 99 | 中国の門戸開放を要求 | 99 南アフリカ戦争（ブール戦争，～1902） |
| 1900 | | |

| 年代 | 南・北アメリカ | ヨーロッパ | ロシア・ソ連 |
|---|---|---|---|
| 1901 | | 01 英領オーストラリア，自治領となる | 03 ロシア社会民主労働党，ボリシェヴィキとメンシェヴィキに分裂 |
| | | 04 英仏協商 | 04 日露戦争（～05） |
| | | 05 第1次モロッコ事件 | 05 血の日曜日事件 |
| | | 06 イギリス，労働党結成 | |
| | | 07 英露協商 | |
| | | 10 英領南アフリカ，自治領となる | |
| 1910 | 10 メキシコ革命（～17） | | |
| | | 11 第2次モロッコ事件 | |
| | | 12 第1次バルカン戦争（～13） | |
| | | 13 第2次バルカン戦争 | |
| 14 | パナマ運河完成（1904～） | 14 サライェヴォ事件，第一次世界大戦勃発（～18） | |
| | | 15 イタリア，連合国側に参戦 | |
| 17 | 米，第一次世界大戦に参戦 | 17 ドイツ，無制限潜水艦作戦を宣言 | 17 二月革命，帝政滅ぶ。十月革命 |
| | | 18 ブレスト＝リトフスク条約（独・ソ） | |
| | | 18 ドイツ皇帝退位，同盟側降伏 | 18 連合国の干渉戦争開始／戦時共産主義 |
| 18 | ウィルソンの十四カ条 | | |

| 西・南・東南アジア | 北・東アジア | 日本 | 年代 |
|---|---|---|---|
| 30 オランダ，ジャワで強制栽培制度を開始 | 33 英，東インド会社の商業活動を全面的に停止 | | |
| 31 第1次エジプト=トルコ戦争（～33） | | 37 大塩の乱 | |
| 39 第2次エジプト=トルコ戦争（～40）／タンジマートの開始 | 39 林則徐，広州でアヘン取締り | | |
| | 40 アヘン戦争（～42） | 41 天保の改革（～43） | |
| 40 ムハンマド=アリー朝，エジプト総督世襲権を承認される | 42 南京条約 | | |
| 48 イラン，バーブ教徒の乱 | 47 ムラヴィヨフ，東シベリア総督となる | | |
| | 51 太平天国（～64） | 53 ペリー来航 | |
| | | 54 日米和親条約 | |
| 57 シパーヒーの反乱（～59） | 56 アロー戦争（～60） | 55 日露和親条約 | |
| 58 ムガル帝国滅亡。英，インドを直接統治。東インド会社解散 | 58 アイグン条約／天津条約 | 58 日米修好通商条約 | |
| 62 フランス，コーチシナ東部3省領有 | 60 北京条約 | | |
| | 62 同治の中興（～74） | | |
| | ◉ 洋務運動（～90年代） | 68 明治維新 | |
| 67 英，海峡植民地を直轄領とする／ロシア領トルキスタンの成立 | | 72 太陽暦を採用 | |
| 76 ミドハト憲法発布 | | | |
| 77 英領インド帝国成立（～1947） | 81 イリ条約 | 76 日朝修好条規 | |
| 83 ユエ条約 | 84 新疆省成立 | | |
| 84　清仏戦争（～85） | | | |
| 85 インド国民会議成立 | 85 天津条約 | 89 大日本帝国憲法発布 | |
| 86 ビルマをインド帝国に併合 | 94 朝鮮で甲午農民戦争 | | |
| 87 フランス領インドシナ連邦成立 | 95 変法運動（～98） | 94 日清戦争（～95） | |
| | 98 列国の中国分割激化／戊戌の政変 | 95 下関条約 | |
| 95 英，マレー連合州を結成 | | | |
| 98 フィリピン，米領となる | 00 義和団事件（～01），義和団に対し列国が出兵 | | |
| 00 パン=アフリカ会議 | | | 1900 |

| アフリカ，西・南・東南アジア | 北・東アジア | 日本 | 年代 |
|---|---|---|---|
| ◉ ベトナム，ドンズー運動 | 01 北京議定書（辛丑和約）調印 | 02 日英同盟 | 1901 |
| | | 04 日露戦争（～05） | |
| 05 インド，ベンガル分割令 | 05 中国同盟会結成／科挙廃止 | 05 ポーツマス条約 | |
| 06 イランで立憲革命／全インド=ムスリム連盟結成／インド国民会議カルカッタ大会 | 08 清，憲法大綱発布 | 07 日露協約 | |
| 08 青年トルコ革命 | 10　日本，韓国併合（～45） | | |
| | | | 1910 |
| 11 インドネシアでイスラーム同盟（サレカット=イスラーム）結成 | 11 辛亥革命 | 11 対欧米不平等条約改正成る | |
| | 12 中華民国建国，清滅亡 | | |
| | | 14 対ドイツ宣戦 | |
| | 15　日本，中国に二十一カ条要求 | | |
| 15 フセイン・マクマホン協定 | 15 『新青年』発行 | | |
| 17 バルフォア宣言 | | | |
| | 17 中国，対ドイツ宣戦 | 17 石井・ランシング協定 | |
| | | 18 シベリア出兵 | |

309

| 年代 | 南・北アメリカ | ヨーロッパ | ロシア・ソ連 |
|---|---|---|---|
| | 19　パリ講和会議，ヴェルサイユ条約 | | 19　コミンテルン結成 |
| | | 19　ドイツ，ヴァイマル憲法<br>20　国際連盟成立（～46） | |
| **1920** | | | |
| | 21　ワシントン会議（～22） | 22　アイルランド，自治を獲得／ラパロ条約（ドイツ・ソ連）／イタリア，ファシズム政権樹立<br>23　ルール占領 | 21　新経済政策（ネップ）採用<br>22　ソヴィエト社会主義共和国連邦樹立宣言 |
| | 24　移民法成立 | 24　対ドイツ，ドーズ案<br>25　ロカルノ条約<br>26　ドイツ，国際連盟に加入 | 24　レーニン死去 |
| | 28　不戦条約（ブリアン・ケロッグ条約） | | 28　第1次五カ年計画実施（～32） |
| | 29　ニューヨーク市場の株価暴落，世界恐慌へ波及 | 29　対ドイツ，ヤング案<br>30　ロンドン海軍軍縮会議 | |
| **1930** | | | |
| | | 31　英，ウェストミンスター憲章<br>32　英，オタワ会議／ドイツ，総選挙でナチ党第一党 | |
| | 33　F.ローズヴェルト大統領就任（～45）／ニューディール開始／ソ連邦を承認<br>35　ワグナー法制定 | 33　ドイツ，ナチス政権成立。国際連盟脱退<br>35　ドイツ，再軍備宣言／英独海軍協定／イタリア，エチオピア侵略<br>36　ドイツ，ラインラント進駐／スペイン内戦（～39）<br>37　日独伊防共協定<br>38　ドイツ，オーストリア併合／ミュンヘン会談<br>39　第二次世界大戦勃発（～45）<br>40　ドイツ軍北欧占領／フランス，降伏 | 33　第2次五カ年計画実施（～37）<br>34　国際連盟加入<br>35　コミンテルン第7回大会<br>36　スターリン憲法制定／粛清激化<br><br>39　独ソ不可侵条約／対フィンランド戦 |
| **1940** | | | |
| | 41　米英首脳の大西洋憲章発表 | | 41　日ソ中立条約 |
| | 41　太平洋戦争勃発（～45） | 41　ドイツ，ソ連に侵攻<br>43　イタリア降伏 | 42　スターリングラードの戦い（～43） |
| | 43　カイロ宣言／テヘラン会談 | | |
| | | 44　連合軍，ノルマンディー上陸 | |
| | 45　ヤルタ会談／ポツダム宣言 | | |
| | | 45　ベルリン陥落，ドイツ降伏 | 45　対日参戦 |
| | 45　第二次世界大戦終わる | | |
| | 45　サンフランシスコ会議で国際連合憲章採択。国際連合成立 | | |
| **1945** | | | |

| 年代 | 南・北アメリカ，西欧 | ソ連・ロシア，東欧 |
|---|---|---|
| **1946** | 46　フランス，第四共和政／イタリア，共和政となる<br>47　米，トルーマン＝ドクトリン／マーシャル＝プラン<br>48　西ヨーロッパ連合条約／米州機構<br>49　北大西洋条約／ドイツ連邦共和国成立 | 47　コミンフォルム結成（～56）<br>48　チェコスロヴァキア，共産党政権成立／ユーゴスラヴィア，コミンフォルム除名／ベルリン封鎖（～49）<br>49　ドイツ民主共和国成立 |

| アフリカ, 西・南・東南アジア | 北・東アジア | 日本 | 年代 |
|---|---|---|---|
| 19 1919年インド統治法制定，ローラット法発布。反英運動激化／アフガニスタン独立 | 19 朝鮮，三・一独立運動 | | |
| | 19 五・四運動／中国国民党成立 | | |
| 20 オスマン帝国，セーヴル条約 | | | **1920** |
| 22 英，エジプトの保護権放棄を宣言／トルコ革命 | 21 中国共産党成立 | 23 関東大震災 | |
| 23 ローザンヌ条約調印，トルコ共和国成立 | 24 第1次国共合作／モンゴル人民共和国独立 | | |
| 25 イラン，パフレヴィー朝成立（〜79） | 25 孫文死去／五・三〇事件 | 25 治安維持法成立／普通選挙法成立 | |
| | 26 国民革命軍，北伐開始（〜28） | 27 金融恐慌 | |
| | 27 上海クーデタ。国共分離 | | |
| | 28 北伐完了 | 27 山東出兵（〜29） | |
| | | 28 済南事件／張作霖爆殺事件 | |
| 30 インドシナ共産党成立 | | | |
| | 31 瑞金に中華ソヴィエト共和国臨時政府樹立 | 31 満州事変 | **1930** |
| | 32 上海事変 | | |
| 32 サウジアラビア王国成立／イラク王国，英委任統治より独立 | 32 日本，満州国を樹立 | | |
| | | 32 五・一五事件 | |
| | | 33 国際連盟脱退通告 | |
| | 34 中国共産党，長征開始（〜36） | | |
| 35 1935年インド統治法発布 | 35 中国共産党，八・一宣言 | 36 二・二六事件／日独防共協定 | |
| 36 英軍，スエズ以外のエジプトから撤退 | 36 西安事件 | | |
| | 37 盧溝橋事件。日中戦争開始（〜45） | | |
| | 37 第2次国共合作 | 37 日独伊防共協定 | |
| 40 日本，フランス領インドシナ進駐 | 40 南京に汪兆銘政権 | 40 日独伊三国同盟 | |
| | | 41 日ソ中立条約 | **1940** |
| | 41 太平洋戦争始まる | | |
| 42 日本，東南アジア各地を占領 | | 42 ミッドウェー海戦 | |
| 45 アラブ諸国連盟結成／インドネシア共和国独立宣言 | | 45 広島・長崎に原爆／ポツダム宣言受諾，日本降伏 | |
| | 45 太平洋戦争終わる | | **1945** |

| アフリカ, 西・南・東南アジア | 中国・朝鮮 | 日本 | 年代 |
|---|---|---|---|
| 46 フィリピン共和国独立／インドシナ戦争（〜54） | | 46 天皇の人間宣言／日本国憲法制定公布 | **1946** |
| 47 インド連邦・パキスタン独立 | 48 大韓民国・朝鮮民主主義人民共和国成立 | | |
| 48 ビルマ・スリランカ独立／イスラエル国成立／第1次中東戦争 | 49 中華人民共和国建国 | | |
| | 50 中ソ友好同盟相互援助条約（〜80）／朝鮮戦争勃発（〜53） | | |

| 年代 | 南・北アメリカ，西欧 | ソ連・ロシア，東欧 |
|---|---|---|
| **1950** | 51 ヨーロッパ石炭鉄鋼共同体(ECSC)条約／太平洋安全保障条約(ANZUS) | |
| | | 53 スターリン死去 |
| | 54 ジュネーヴ休戦協定／パリ協定 | 55 ワルシャワ条約機構成立 |
| | 55 ジュネーヴ4巨頭会談 | 56 ソ連でスターリン批判／ポズナニ事件／ハンガリー事件 |
| | 57 ヨーロッパ経済共同体(EEC)調印 | 58 ソ連，フルシチョフ首相就任(〜64) |
| | 59 キューバ革命 | 59 フルシチョフ訪米 |
| **1960** | | |
| | 61 米大統領にケネディ(〜63) | 61 東ドイツ，ベルリンの壁築く |
| | | 62 キューバ危機 |
| | 63 ケネディ暗殺，後任ジョンソン(〜69) | 63 米・英・ソ部分的核禁条約調印 |
| | 64 米，公民権法成立 | 64 フルシチョフ解任 |
| | 67 EC発足 | |
| | 68 フランス，五月革命 | 68 ソ連・東欧軍のチェコスロヴァキア侵入 |
| | 69 ド=ゴール退陣 | |
| **1970** | 70 核拡散防止条約発効／西ドイツ・ソ連，武力不行使宣言 | |
| | 72 米，ニクソン訪中 | 72 東西ドイツ基本条約調印 |
| | 73 英，EC加入／米，ベトナムより撤兵／チリ，社会主義政権倒れる | |
| | 74 米，ニクソン辞任 | |
| | 75 スペイン，フランコ死去。ブルボン朝復位 | |
| | | 77 ソ連，新憲法発布 |
| | 79 米ソ第2次戦略兵器制限交渉(SALTⅡ)調印 | |
| | 79 米，スリーマイル島原発事故 | 79 ソ連，アフガニスタンに軍事介入(〜89) |
| **1980** | | |
| | 81 フランス大統領に社会党のミッテラン(〜95) | 85 ゴルバチョフ書記長，改革開始 |
| | 82 英・アルゼンチン間でフォークランド戦争 | 86 ソ連，チェルノブイリ原発事故 |
| | | 89 東ドイツ，ベルリンの壁撤去／東欧諸国で，一党・社会主義体制崩壊 |
| | 87 INF全廃条約 | |
| | 90 東西ドイツ統一 | 89 米ソ首脳，マルタ会談で冷戦終結声明 |
| **1990** | | |
| | 91 湾岸戦争，クウェート解放 | 91 ワルシャワ条約機構解散／ロシア大統領にエリツィン(〜99)／ソ連共産党解散／ソ連消滅，独立国家共同体結成 |
| | 92 ECのヨーロッパ連合条約(マーストリヒト条約)調印／NAFTA結成 | |
| | 93 EU(ヨーロッパ連合)成立 | 91 ユーゴスラヴィア解体，内戦勃発 |
| | 95 WTO発足 | |
| | 99 EU，単一通貨ユーロ導入(2002使用開始) | 99 NATO軍，コソヴォ問題でセルビアを空爆 |
| | | 00 ロシア大統領にプーチン |
| **2000** | | |
| | 01 米，同時多発テロ | |
| | | 04 EU，加盟25カ国に拡大 |
| | 08 キューバ，カストロ退任 | 07 ルーマニア・ブルガリア，EU加盟 |
| | 09 米大統領にオバマ(〜17) | |
| **2010** | | |
| | 15 米，キューバと国交回復 | |
| | 16 英，EU離脱をめぐる国民投票で離脱多数 | |
| | 17 米大統領にトランプ(〜21) | |
| | 21 米大統領にバイデン | 22 ロシア，ウクライナに侵攻 |

| アフリカ，西・南・東南アジア | 中国・朝鮮 | 日本 | 年代 |
|---|---|---|---|
| 51 イラン石油国有化<br>52 エジプト革命<br>54 東南アジア条約機構 | 53 中国，第1次五カ年計画（～57）<br>54 周恩来・ネルー会談 | 51 サンフランシスコ平和条約・日米安保条約調印 | **1950** |
| 55 アジア＝アフリカ（バンドン）会議 ||||
| 56 エジプト，スエズ国有化宣言／第2次中東戦争<br>57 ガーナ独立<br>60 アフリカ諸国の独立続く | 58 中国，「大躍進」運動の開始<br>59 チベット反中国運動／劉少奇国家主席就任（～68） | 56 日ソ間の国交回復／国連加盟<br><br>60 日米安保条約改定 | |
| | | | **1960** |
| 61 ベオグラード非同盟諸国会議（25カ国首脳参加） ||||
| 62 アルジェリア独立<br>63 アフリカ統一機構成立 | 62 中印国境紛争<br>63 中ソ論争激化 | 63 部分的核禁条約調印<br>64 東京オリンピック | |
| 65 日韓基本条約調印 ||||
| 65 ベトナム戦争激化。米軍，北爆開始／インドネシア，九・三〇事件<br>67 第3次中東戦争／ASEAN結成 | 66 中国，文化大革命開始<br><br>69 中ソ国境紛争 | 70 日米安保条約延長 | |
| | | | **1970** |
| 71 バングラデシュ独立<br>73 ベトナム和平のパリ協定／第4次中東戦争。石油危機<br>76 ベトナム統一<br><br>79 イラン革命／エジプト＝イスラエル平和条約<br>80 イラン＝イラク戦争（～88） | 71 国連，中華人民共和国の中国代表権承認<br>72 米大統領ニクソン訪中<br><br>76 周恩来・毛沢東死去。四人組失脚<br>79 中国，米と国交正常化 | 72 沖縄復帰／日中交正常化<br><br><br>78 日中平和友好条約 | |
| | | | **1980** |
| | 88 韓国，盧泰愚大統領（～93）<br>89 中国，天安門事件／中国，江沢民総書記（～2002） | | |
| 90 イラク，クウェートに侵攻 | 90 韓国，ソ連と国交樹立 | ● 日米経済摩擦激化 | **1990** |
| 91 湾岸戦争／南ア共和国，人種隔離政策廃止／カンボジア和平協定調印<br>93 パレスチナ暫定自治合意<br>94 南ア共和国，マンデラ政権成立<br>98 インド・パキスタン核実験<br>99 東ティモール，インドネシアから分離（2002独立） | 91 韓国・北朝鮮，国連加盟<br>93 韓国，金泳三大統領（～98）<br>94 北朝鮮，金日成死去<br>97 中国，鄧小平死去／香港，中国に返還<br>98 韓国，金大中大統領（～2003）<br>00 韓国・北朝鮮首脳会談 | 92 PKO協力法成立<br><br>95 阪神・淡路大震災<br><br>99 日米防衛協力の新ガイドライン関連法 | |
| | | | **2000** |
| 01 米，アフガニスタン攻撃<br>02 アフリカ連合成立<br>03 米・英，イラク攻撃。フセイン政権崩壊<br><br>10 アラブの春 | 01 中国，WTOに加盟<br><br>06 北朝鮮，核実験<br><br>08 台湾総統に馬英九（～16） | 02 日本・北朝鮮，初の首脳会談<br>03 有事関連三法成立<br>04 自衛隊，イラクへ派遣<br><br>09 民主党主導の連立内閣成立（～12） | |
| | | | **2010** |
| 11 シリア内戦始まる。イスラーム武装勢力の台頭と難民の発生／南スーダン独立 | 11 北朝鮮，金正恩第一書記<br>12 中国，習近平総書記<br>13 韓国，朴槿恵大統領（～17）<br>16 台湾総統に蔡英文<br>17 韓国，文在寅大統領（～22）<br>22 韓国，尹錫悦大統領 | 11 東日本大震災／福島原発事故<br><br>15 改正公職選挙法で選挙年齢を満18歳以上に引き下げ | |

# ヨーロッパ人名対照表

希……ギリシア語　羅……ラテン語　伊……イタリア語　西……スペイン語　慣……慣用
ポ……ポルトガル語　蘭……オランダ語　丁……デンマーク語　露……ロシア語

| 英語 | ドイツ語 | フランス語 | その他 | |
|---|---|---|---|---|
| アレクサンダー<br>Alexander | アレクサンダー<br>Alexander | アレクサンドル<br>Alexandre | (希)アレクサンドロス<br>Alexandros | (露)アレクサンドル<br>Aleksandr |
| アンセルム<br>Anselm | アンゼルム<br>Anselm | アンセルム<br>Anselme | (羅)アンセルムス<br>Anselmus | |
| バーソロミュー<br>Bartholomew | バルトロメーウス<br>Bartholomäus | バルテルミ<br>Barthélemy | (ポ)バルトロメウ<br>Bartolomeu | |
| シーザー<br>Caesar | ツェーザル, カイザー<br>Cäsar　　Kaiser | セザール<br>César | (羅)カエサル<br>Caesar | |
| キャサリン<br>Catharine | カタリーナ<br>Katharina | カトリーヌ<br>Catherine | (露)エカチェリーナ<br>Ekaterina | |
| チャールズ<br>Charles | カール<br>Carl, Karl | シャルル<br>Charles | (羅)カロルス<br>Carolus | (西)カルロス<br>Carlos |
| デーヴィド<br>David | ダーフィ(ヴィト)<br>David | ダヴィド<br>David | (羅)ダヴィド<br>David | (慣)ダヴィデ |
| ドミニク<br>Dominic(k) | ドミーニクス<br>Dominikus | ドミニク<br>Dominique | (羅)ドミニクス<br>Dominicus | (慣)ドミニコ |
| ユークリッド<br>Euclid | オイクリート<br>Euklid | ユークリッド<br>Euclide | (希)エウクレイデス<br>Eukleides | |
| エリザベス<br>Eliz(s)abeth | エリザベト<br>Elisabeth | エリザベート<br>Elisabeth | →イザベルの項 | |
| ファーディナンド<br>Ferdinand | フェルディナント<br>Ferdinand | フェルディナン<br>Ferdinand | (西)フェルナンド<br>Fernando | (慣)フェルディナンド |
| フランシス<br>Francis | フランツ<br>Franz | フランソワ<br>François | (西)フランシスコ<br>Francisco | (伊)フランチェスコ<br>Francesco |
| フレデリック<br>Frederic(k) | フリードリヒ<br>Friedrich | フレデリク<br>Frédéric | (羅)フレデリクス<br>Fredericus | |
| グレゴリ<br>Gregory | グレゴーリウス<br>Gregorius | グレゴワール<br>Grégoire | (羅)グレゴリウス<br>Gregorius | (伊)グレゴーリオ<br>Gregorio |
| ヘンリ<br>Henry | ハインリヒ<br>Heinrich | アンリ<br>Henri | (西)エンリケ<br>Enrique | (ポ)エンリケ<br>Henrique |
| インノセント<br>Innocent | イノツェンツ<br>Innozenz | イノサン<br>Innocent | (羅)インノケンティウス<br>Innocentius | |
| イザベル<br>Isabel<br>イザベラ<br>Isabella | イーザベル<br>Isabel<br>イザベラ<br>Isabella | イザベル<br>Isabelle | (西)イサベル<br>Isabel | (伊)イザベルラ<br>Isabella |
| ジョン<br>John | ハンス<br>Hans | ジャン<br>Jean | (羅)ヨハネス<br>Johannes<br>(ポ)ジョアン<br>João | (露)イヴァン<br>Ivan<br>(慣)ヨハネ |
| ル(ー)イス<br>Lewis, Louis | ルートヴィヒ<br>Ludwig | ルイ<br>Louis | (羅)ルドウィクス<br>Ludovicus | |
| マーガレット<br>Margaret | マルガレーテ(タ)<br>Margarete(a) | マルグリート<br>Marguerite | (伊)マルゲリータ<br>Margherita | (丁)マルグレーテ<br>Margrete |
| メアリ<br>Mary | マリア<br>Maria | マリ<br>Marie | (羅)マリア<br>Maria | (伊)マリーア<br>Maria |
| ニコラス<br>Nicholas | クラウス<br>Klaus<br>ニコラウス<br>Nikolaus | ニコラ<br>Nicolas<br>ニコル<br>Nicol | (羅)ニコラウス<br>Nicolaus | (露)ニコライ<br>Nikolai |
| ポール<br>Paul | パウル<br>Paul | ポール<br>Paul | (羅)パウルス<br>Paulus | (慣)パウロ |
| ピーター<br>Peter | ペーター<br>Peter | ピェール<br>Pierre | (羅)ペトルス<br>Petrus | (露)ピョートル<br>Petr<br>(慣)ペテロ |
| フィリップ<br>Philip | フィーリプ<br>Philipp | フィリップ<br>Philippe | (希)フィリッポス<br>Philippos | (西)フェリペ<br>Felipe |
| テリーザ<br>T(h)eresa | テレーゼ, テレジア<br>Therese　　Theresia | テレーズ<br>Thérèse | (西)テレーサ<br>Teresa | (慣)テレサ |
| ウィリアム<br>William | ヴィルヘルム<br>Wilhelm | ギョーム<br>Guillaume | (蘭)ウィレム<br>Willem | |
| ザヴィアー<br>Xavier | クサヴァー<br>Xaver | グザヴィエ<br>Xavier | (ポ)シャヴィエル<br>Xavier | (西)ハビエル<br>Javier<br>(慣)ザビエル |

# 索 引

## 【ア】

IMF 体制→ブレトン・ウッズ国際経済体制
アイグン条約　195
愛国派　163
アイスキュロス　27
アイゼンハワー　365
アイバク　102
アイユーブ朝　95
アイルランド自治法案　220
アイルランド自由国　245
アイルランド問題　220
アヴァール人　106
アヴィニョン　117
『アヴェスター』　36
アウグスティヌス　34, 124
アウグストゥス　32
アウクスブルクの和議　140
アウシュヴィッツ収容所　264
アウラングゼーブ帝　103
アウン・サン・スー・チー　294
アギナルド　229
アキノ　294
『阿Q正伝』　229
アクスム王国　97
アクバル　102
アグラ　102
アケメネス朝　22, 36, 54
アジア・アフリカ会議→バンドン会議
アジア太平洋経済協力会議（APEC）　298
アジェンデ　288
アジャンター石窟寺院　15, 41
アショーカ王　38
アステカ王国（帝国）　56, 122
アステカ人　56

アステカ文明　55
ASEAN→東南アジア諸国連合
アゼルバイジャン　291
アタナシウス派　35, 105
アダム・シャール　86, 123
アッカド人　18
アッシリア　21
アッバース1世　95
アッバース朝　75, 93, 94
アッラー　89
アデナウアー　276
アテネ　23-26, 30
アトリー　270
アパルトヘイト→人種隔離
アフガーニー　197
アフガン戦争（第1次～第2次）　200
アフリカ統一機構（OAU）　280
アフリカの年　280
アフリカ民族会議（ANC）　288
アヘン　204, 205
アヘン戦争　204-206, 211, 212
アポロン神殿の神託　27
アマルナ芸術　21
アムステルダム　145
アメリカ合衆国　163, 178
アメリカ合衆国憲法　164
アメリカ共和党　222, 296
アメリカ・スペイン（米西）戦争　222-224, 229
アメリカ先住民（インディアン）→インディオ（インディアン）
アメリカ独立革命　159, 165
アメリカ独立宣言　163
アメリカ独立戦争　163
アメリカ民主党　222, 254, 276, 296
アメンホテプ4世（イクナートン）　21

アユタヤ朝　103
アラゴン王国　120
アラスカ　192
アラビア語　100
アラビア数字　100
アラブ人　36, 91, 240
アラブ石油輸出国機構（OAPEC）　284
アラブ連盟　274
アラベスク　102
アラム人　20
アリー　91
アリウス派キリスト教　105
アリストテレス　14, 15, 27, 30, 100, 136
アリストファネス　27
アーリヤ系→イラン（アーリヤ）系
アーリヤ人　37, 40
アル・カーイダ　297
アルキメデス　28
アルザス・ロレーヌ　239, 243
アルジェリア戦争　280
アール・ヌーヴォー　216
アルハンブラ宮殿　97
アルビジョワ派　119
アルファベット　20, 22
アルメニア　291
アレクサンドリア　28
アレクサンドル2世　185
アレクサンドロス（大王）　22, 27, 28, 54
アロー号事件　206
アロー戦争　195, 206
UNCTAD→国連貿易開発会議
アングロ・サクソン王国　108
アンコール・ワット　42
ANZUS→太平洋安全保障条約
安史の乱　65

315

アンシャン・レジーム　165
アン女王　151
安息→パルティア
『アンネの日記』　264
アンボイナ事件　203
アンリ4世　144
安禄山　65

## 【イ】

EEC →ヨーロッパ経済共同体
イヴァン3世　114
イヴァン4世　153
イエス（キリスト）　35
イエズス会　82, 86, 123, 126, 142
イェニチェリ　99
イェルサレム王国　95, 115
イェルマーク　153
イギリス・オランダ戦争　145
イギリス革命　150
イギリス国教会　148
イギリス自由党　220, 245
イギリス東インド会社　148, 154, 200, 202, 204
イギリス・ビルマ戦争　203
イギリス保守党　245, 284
イギリス労働党　220, 245, 254, 270
イクター制　94
イクナートン→アメンホテプ4世
イコン　59, 114
イサベル女王　132
EC →ヨーロッパ共同体
渭水　44
イスタンブル　97
イスファハーン　95
イスラエル国　274
イスラーム（回）教　22, 66, 89
イスラーム教徒（ムスリム）　91-93, 120, 131
イスラーム原理主義　285, 296, 297
イスラーム国（IS, ISIS, ISIL）　296
イスラーム主義　199
イスラーム商人　97, 122
イスラーム文化　122
イスラーム法（シャリーア）　93
イスラーム暦　90

李承晩　275, 279
イタリア王国　188
イタリア社会党　246
イタリア戦争　139, 143
イタリア統一運動　188
イタリア統一戦争　187, 188
イタリア・トルコ戦争　230
イタリアの民族運動　183
イタリキ　29
一条鞭法　83, 84
移動宮廷　152
委任統治領　253
イブン・アブドゥル・ワッハーブ　199
イブン・シーナー　100
イブン・バットゥータ　100
イブン・ハルドゥーン　100
イブン・ルシュド　100
移民　218, 219
EU →ヨーロッパ連合
イラク戦争　296, 297
イラン（アーリヤ系）　54
イラン・イスラーム文化　93, 95
イラン・イラク戦争　285, 294
イラン革命　285
イラン立憲革命　230, 232
『イリアス』　28
イル・ハン国（朝）　75, 94
殷　43, 44
インカ帝国　56, 122
インカ文明　55
殷墟　43
印刷術　73
印紙法　163
印象派　193
院体画　73
インダス川　11, 22, 27, 36, 91, 102
インダス文明　36, 37
インディオ（アメリカ先住民, インディアン）　55, 133, 164, 178, 179
インテリゲンツィア　185
インド　131-133
インド・イスラーム文化　103
インド国民会議　229
インドシナ共産党　251
インドシナ出兵　187

インドシナ戦争　215, 274
インド人傭兵（シパーヒー）　202
インド大反乱（セポイの反乱）　202
インド帝国　187, 202, 203
インド統治法　251
インドネシア国民党　251
インド・パキスタン戦争　280
インド防衛法　238
インド洋貿易　97
インノケンティウス3世　111

## 【ウ】

ヴァイキング　106, 114
ヴァイシャ　37, 38
ヴァイマル（ワイマール）共和国　244
ヴァルガス　257
ヴァルダナ朝　41
ヴァルダマーナ　38
ヴァルナ（種姓）制度　37, 201
ヴァレンシュタイン　145
ヴァレンヌ逃亡事件　167
ヴァロワ朝　119
ヴィクトリア女王　185, 186
ウィクリフ　117
ウイグル　51, 66, 73
ウイグル人　55
ウイグル文字　76
ヴィシュヌ神　40
ヴィットーリオ・エマヌエーレ2世　188
『ヴィーナスの誕生』　139
ウィリアム3世（オラニエ公ウィレム3世）　151
ウィルソン　222
ヴィルヘルム1世　189
ヴィルヘルム2世　214, 220
ウィーン会議　173, 178, 179
ウィーン体制　178, 184, 188
ウィーン包囲（第1次・第2次）　98, 99
ウィーン暴動　183
ウェストファリア条約　146
ウェストミンスター憲章　245
ヴェスプッチ　133

ヴェーダ　37

ヴェネツィア　116

ヴェーバー　234

ヴェルサイユ宮殿　151, 158, 165

ヴェルサイユ条約　243, 249, 256, 258

ヴェルサイユ体制　243, 258

ヴェルダン　237

ヴェルダン条約　106

ウォーターゲート事件　283

ウォーホル　216

ヴォルテール　123, 158

ヴォルムス帝国議会　140

ウズベク人　95

ヴ・ナロード（人民のなかへ）　185, 257

ウマイヤ朝　91, 92, 102

ウマル・ハイヤーム　100

海の道　53

ウラディミル 1 世　114

ウラービー運動　198

ウラマー　230

ウルバヌス 2 世　115

雲崗　62

雲南　66

ウンマ　90, 93

## 【エ】

英印円卓会議　252

栄西　71

衛氏　66

衛所　78

永世中立　276

英仏協商　232

APEC →アジア太平洋経済協力会議

英雄叙事詩　124

『英雄伝』→『対比列伝』

永楽帝　79

英蘭戦争→イギリス・オランダ戦争

英露協商　232

エウクレイデス（ユークリッド）　28, 136

エウリピデス　27

ANC →アフリカ民族会議

エカチェリーナ 2 世　156

駅伝制　76

エジプト　17, 20, 27

エジプト・トルコ戦争　198

SS →親衛隊

エス・エル→ロシア社会革命党

エセン・ハン　86

越南国　203

江戸（徳川）幕府　208

エトルリア人　29

エドワード 3 世　119

エドワード 6 世　148

NGO →非政府組織

エネルギー保存の法則　192

エピクロス派　28

エフタル　40, 55

エーベルト　244

エラスムス　139

エリザベス 1 世　148, 149

エリツィン　290

エール共和国　245

エルベ川　136, 155

燕雲十六州　74

エンクロージャー→囲い込み

エンゲルス　181, 182

袁世凱　228, 239

エンリケ　131

## 【オ】

オアシス（都市）　10, 53, 54

OAPEC →アラブ石油輸出国機構

オイラト　79, 86

オイル・ショック（第 1 次）　283, 285

王安石　70

オーウェン　176, 182

王羲之　62, 63

王仙芝　65

汪兆銘　261

王党派（イギリス）　150

王党派（フランス）　169, 183, 220

王莽　49

欧陽脩　72

王陽明（王守仁）　85

OAS →米州機構

OAU →アフリカ統一機構

オクタウィアヌス　31, 32

オストラシズム→陶片追放

オーストリア継承戦争　154

オーストリア国家条約　276

オーストリア＝ハンガリー帝国　189

オスマン帝国　97-99, 113, 114, 180, 184, 196, 233

オタワ会議　254

オットー 1 世　107

『オデュッセイア』　28

オドアケル　105

オバマ　297

親方　117

オラニエ公ウィレム 3 世→ウィリアム 3 世

オランダ　144

オランダ独立戦争　144

オランダ領東インド　203

オリエンタリズム　205

オリンピアの祭典　27

オリンポス 12 神　27

オレンジ自由国　223

## 【カ】

会館　84

階級　11

階級闘争　182

回教→イスラーム教

海峡植民地　203

海軍軍備制限条約　248

外交革命　154

開墾運動　115

会子　71

華夷思想　211

外戚　49, 50

灰陶　12

開発独裁　278

開封　69, 70, 72

解放戦争（諸国民戦争）　173

カイロ　93, 96, 100

カイロ会談　265

カイロ宣言　265

カイロネイアの戦い　27

ガウタマ・シッダールタ　38

カヴール　188

カエサル　31, 32

317

価格革命　135
科学革命　157
科学主義　192
火器　146
科挙　60, 63, 64, 69, 76, 78, 82, 227
華僑　84, 85, 227
革新主義　222
囲い込み（エンクロージャー）　173
華国鋒　279, 287
カザーク（コサック）　153
ガザン・ハン　95
カージャール朝　200, 230
カスティリオーネ　86, 123
カスティリャ王国　120
カースト（ジャーティ）　38, 201
カストロ　281
ガズナ朝　102
化石人類　9
カッシート　20
GATT →関税および貿易に関する一
　般協定
活版印刷（術）　140, 141
課田法　62
寡頭専制　179
カトリック（旧教）　140, 142, 144
カトリック教徒解放令　185
カトリック教徒弾圧　190
ガーナ王国　97
ガーナ共和国　280
カニシカ王　38
カノッサの屈辱　111
カーバ　90
カブラル　134
貨幣経済　118
カペー朝　108, 119
火砲　119, 122, 133
華北　74
河姆渡遺跡　43
ガマ　132
火薬　73, 76, 122
『ガリヴァー旅行記』　158
ガリバルディ　161, 188
カリフ　91-94
カリフォルニア　184
ガリレイ　156, 174

カール4世　120
カール5世（カルロス1世）　140,
　143, 144
カルヴァン　141
カルヴァン派　142, 144, 150
『ガルガンチュア物語』　139
カール大帝（シャルルマーニュ）
　106, 107, 112
カルタゴ　29
カルテル　219
カール・マルテル　106
カルロヴィッツ条約　196
カルロス1世→カール5世
カロリング朝（家）　106, 107
カロリング・ルネサンス　107, 136
漢（前漢）　48
漢（後漢）　50
甘英　50
灌漑農法　11
宦官　49, 50, 65, 79
勘合貿易　88
韓国併合　232, 250
ガンジス川　38
『漢書』　50
顔真卿　63, 66
関税および貿易に関する一般協定
　（GATT）　298
環大西洋革命　160
環太平洋経済連携協定（TPP）
　271
『カンタベリ物語』　139
ガンダーラ美術　29, 39
ガンディー（インディラ）　294
ガンディー（マハートマ）　251
ガンディー（ラジブ）　294
カント　157, 184
カンボジア人→クメール人（カンボジア
人）
咸陽　46
官僚　49, 50, 70, 120

## 【キ】

魏　61
キエフ公国　114
機会均等　223, 248

議会政治　185
議会派　150
飢餓の40年代　184
キケロ　34
気候変動　147
気候変動枠組条約　299
騎士　110, 124
騎士物語　124
義浄　66
『魏志』倭人伝　68
貴族（ギリシア）　24
貴族（ローマ）　29
北里柴三郎　134
北大西洋条約機構（NATO）
　272, 275
北ドイツ連邦　189
喫茶店→コーヒーハウス
契丹人　74
契丹文字　74
騎馬文化　51
騎馬民族　51
キープ　56
キプチャク・ハン国　75, 114
ギベリン→皇帝党
金日成　275, 293
義務教育　186, 219
金正日　293
金正恩　293
金泳三　293
キャラヴァンサライ（隊商宿）　95
九カ国条約　248
球戯場の誓い　166
旧教→カトリック
仇教運動　226
九・三〇事件　280
『九十五カ条の論題』　140
救世主→メシア
旧石器時代　8, 9
九品中正　62
義勇兵　260
旧法党　70
キュチュク・カイナルジャ条約　292
キューバ危機　281
羌　51
教会大分裂（大シスマ）　117

318　　索引

郷挙里選　48, 50
教皇党（ゲルフ）　120
教皇のバビロン捕囚　117
教皇領　106, 120
共産党一党独裁　260
『共産党宣言』　182
強制栽培制度　203
匈奴　47-51, 62
恐怖政治　169, 183
郷勇　208
共和派（イタリア）　188
共和派（フランス）　183, 187
挙国一致内閣　254
ギリシア人　23, 27, 38
ギリシア正教　113, 114
ギリシア正教会　106, 113
ギリシア正教徒　184
ギリシアの独立　180
キリスト→イエス
キリスト教　22, 35, 131
キルワ　97
義和団事件　226, 230
金（国）　70, 74, 75
銀　83, 84, 86, 204
金印勅書　120
金玉均　210
銀山　134
均田制　62, 63
『金瓶梅』　86
均輸　49

## 【ク】

クー・クラックス・クラン（K・K・K）
　247
草の根（グラスルーツ）　254
楔形文字　19, 22
クシャトリヤ　37, 38
クシャーナ朝　36, 38, 55
クシュ王国　97
『愚神礼賛』　139
グスタフ・アドルフ　145
百済（くだら）→（ひゃくさい）
クテシフォン　36
グーテンベルク　140, 141
クヌート　108

クノッソス宮殿　23, 24
グプタ朝　40
グプタ様式　41
鳩摩羅什　62
クメール人（カンボジア人）　41, 42
公羊学　197
クライヴ　154
グラスルーツ→草の根
グラックス兄弟の改革　31
グラッドストン　186
グラナダ　96
苦力　85
クリオーリョ　178
クリミア戦争　185, 187, 197
クリミア半島　292
クリミア併合　292
クリュニー修道院　110, 111, 121
クリントン　296
『クルアーン（コーラン）』　89, 90, 92,
　101
クルド問題　296
クレイステネス　24
グレゴリウス1世　105
グレゴリウス7世　111
クレタ文明　23
クレルモン宗教会議　115
クローヴィス　105
グロティウス　158
グローバリゼーション　299
クロムウェル　150
軍管区制（テマ制）　113
郡県制　44, 46, 48
郡国制　48
訓詁の学　50, 66
君主は国家第一の僕　154
『君主論』　139
訓民正音→朝鮮文字

## 【ケ】

景教→ネストリウス派キリスト教
K・K・K→クー・クラックス・クラン
経済相互援助会議（COMECON）
　272
卿・大夫・士　44
景徳鎮　84

啓蒙思想　156, 157, 163, 165, 184
啓蒙思想家　123
啓蒙主義　136
啓蒙絶対君主　154
毛織物　148
ケチュア人　56
羯　51
月氏　55
ゲットー（ユダヤ人居住区）　118
月賦販売　247
ゲーテ　158, 184
ケネー　158
ケネディ　276
ケープ植民地　222
ケプラー　156
ケマル（ケマル・アタテュルク）　253
ケルト人　105
ゲルフ→教皇党
『ゲルマニア』　34
ゲルマン人　33, 104
ケロッグ　245
元　75-77, 86
祆教→ゾロアスター教
元曲　76
元寇　78
原子爆弾　266
玄奘　41, 66
遣隋使　68
現生人類　9, 12
玄宗　64, 71
阮朝　87, 203
遣唐使　68, 78
遣唐使船　67
権利の章典　151
権利の請願　150
乾隆帝　81
元老院　29, 32

## 【コ】

呉　61
ゴア　133
行　71
項羽　48
後ウマイヤ朝　93, 96
紅衛兵　279

黄河　10, 12, 43
航海法　150
江華島事件　209
江華島条約→日朝修好条規
黄河文明　43
黄禍論　235
康熙帝　81, 82
黄巾の乱　50
紅巾の乱　76
高句麗　64, 66
鎬京　44
公行　204
甲骨文字　43
甲午農民戦争（東学党の乱）　210
孔子　15, 46
交子　71
坑儒　47
広州　133
杭州　72
洪秀全　207
公所　84
交鈔　76
工場法　181
光緒帝　226
甲申事変　210
香辛料　131, 133, 202
香辛料貿易　133, 203
江青　279, 287
高祖（漢）→劉邦
高祖（唐）→李淵
黄宗羲　86
黄巣の乱　65
豪族　50
江沢民　291
興中会　227
交通機関　193
皇帝党（ギベリン）　120
江南　61, 62, 70, 74
抗日救国　260
抗日民族統一戦線　260
貢納　22, 109
光武帝（劉秀）　50
洪武帝→朱元璋
孝文帝　62
黄帽派　87

黄埔条約　206
皇民化政策　250
公民権拡大運動　276
公民権法　276
康有為　197, 225, 226
『皇輿全覧図』　82
高麗　75, 76, 87
功利主義　178
『紅楼夢』　86
顧炎武　86
古王国（エジプト）　19
顧愷之　62
コーカソイド　12
五月危機　276
五カ年計画（ソ連）　258
五カ年計画（中国）　274
後漢→漢（後漢）
コーカンド・ハン国　95
胡錦濤　292
国際連盟　243, 247, 258, 260
国際労働者協会→第一インターナショナル
黒死病（ペスト）　118, 134
黒人奴隷　162, 164, 178, 191
黒陶　12
国土回復運動（レコンキスタ）　96, 110, 115, 120, 131
『国富論』→『諸国民の富』
国民会議派　252, 274, 294
国民議会　166, 167
国民公会　169
国民国家　236
国民（国家）社会主義ドイツ労働者党（ナチ党）　214, 255-257
国民党　229
国民統合　219, 220
国連安全保障理事会　275
国連軍　275
国連同時加盟　284, 287
国連貿易開発会議（UNCTAD）　289
五賢帝　32
五胡　51
護国卿　150
五胡十六国　62

コサック→カザーク
呉三桂　81
五・三〇事件　249
五・四運動　249
ゴシック様式　121, 124, 138
コシューシコ　156, 161
胡適　229
コソヴォ　291
語族　12
呉楚七国の乱　48
五代　68
国家　11
国共合作（第1次）　249
国共合作（第2次）　261
コッホ　134
ゴ・ディン・ジエム　282
古典主義　184
古典派経済学　175, 178
呉道玄　66
ゴードン　208
コーヒー　122, 132, 158, 179
コーヒーハウス（喫茶店）　122, 157, 158
コペルニクス　139
コミンテルン（第三インターナショナル）　244, 260
コミンフォルム　272, 277
COMECON→経済相互援助会議
米騒動　251
『コモンセンス』　161, 163
『コーラン』→『クルアーン』
孤立主義　247
コール　284
ゴール朝　102
コルテス　133
ゴールドラッシュ　184
ゴルバチョフ　290
コルベール　151
コルホーズ（集団農場）　259
コロンブス　67, 77, 132
コンキスタドレス　133
コンゴ動乱　280
コンスタンツ公会議　117
コンスタンティヌス帝　33, 35
コンスタンティノープル　33, 97, 105,

113, 115
コンスタンティノープル教会　105
コンスル　29
コンツェルン　219
コント　193
棍棒外交　222
『坤輿万国全図』　126

## 【サ】

西域　48, 49
西域都護　50
細菌学　192
サイクス・ピコ協定　240
再軍備宣言　258
『最後の晩餐』　139
宰相　190
サイード　205
細密画→ミニアチュール
彩文土器　12
『西遊記』　86
作　71
冊封　211
冊封使　127
冊封・朝貢体制　211
ササン朝　36, 91
サータヴァーハナ朝　39
サダト　285
サッチャー　284
サトウキビ　132
ザビエル　142
サファヴィー朝　95
サーマーン朝　93
サミット→先進国首脳会議
サライェヴォ事件　237
サラーフ・アッディーン（サラディン）
　95
サラミスの海戦　24
サルデーニャ王国　188
サロン　157
三・一運動　249
山岳派→ジャコバン派
三角貿易　136, 155
三月革命（オーストリア・ドイツ）
　183
三月革命（ロシア）→二月革命

産業革命　160, 173-178
産業資本　190
三権分立　164
三光政策　261
三国干渉　223
三国協商　232
三国同盟　190, 232
三国分立時代　61
3C 政策　222, 233
ザンジバル　97
サン＝シモン　161, 182
三十年戦争　145, 147
38 度線　275
サンスクリット文学　40
サンスーシ宮殿　158
サン・ステファノ条約　190
三星堆遺跡　43
三大発明　122
『三大陸周遊記』　100
三帝会戦　172
三頭政治　31
三藩の乱　81, 82
3B 政策　233
三部会　165
サンフランシスコ講和会議　277
サン＝マルティン　178
三位一体説　35
三民主義　197, 227, 228

## 【シ】

詞　73
CIS →独立国家共同体
SEATO →東南アジア条約機構
シーア派　92-95
シヴァ神　40
自営農民　118
市易法　70
シェークスピア　139
ジェノヴァ　116
ジェファソン　163, 191
ジェームズ 1 世（ジェームズ 6 世）
　148
ジェームズ 2 世　151
ジェントリ　151
ジェンナー　134

四カ国条約　248
四月革命（韓国）　279
四月テーゼ　242
『史記』　45, 47, 49, 50
色目人　76
『詩経』　46
シク教徒　103
シク戦争　200
始皇帝　46, 47
四国同盟　178
『四庫全書』　86
『資治通鑑』　72
史思明　65
四書　72
ジズヤ（人頭税，イスラーム）　92,
　93, 98, 102
自然主義　193
氏族　11
七月王政　182
七月革命　180, 182
七選帝侯　120
自治都市　116
七年戦争　154, 165
実証主義哲学　193
十進法　100
『失楽園』　158
シトー修道会　110, 111, 121
司馬炎（武帝）　61
司馬光　70, 72
司馬遷　45, 47, 50
ジハード（聖戦）　91, 96
シハヌーク　287, 294
シパーヒー→インド人傭兵
資本主義　135, 148
『資本論』　182
市民階級　148
市民革命　148, 160
下関条約　210
シモン・ド・モンフォールの反乱
　119
ジャイナ教　38
『社会契約論』　158
社会主義　182
社会主義運動　190
社会主義思想　178, 180

321

社会主義者鎮圧法　190, 221
ジャガイモ飢饉　147
ジャコバン派(山岳派)　169
写実主義　193
ジャックリーの乱　118
シャープール1世　36
ジャポニズム　235
シャリーア→イスラーム法
シャルル10世　180
シャルルマーニュ→カール大帝
ジャンヌ・ダルク　120
周　44
周(武周)　64
縦横家　46
周恩来　276, 287
十月革命　242
宗教改革　140, 141, 148
宗教寛容令　156
習近平　292
13植民地　162, 163
十字軍　76, 95, 113, 115-117
自由主義　178, 180-185, 188
重商主義　135, 143, 148, 163
修正主義　221
柔然　51, 62, 66
重装歩兵(ギリシア)　24
重装歩兵(ローマ)　29
修道院　109, 115, 140, 156
修道院解散法　148
修道士　120
自由都市　116
17世紀の危機　147, 148
十二イマーム派　92
12世紀ルネサンス　136
十二表法　33
重農主義　158
自由貿易論　177, 186
自由放任政策　247
十四カ条の平和原則　240, 243
儒家　46, 50
儒学　48, 50, 68, 72
朱熹(朱子)　72
主権国家体制　143, 146
朱元璋(洪武帝)　78
朱子学　72, 78, 82, 85, 87

朱全忠　66
シュタイン　173
首長法　148
シュードラ　37
シュトレーゼマン　245
ジュネーヴ　141
ジュネーヴ会議(1954年)　276
ジュネーヴ協定　276, 282
シューベルト　179
シュマルカルデン戦争　140
シュメール人　18
シュリーヴィジャヤ　42
『儒林外史』　86
シュレジエン(シレジア)　154
ジュンガル　86
春秋時代　44
巡礼　115
荘園(中国)　65, 70
荘園(ヨーロッパ)　109
荘園制　109, 117
商鞅　46
蔣介石　249, 250, 260, 274
蒸気機関　174
商業革命　135
湘軍　208
象形文字　22
上座部仏教　42, 103
常勝軍　208
正倉院　53
象徴主義　234
商人ギルド　117
常備軍　120, 146, 147
昭明太子　62
蜀　61
職人　117
贖宥状(免罪符)　140
諸国民戦争→解放戦争
『諸国民の富』(『国富論』)　175
諸国民の春　159
ジョージ1世　151
『女史箴図』　62
諸子百家　14, 15, 46
女真　74, 79-81
女真文字　74
ジョット　139

叙任権闘争　111
ジョン(王)　111, 119
ジョーンズ法　251
ジョンソン　276
シラー　158, 184
新羅(しらぎ)→(しんら)
シリア　27
シルク・ロード　54
シレジア→シュレジエン
ジロンド派　168, 169
秦　46
新　49
晋　61
清　81, 86, 153, 195, 209, 226
新インド統治法　252
親衛隊(SS)　256
新王国(エジプト)　20
辛亥革命　197, 228
進化論　192
新カント派　234
新教→プロテスタント
新疆　81
『神曲』　139
新経済政策→ネップ
神権政治　56
人権宣言　124, 167
新興工業経済地域(NIES)　282,
　297
審査法　150
審査法の廃止　185
新四軍　261
人種隔離(アパルトヘイト)　288
人種差別　219, 247
新植民地主義　280
人身保護法　150
神聖同盟　178
『新青年』　229
神聖ローマ帝国　107, 146
新石器時代　10
神宗　70
新中間層　235
辛丑和約→北京議定書
神殿　56
人頭税(イスラーム)→ジズヤ
人頭税(中国)　50

新バビロニア　22
ジンバブエ共和国　288
神秘主義　94
清仏戦争　203
人文主義→ヒューマニズム
新法　70
新法党　70
人民憲章　181
人民公社　278
人民戦線→反ファシズム統一戦線
人民のなかへ→ヴ・ナロード
新羅　68, 76

## 【ス】

隋　63
『随想録』　139
水平派　150
ズィンミー　98
スウィフト　158
スウェーデン　145, 153
スエズ運河　187, 198
スエズ運河国有化　280
スエズ戦争→中東戦争（第2次）
スカルノ　251, 279
スキタイ人　51
スコラ学　124
スコラ学派　100
スターリン　248, 259, 260, 277
スターリング・ブロック　254
スターリン憲法　259
スターリン批判　259, 277
スタンダード石油　221
スティーヴンソン　175
ステップの道→草原の道
ズデーテン地方　262
ステュアート朝　148
ステンドグラス　124
ストア派　28
ストルイピン　221
スパルタ　24, 26, 30
スパルタクス団の蜂起　242
スハルト　280
スーフィー　94
スペイン継承戦争　153
スペイン人民戦線　215

スペイン内戦　260
スミス（アダム）　158, 175
スラヴ人　114
スリランカ（セイロン）　38
スルタン　94, 198
スレイマン1世　98, 143
スワデーシ（国産品愛用）　229
スワラージ（自治獲得）　229
スンナ　92
スンナ派　92, 94, 95, 98, 100

## 【セ】

西安事件　261
西域（せいいき）→（さいいき）
西夏　70, 74, 75
青海　81
西夏文字　74
世紀末芸術　234
清教徒→ピューリタン
靖康の変　70
青磁　73, 76
製紙技術　50
星室庁　148
聖職者（キリスト教）　120
聖戦→ジハード
聖遷→ヒジュラ
聖像禁止問題　105
西太后　225, 226
清談　62
青銅貨幣　45
正統カリフ　91, 92
青銅器　11, 36, 43, 50
青銅器文化　23
正統主義　178
青年イタリア　188
青年トルコ革命　230, 233
青年トルコ人（統一と進歩委員会）
　230
青苗法　70
西部戦線　237, 240, 262
『聖母子像』　139
『清明上河図』　60
セイロン→スリランカ
セーヴル条約　252
世界恐慌　253

世界システム　135
世界周航　133
世界の一体化　174
『世界の記述』→『東方見聞録』
世界の工場　176, 219
世界貿易機関（WTO）　298
赤軍　244
責任内閣制　151
赤眉の乱　50
石油戦略　285
石窟寺院　62
絶対王政　143, 147, 148, 151, 154
節度使　65, 66, 68, 69
セポイの反乱→インド大反乱
セルジューク朝　94, 113, 115
セルバンテス　139
セルビア　233, 237
セルビア人　114
セレウコス朝　35
ゼロの観念　100
全インド・ムスリム（イスラーム教徒）
　連盟　229, 274
前漢→漢
宣教師　82, 86, 142
選挙法改正（第1次）　185
選挙法改正（第2次）　186
選挙法改正（第3次）　186
選挙法改正（フランス）　183
戦国時代　44
戦時共産主義　248
先史時代　7
禅宗　78
全真教　74
先進国首脳会議（サミット）　283
専制君主政　33
『戦争と平和の法』　158
戦争の世紀　234
占田法　62
CENTO→中央条約機構
宣統帝（溥儀）　228
1791年憲法　167
1848年革命　159, 184
鮮卑　51, 62
選民思想　22
『千夜一夜物語』　100

323

善隣外交　254

## 【ソ】

楚　48
宋（南朝）　62
宋（北宋）　69
ソヴィエト（評議会）　241
ソヴィエト社会主義共和国連邦（ソ
　連）　248
ソヴィエト・ポーランド戦争　244
草原（ステップ）の道　52
曾国藩　208, 225
総裁政府　169
創氏改名　250
曹操　61
曹丕　61
宗法　44
総力戦　146, 234, 238
租界　207
属州　33
則天武后　64, 65
ソグド人　54
ソクラテス　14, 15, 27
『楚辞』　46
租借　223
蘇軾（蘇東坡）　72
ソフィスト　27
ソフォクレス　27
ソフホーズ（国営農場）　259
租・調・庸　64
ソ連消滅　289, 290
ゾロアスター教（拝火教，祆教）
　22, 36, 66
ソロン　24
ソンガイ王国　97
孫権　61
孫文　197, 227, 228, 249
ソンムの戦い　237

## 【タ】

第一インターナショナル（国際労働
　者協会）　182
第一次世界大戦　237, 238
第1次ロシア革命　215, 221, 230
第一身分　165

大院君　209
大越国　77
大開墾運動　110
対外膨張政策　220
大学　124
『大学』　72
大化の改新　68
大韓民国　275
大空位時代　120
大月氏（国）　48, 49, 55
大憲章（マグナ・カルタ）　119
対抗宗教改革　142, 144
第三インターナショナル→コミンテル
　ン
第三身分　165, 171
大シスマ→教会大分裂
大衆運動　256
大衆社会　234
大衆消費社会　219
大衆文化　235
大乗仏教　39
隊商宿→キャラヴァンサライ
タイ人　41, 42
大秦（ローマ）　50
大秦王安敦　50
大西洋憲章　263
太祖（宋）→趙匡胤
太祖（清）→ヌルハチ
太宗（唐）→李世民
太宗（清）→ホンタイジ
『大蔵経』　74
対ソ干渉戦争　243
大都　75
大東亜共栄圏　214, 265
第2次産業革命　217, 234
第二次世界大戦　262, 263, 266-268
第二身分　165
代表なくして課税なし　163
『対比列伝』（『英雄伝』）　34
対仏大同盟（第1回）　169, 171
対仏大同盟（第2回）　171
対仏大同盟（第3回）　172
大ブリテン王国　151
太平天国の乱　195, 207
太平道　50

太平洋安全保障条約（ANZUS）
　275
太平洋戦争　264
太陽暦　22
大陸横断鉄道　164, 192
大陸封鎖令　172
大理国　66
『ダヴィデ像』　139
ダーウィン　192
タキトゥス　34
拓跋氏　62
托鉢修道会　110, 111
タージ・マハル廟　103
打製石器　9
ダーダネルス・ボスフォラス両海峡
　233, 239
韃靼（タタール）　79, 86
タバコ・ボイコット運動　230
WEU→西ヨーロッパ連合
WTO→世界貿易機関
ダマスクス　91
ダライ・ラマ　87
ダランベール　157, 158
ターリバーン　286, 297
タリム盆地　51, 54
ダルマ（法）　38
ダレイオス1世　22
タレス　27
タンジマート　196
男性普通選挙（英）　186
ダンテ　139
ダントン　169

## 【チ】

地域主義（リージョナリズム）　271
チェコスロヴァキア　244, 262, 277,
　290
チェコスロヴァキア政変　271
チェコスロヴァキアの自由化→プラ
　ハの春
チェチェン　291
チェチェン独立運動　292
チェック人　114
チェンバレン（ジョセフ）　219
チェンバレン（ネヴィル）　262

地球温暖化問題　299
地中海貿易圏　116
地丁銀　84
血の日曜日事件　221
チベット　81
チベット仏教　66, 86
チベット文字　76
茶　123, 204
チャウシェスク　291
チャガタイ・ハン国（朝）　75, 95
チャクリ朝→ラタナコーシン朝
チャーチル　262, 263
チャーティスト運動　181, 183
チャム人　41
チャールズ1世　150
チャールズ2世　150, 152
チャンドラグプタ1世　38
チャンドラグプタ2世　40
チャンパー　41
中印国境紛争　280
中越戦争　287
中王国（エジプト）　20
中央条約機構（CENTO）　275
中華人民共和国　274
中華ソヴィエト共和国臨時政府
　　250
中華民国　228
中華民国政府　274
中距離核戦力全廃条約　290
中国革命　249
中国共産党　249, 250, 260, 261, 274
中国国民党　249, 250, 261
中国同盟会　227
中山王　88
中世都市　116
中ソ対立　278, 282
中ソ友好同盟相互援助条約　274
中体西用論　197
中東条約機構（METO）→中央条
　　約機構（CENTO）
中東戦争（第1次, パレスチナ戦
　　争）　274
中東戦争（第2次, スエズ戦争）
　　280
中東戦争（第3次）　284

中東戦争（第4次）　284
中東問題　296
『中庸』　72
字喃　77
チュラロンコン→ラーマ5世
チューリヒ　141
長安　48, 63, 72
張学良　261
趙匡胤（太祖）　69
張騫　48, 49
超現実主義　234
長江　10, 43, 70, 84
朝貢　79, 88, 211
張作霖　250
張作霖爆殺事件　251
趙紫陽　291
長城　47
長征　260
朝鮮　87
朝鮮戦争　275
朝鮮民主主義人民共和国　275
朝鮮文字（訓民正音, ハングル）
　　87
長老派　150
チョーサー　139
全斗煥　287
チンギス・ハン　74, 75
陳勝・呉広の乱　47
陳水扁　293
陳朝　77
陳独秀　229

【ツ】

ツァーリ（皇帝）　114, 153
ツヴィングリ　141
ツォンカパ　87
ツタンカーメン　21
冷たい戦争→冷戦
ツンフト→同職ギルド

【テ】

氏　51
ディアス　131
ディオクレティアヌス帝　33
定期市　116

ティグリス川　11, 18
帝国主義　219
帝国主義時代　190
帝国都市　116
鄭氏　81
ディズレーリ　186, 219
ティトー　272
ディドロ　157, 158
ティムール　95
ティムール朝　95
ティルジット条約　172
鄭和　79
テオティワカン文明　56
テオドシウス帝　33, 35
『デカメロン』　139
デカルト　157
デクラーク　288
鉄器　11
鉄器時代　23
鉄血政策　189
テノチティトラン　56
デフォー　158
テーベ　26
テヘラン会談　265
テマ制→軍管区制
デモクリトス　27
テューダー朝　120, 148
デューラー　139
デリー・スルタン朝　102
デルフォイ　27
テルミドール9日のクーデタ　169
デロス同盟　25
テロリズム　185
天安門事件　291
佃戸　70, 84
電磁気学　192
天津条約　203, 206, 210
天然痘　132, 134
天文学　76
典礼問題　86, 123

【ト】

ドイツ革命　240
ドイツ関税同盟　188
ドイツ共産党　256

ドイツ社会民主党　221, 242
ドイツ帝国　189, 190
ドイツ独立社会民主党　238, 242
ドイツ農民戦争　140
ドイツの統一　188
ドイツ民主共和国　272
ドイツ連邦共和国　272
ドイモイ(刷新)政策　273, 293
問屋制　136
唐　55, 64
統一と進歩委員会→青年トルコ人
統一法　148
陶淵明　62
東欧8カ国友好協力相互援助条約
　(ワルシャワ条約)　275, 291
道家　46
東学党の乱→甲午農民戦争
トゥキュディデス　25, 27
道教　62
トゥグリル・ベク　94
東西ドイツ再統一　290
唐三彩　66
トゥサン・ルーヴェルチュール　161
同時多発テロ事件　297
陶磁の道　53
東周　44
鄧小平　278, 279, 287
同職ギルド(ツンフト)　117
東晋　62
同治帝　225
『統治二論』　158
同治の中興　208, 212
董仲舒　48
東南アジア条約機構(SEATO)
　275
東南アジア諸国連合(ASEAN)
　280, 293
陶片追放(オストラシズム)　24
『東方見聞録』(『世界の記述』)
　77, 131
東方植民　115, 154
東方植民運動　110
ドゥームズデイ・ブック　108
東遊(ドンズー)運動　230
統領政府　171

トゥール・ポワティエ間の戦い　91,
　106
徳川幕府→江戸幕府
独占資本　220, 254
独ソ戦　263
独ソ不可侵条約　262
独立国家共同体(CIS)　290
独立派　150
都護府　64
ド＝ゴール　262, 276
都市国家　11, 23, 29
ドーズ案　245
トスカネリ　132
土地改革(フランス)　169
土地革命　250
特許状　116
突厥　51, 55, 64, 66
徒弟　117
吐蕃　66
杜甫　66
土木の変　79
トマス・アクィナス　124
ドミニコ修道会　110
豊臣秀吉　79, 88
ドラヴィダ人　38
ドラクロワ　180
トラスト　219
トラファルガーの海戦　172
トラヤヌス帝　33
トランスヴァール共和国　223
トランプ　297
ドーリア人　23
トリエント公会議　142
トーリ党　151
トルキスタン　55
トルコ共和国　253
トルコ系諸民族　51
トルコ語　100
トルコ人民党　253
トルコマンチャーイ条約　200
ドル・ショック　283
トルーマン宣言　271
奴隷王朝　102
奴隷解放宣言　191, 192
奴隷制　30

奴隷廃止論　191
奴隷貿易　155
ドレフュス事件　220
トロツキー　248
『ドン・キホーテ』　139
敦煌　62
屯田　62
屯田兵制　113
トンブクトゥ　97

## 【ナ】

ナイル川　11, 18, 97
嘆きの壁　14
ナショナリズム　160, 179, 184, 219,
　231, 234, 267
ナスル朝　96
ナセル　280
ナチス, ナチ党→国民(国家)社会主
　義ドイツ労働者党
NATO →北大西洋条約機構
NAFTA →北米自由貿易協定
ナポリ　144
ナポリ王国　120
ナポレオン1世(ナポレオン・ボナパ
　ルト)　170-173, 178, 183
ナポレオン3世(ルイ・ナポレオン)
　146, 183, 185, 187
ナロードニキ　185, 257
南越　48
南京　78
南京虐殺事件　261
南京条約　205, 212
南京政府　261
南宗画　86
南詔　66
南宋　70, 75
ナントの王令　144, 152
南南問題　289, 299
南北戦争　191
南北朝　62
南北問題　289, 299

## 【ニ】

二院制議会　119
二月革命(フランス)　183

二月革命（三月革命 , ロシア）　241
ニクソン　282
ニケーア公会議　35
西ゴート　34, 105
西ゴート王国　91
二十進法　56
西突厥　66
西フランク　108
二十一カ条要求　239, 249
二重革命　159, 160
西ヨーロッパ連合（WEU）　272
西ローマ帝国　33, 105, 111
NIES →新興工業経済地域
ニーチェ　234
日英同盟　230, 248
日独伊三国同盟　263
日独防共協定　261
日米安全保障条約　275, 277
日米修好通商条約　209
日米和親条約　209
日露戦争　221, 230
日清戦争　210, 223
日ソ中立条約　263, 266
日中戦争　261
日朝修好条規（江華島条約）　210
二・二六事件　261
日本の植民地統治　250
ニューディール政策　254
ニュートン　156
ニューフロンティア政策　276

## 【ヌ・ネ】

ヌルハチ（太祖）　80
ネ・ウィン　294
ネグロイド　12
ネストリウス派キリスト教（景教）　66
ネップ（新経済政策）　248
ネーデルラント　143, 144, 151
ネーデルラント連邦共和国　144
ネルー　252, 280
ネルチンスク条約　81, 82, 153, 195

## 【ノ】

農家　46
農業革命　173

農耕　10
ノヴゴロド　114
農場領主制　155
農奴　109, 117, 154
農奴解放令　185
農奴制　156
農民一揆　167
農民解放　156
廬泰愚　287
ノモス　18
ノルマン朝　108, 119
ノルマンディー公ウィリアム　108
ノルマンディー上陸作戦　265

## 【ハ】

バイエルン　154
拝火教→ゾロアスター教
拝上帝会　207
バイデン　297
バイユーのタペストリ　59, 108
ハインリヒ 4 世　111
パウロ　35
ハギア（セント）・ソフィア聖堂　111-113
朴槿恵　293
白居易（白楽天）　66
白磁　73
バグダード　93, 94
バグダード鉄道　233
朴正熙　279, 287
バクトリア　38, 55
白話（口語）運動　229
覇者　44
バスティーユ牢獄の占領　166
パスパ文字　76
八・一宣言　260
八王の乱　62
八路軍　261, 265
八旗　84
パックス・ロマーナ→ローマの平和
閥族派　31
バッハ　158
ハディージャ　101
バティスタ　281
バトゥ　75

バドリオ　265
パナマ運河　221
ハノーファー選帝侯　151
ハノーヴァー朝　151
バビロン第 1 王朝　18
ハプスブルク家　143-145, 151, 152
バブーフ　170
バーブル　102
パフレヴィー　285
パフレヴィー朝　253
バーミンガム　175
ハラージュ　92
バラ戦争　120, 148
ハラッパー　36, 37
バラモン　37
バラモン教　37, 38, 40
パリ　168
パリ講和会議（1856 年）　135
パリ講和会議（1919 年）　243, 249
パリ・コミューン　188
パリ条約（1763 年）　154
パリ条約（1783 年）　163
バルカン戦争（第 1 次）　230, 233
バルカン戦争（第 2 次）　233
バルカン同盟　233
バルカン問題　233
ハルシャ・ヴァルダナ王　41
パルティア（王国 , 安息）　33, 35, 38
ハルデンベルク　173
バルト 3 国　244, 262, 290
バルフォア宣言　239, 240
ハールーン・アッラシード　93
パレスチナ　35
パレスチナ解放機構（PLO）　285, 296
パレスチナ暫定自治協定　296
パレスチナ戦争→中東戦争（第 1 次）
パレスチナ問題　240, 253
バロック様式　158
パン・アメリカ会議　222
繁栄の 20 年代　247
藩王国　202
ハンガリー革命　183
ハンガリー反ソ暴動　277
ハングル→朝鮮文字

327

班固　50
ハンザ同盟　117
パン・スラヴ主義　185, 233
班超　50
反トラスト法　222
バンドン会議（アジア・アフリカ会議）
　276
反日義兵闘争　231
藩部　81
反ファシズム統一戦線　260
ハンブルク　116
ハンムラビ王　18, 19
ハンムラビ法典　18, 19
万有引力の法則　157

## 【ヒ】

ヒヴァ・ハン国　95
ピウスツキ　244
PLO →パレスチナ解放機構
東突厥　66
東フランク　107
東ローマ（ビザンツ）帝国→ビザンツ
　（東ローマ）帝国
非協力・非暴力・不服従運動
　251
ヒクソス　20
PKO →平和維持活動
ピサロ　133
ビザンツ（東ローマ）帝国　33, 91,
　97, 105, 111, 112, 115
ビザンツ様式　114
ビザンティウム　33
ヒジュラ（聖遷）　90
ビスマルク　189, 190, 220
非政府組織（NGO）　296
ヒッタイト　20
非同盟諸国首脳会議　289
非同盟政策　289
非同盟中立政策　280
ヒトラー　255-258, 265, 268
ピピン　106
秘密外交　239
百済　68
百日天下　173
百年戦争　119

白蓮教徒　76
白蓮教徒の乱　207
『百科全書』　157
ヒューマニズム（人文主義）　137,
　139, 141
ピューリタン（清教徒）　150
ピューリタン革命　150
表現主義　234
ピョートル1世　153
ピラミッド　19, 56
ビルマ→ミャンマー
閔（ミン）氏　209
ヒンデンブルク　256
ヒンドゥー教　40, 41

## 【フ】

ファシスト党　246, 247
ファシズム　245, 246, 257, 260, 267
ファショダ事件　222
ファーティマ朝　93, 95
ファラオ　18, 21, 28
ファン・アイク兄弟　139
ファン・ボイ・チャウ　230
フィウメ　247
フィヒテ　173
フイヤン派　168
フィリップ2世　119
フィリップ4世　117, 119
フィリッポス2世　28
フィリピン　133, 144
フィレンツェ　116, 139
ブーヴェ　82
封じ込め政策　272
賦役　22, 109, 117
フェニキア人　20, 29
フェニキア文字　20
フェリペ2世　144, 148
フェルビースト　82, 86, 123
普墺戦争→プロイセン・オーストリア
　戦争
プガチョフの反乱　156
溥儀→宣統帝
複合革命　160
フーコー　174
富国強兵　196, 209

扶清滅洋　226
フス　117
フセイン（サダム）　294
フセイン・マクマホン協定　239, 240
不戦条約　245
プーチン　290
普通選挙制（英）　181
普通選挙制（米）　190
仏教　38-41, 74, 76
ブッシュ（父）　290
ブッシュ（子）　297
仏典結集　38
ブット　294
武帝（前漢）　42, 48, 49
武帝（魏）→司馬炎
扶南　41
腐敗選挙区　186
ブハラ・ハン国　95
フビライ・ハン　75
普仏戦争→プロイセン・フランス戦争
府兵制　64
フューダリズム→封建制
フラグ　75, 94
プラザ合意　283
ブラジル　134
ブラッシーの戦い　154, 200
プラトン　14, 15, 27
プラハの春　277
フランク王国　91, 105, 106
フランクフルト国民議会　183
フランコ　260
ブーランジェ　220
フランス革命　159, 165, 166, 171
フランス急進社会党　220, 260
フランス共産党　260
フランス社会党　260
フランス第一共和政　169
フランス第二共和政　183
フランス第三共和政　188, 220
フランス第四共和政　270
フランス第五共和政　276
フランス第一帝政　172
フランス第二帝政　183, 187
フランス統一社会党　220
フランス復古王政　180

フランス民法典　172
フランス領インドシナ連邦　203
フランソワ1世　143
プランタジネット朝　119
フランチェスコ会　110, 111
プランテーション　128, 162, 203
ブランデンブルク選帝侯国　153
ブラント　276
フランドル　116, 144
ブリアン　245
フーリエ　182
BRICS　297
フリードリヒ2世　154, 156
フリードリヒ・ヴィルヘルム1世　154
ブリューゲル　139
ブリュージュ　116
ブリュメール18日のクーデタ　171
ブルガリア　263
ブルガール人　113
フルシチョフ　259, 277
ブルジョワジー　165, 167, 170, 171,
　178, 183, 186, 188, 196
ブール人（ボーア人）　223
ブール戦争→南アフリカ戦争
プルタルコス　34
プルードン　182
プールナ・スワラージ（完全な独立）
　252
ブルボン朝　151, 173
ブルム　260
プレヴェザの海戦　98
ブレジネフ　278, 284
ブレスト・リトフスク条約　242
ブレトン・ウッズ国際経済体制　283
プロイセン　153, 189
プロイセン・オーストリア（普墺）戦
　争　146, 189
プロイセン・フランス（普仏）戦争
　146, 187, 189
ブロック経済　254
プロテスタント（新教）　142, 144, 145,
　148, 150
フロンティア　164, 190
フロンティアの消滅　196, 222

フロンドの乱　151
ブワイフ朝　94
文学革命　229
文化大革命　215, 278, 279
分割　219, 223
分割競争　223
分割統治　202
文化闘争　190
焚書　47
フン人　51, 105
文人画　73
文帝（隋）→楊堅
フンボルト　179

## 【ヘ】

ヘイ　222
兵家　46
米華相互防衛条約　275
米韓相互防衛条約　275
ペイシストラトス　24
米州機構（OAS）　281
平準　49
米西戦争→アメリカ・スペイン戦争
米中国交正常化　283
平民（ギリシア）　24
平民（ローマ）　29
平民派　31
平和維持活動（PKO）　296
平和五原則　276
ペイン　161, 163
北京　79
北京議定書（辛丑和約）　227
北京条約　195, 212, 226
ヘーゲル　184
ベーコン（フランシス）　157
ベーコン（ロジャー）　124
ペタン　262
ペテルブルク　153, 221
ペテロ　35, 105
ベートーヴェン　184
ベトナム社会主義共和国　282
ベトナム人　41
ベトナム戦争　282
ベトナム反戦運動　282
ベトナム民主共和国　272

ペトログラード　241
ベネディクトゥス　110, 111
ベネルクス3国　272
ヘブライ人　20, 22
ベーメン（ボヘミア）　114, 145, 183
ベラスケス　158
ペリー　209
ペリクレス　25
ペルー　56
ベルエポック　219
ベルギー王国　180, 237
ペルシア語　100
ペルシア戦争　24
ペルシア帝国　22, 24
ヘルツェゴヴィナ　233, 291
ベルベル人　96
ベルリン会議　190, 198
ベルリン条約　190
ベルリンの壁　277, 290
ベルリン封鎖　272
ベルリン暴動　183
ペレストロイカ　290
ヘレニズム時代　22, 27, 28
ヘレニズム美術　29
ヘレニズム文化　28
ヘロドトス　27
ペロポネソス戦争　26
ペロン　257
ベンガル分割令　229
返還　293
ベンサム　178
ヘン・サムリン　287
ヘンデル　158
変動相場制　283
辮髪　82
変法運動　226
ヘンリ7世　120, 148
ヘンリ8世　148

## 【ホ】

ボーア人→ブール人
ボイコット（英貨排斥）　229
ホイッグ党　151
法家　46, 50
望厦条約　206

封建社会　108, 109
封建制（周）　44
封建制（フューダリズム）　109, 124
封建的特権の廃止　167
膨張政策　221
封土（ヨーロッパ）　109
『法の精神』　158
ポエニ戦争　29
ホーエンツォレルン家　153
北魏　62
北元　76, 86
墨子　45
北宋→宋
牧畜　10
北伐　249
北米自由貿易協定（NAFTA）　298
北虜南倭　79
保護関税政策　177, 190
保護関税論　176, 191
保護政策　219
保守主義　178, 183
戊戌の政変　226
ボストン茶会事件　163
ポズナニ暴動　277
ボスニア　233, 237, 291
ホスロー1世　36
ホー・チ・ミン　272, 273
墨家　45, 46
渤海　68, 74
ボッカチオ　139
ポツダム宣言　265
ボッティチェリ　126, 137, 139
ホッブズ　158
北方戦争　153
北方貿易圏　116
北方領土問題　266
ポーツマス講和条約　231
ボニファティウス8世　117
ポピュリズム　257
募兵制　65
ボヘミア→ベーメン
ホームステッド法　192
ホメイニ　92, 285
ホメロス　15, 28

ホラズム・シャー朝　75
ホラント州　144
ポーランド人　114
ポーランド分割　156
ボリシェヴィキ　242
ポリス　23-27
ボリバル　161, 178
ポル・ポト　286, 294
ボロブドゥール　42
香港　293
ホンタイジ（太宗）　81

【マ】

マイソール戦争　200
マウリヤ朝　38
馬英九　293
マカオ　86, 133, 293
マガダ国　38, 40
マキァヴェリ　139
マクシミリアン1世　143
マクドナルド　245
マクドナルド内閣（第2次）　254
マグナ・カルタ→大憲章
マケドニア　22, 26
マザラン　151
マジャパヒト　42
マジャール人　51, 106, 107
マーシャル・プラン→ヨーロッパ経済
　復興援助計画
マーストリヒト条約→ヨーロッパ連合
　条約
磨製石器　9, 10
マゼラン　67, 133
マッカーシズム　257
マッキンリー　222, 224
マッツィーニ　188
マテオ・リッチ　86, 123, 126
マトゥラー　39
マドラサ（学院）　94, 95
マニ教　36, 66
『マハーバーラタ』　40
マフディー運動　222
マホメット→ムハンマド
マムルーク　93, 95
マムルーク朝　96, 97, 133

マヤ文明　56
マヤ文字　16
マラーター戦争　200
マラーター同盟　103
マラッカ王国　103
マラトンの戦い　24
マリア・テレジア　154, 156
マリ王国　97
マリンディ　97
マルクス　181, 182
マルクス・アウレリウス・アントニヌス　32
マルコス　279, 294
マルコ・ポーロ　76, 77, 131
マルタ米ソ首脳会談　290
マレー連合州　203
満州国　258
満州事変　251, 260
満州人　81
マンチェスター　175
マンデラ　288

【ミ】

未回収地（イタリア）　239
ミケーネ　23
ミケランジェロ　138, 139, 149
ミタンニ　20
ミッテラン　284
ミッドウェー海戦　265
ミレト　99
ミドハト憲法　197, 230
ミドハト・パシャ　197
南アフリカ戦争（ブール戦争）　220, 223
南シナ海・東シナ海問題　295
南ベトナム解放民族戦線　282
ミナレット　101
ミニアチュール（細密画）　102, 103
身分制議会　119
身分闘争　29
ミャオ（苗）族　84
ミャンマー（ビルマ）　203, 272, 294
ミャンマー人（ビルマ人）　41, 42, 103
ミュシャ　216
ミュンツァー　140

ミュンヘン会談　262
ミラノ勅令　35
ミラボー　167
ミル　178
ミルトン　158
明　76, 78, 133
民会（ギリシア）　25
民主政（ギリシア）　25
民族　12
民族移動　23, 105
民族教育　229
民族自決　242, 248
民族資本　229, 238, 251
民族資本家　227, 239, 252
民族主義　230
民族大移動　105

## 【ム】

ムアーウィヤ　91
ムガル朝　102
ムガル帝国　102, 202
ムシャラフ　294
ムスリム→イスラーム教徒
ムスリム連盟→全インド・ムスリム連盟
無制限潜水艦戦　239
ムッソリーニ　246, 247, 257, 265
無敵艦隊　148
ムハンマド（マホメット）　89-92, 101
ムハンマド・アリー　198
ムラービト朝　96
ムワッヒド朝　96

## 【メ】

メアリ1世　148
メアリ2世　151
名家　46
明治維新　209, 225
名誉革命　151
メキシコ革命　247
メキシコ出兵　187
メシア（救世主）　35
メソポタミア　18, 19
メッカ　58, 89, 90, 96, 97
メッテルニヒ　178, 179, 183
滅満興漢　208

メディア　22
メディナ　90, 96, 97
METO →中央条約機構（CENTO）
メルセン条約　106
メロヴィング朝　105
メロエ　97
免罪符→贖宥状
メンシェヴィキ　242

## 【モ】

モア　139
蒙古→モンゴル
孟子　46
『孟子』　72
毛沢東　250, 274, 278, 279, 286, 287
モエンジョ・ダーロ　36, 37
モザイク壁画　114
文字　11
モスク　95, 101
モスクワ遠征　173
モスクワ大公国　114
『モナ・リザ』　139
モノカルチャー制度　179
モリエール　158
モロッコ事件（第1次）　233
モロッコ事件（第2次）　233
門戸開放　223, 248
門戸開放宣言　222
モンゴル　79, 81
モンゴル人　51, 114
モンゴル帝国　70, 74-77
モンゴロイド　12
文字の獄　82, 84
『文選』　62
モンテスキュー　158
モンテーニュ　139
門閥貴族　62
モンロー教書　178, 190

## 【ヤ】

ヤゲウォ朝（ヤゲロー朝）　114
ヤハウェ　22
邪馬台国　68
飲茶（喫茶）　71
ヤルタ会談　265

ヤルタ協定　265
両班　87

## 【ユ】

邑　12, 43
有機化学　192
遊牧騎馬民族　52
遊牧民　54
宥和政策　262
ユーグ　108
ユグノー　144, 151, 152
ユグノー戦争　144
ユークリッド→エウクレイデス
ユーゴスラヴィア　272, 277, 291
ユスティニアヌス　33, 111, 112
ユダヤ教　14, 35
ユダヤ人　35, 118, 240
ユダヤ人迫害　257, 264
『ユートピア』　139
ユトレヒト条約　153
ユトレヒト同盟　144
ユーフラテス川　11, 18, 35
ユンカー　154, 155, 188
尹錫悦　293

## 【ヨ】

傭役　69
楊貴妃　64
楊堅（文帝）　63
雍正帝　81
煬帝　64
傭兵　119, 146
洋務運動　208, 225
陽明学　72, 85
ヨーク家　120
ヨークタウンの戦い　163
ヨーゼフ2世　156
予定説　141
四人組　287
ヨーロッパ共同体（EC）　276, 284
ヨーロッパ経済共同体（EEC）　276
ヨーロッパ経済復興援助計画（マーシャル・プラン）　271, 276
ヨーロッパ原子力共同体　276

ヨーロッパ石炭鉄鋼共同体条約　276

ヨーロッパの火薬庫　233

ヨーロッパ連合（EU）　297, 298

ヨーロッパ連合条約（マーストリヒト条約）　297

## 【ラ】

ライト兄弟　300

ラインラント　258

洛邑　44

洛陽　62

楽浪　48

羅針盤　73, 76, 122, 131

ラタナコーシン朝（チャクリ朝）　103, 203

ラティフンディア　30

ラテンアメリカ諸国の独立　178

ラテン語　120

ラテン人　29

ラテン帝国　113, 115

ラ・ファイエット　124, 161, 167

ラファエロ　139

ラブレー　139

ラーマ5世（チュラロンコン）　203

『ラーマーヤナ』　40

『ラ・マルセイエーズ』　169

ランカスター家　120

ランケ　184

ランゴバルド（ロンバルド）王国　106

ランゴバルド人　111

## 【リ】

李淵（高祖）　64

リカード　175

陸羽　71

陸九淵（陸象山）　72

六朝文化　62

六諭　79

李鴻章　208

里甲制　79

李自成　80, 81

リシュリュー　151

李舜臣　87

リスト　176

李成桂　87

李世民（太宗）　63, 64

李大釗　229

立憲王制　119

リットン調査団　258

立法議会　167

律令　65, 78

リディア　21

リトアニア人　114

李登輝　293

李白　66

理藩院　82

略奪農法　11

琉球（王国）　88, 127, 209

劉秀→光武帝

劉少奇　278, 279

柳条湖事件　251

劉備　61

劉邦（高祖）　48

竜門　62

リューベック　116

リューリク　114

梁　62

遼　70, 74

遼河　74

梁啓超　226

領主　109, 117

良渚遺跡　43

両税法　65

領邦　120

臨安　70

リンカン　191

林則徐　205

林彪　279

## 【ル】

ルイ9世　119

ルイ13世　151, 152

ルイ14世　151, 152

ルイ16世　165, 166

ルイ・ナポレオン・ボナパルト→ナポレオン3世

ルイ・フィリップ　180

ルイ・ブラン　182

ルソー　158

ルター　140, 141

ルター派　140, 145

ルネサンス　136, 137

ルネサンス様式　138

ルーベンス　158

ルール占領　244, 245

ルール撤兵　245

ルワンダ・ブルンジ内戦　296

## 【レ】

冷戦　269, 272

冷戦の終結　289, 290

黎朝　87, 103

レオ3世　106

レオナルド・ダ・ヴィンチ　139

レーガン　290

レコンキスタ→国土回復運動

レザー・シャー　253

レジスタンス　262

レセップス　198

レーテ（評議会）　242

レーニン　221, 248

レパントの海戦　144

連ソ・容共・扶助工農　249

連帯　284, 290

## 【ロ】

老子　46

老荘思想　62

労働運動　180, 181, 220

労働組合　175, 187, 254

労働者　184

労働者階級　182

ロカルノ条約　245, 258

六十進法　22

盧溝橋事件　261

ロココ様式　158

ローザンヌ条約　253

ロシア革命→第1次ロシア革命

ロシア社会革命党（エス・エル）　221, 242

ロシア社会民主労働党　221, 242

ロシア・トルコ（露土）戦争　185, 190, 197, 292

ロシア立憲民主党　221, 241

ロシア連邦　290

魯迅　229

ローズヴェルト（セオドア）　221, 222

ローズヴェルト（フランクリン）　254,
　255, 263

ロック　158

ロックフェラー　221

露土戦争→ロシア・トルコ戦争

ロートレック　216

『ロビンソン・クルーソー』　158

露仏同盟　230

ロベスピエール　169, 170

ローマ・カトリック教会　105, 106, 111

ローマ教皇　106

ローマ教皇権　117

ローマ共和政　29, 31

ローマ進軍　246

ローマ帝国　31

ロマネスク様式　121, 124

ロマノフ家　153

ローマの平和（パックス・ロマーナ）
　32-34

ローマ法　33

『ローマ法大全』　33, 111

ロマン主義　183, 184, 192

ロヨラ　142

ローラット法　251

『論語』　72

ロンドン会議（1840 年）　198

ロンバルディア　188

ロンバルド王国→ランゴバルド王国

ワーテルローの戦い　173

ワフド党　253

ワルシャワ条約→東欧 8 カ国友好協
　力相互援助条約

湾岸戦争　295

# 【ワ】

倭　68

淮河　70

淮軍　208

ワイマール共和国→ヴァイマル共和
　国

倭寇　79, 80, 88

ワシントン　163, 164

ワシントン会議　247, 248, 251

ワシントン体制　248

ワット・タイラーの乱　118

ワッハーブ王国　199

ワッハーブ派　199

## 「世界の歴史」執筆者 (50音順)

故 青山 吉信 あおやまよしのぶ    故 柴田三千雄 しばたみちお

故 石橋 秀雄 いしばしひでお    故 成瀬 治 なるせおさむ

   伊藤 貞夫 いとうさだお    羽田 正 はねだまさし

故 神田 信夫 かんだのぶお    山極 晃 やまぎわあきら

故 木谷 勤 きたにつとむ    故 山崎 元一 やまざきげんいち


## 編集協力

   渡辺 修司 わたなべしゅうじ


**装　　幀**　　菊地信義

**制作協力**　　木村　滋

**本文レイアウト**　中村竜太郎


## 写真・図版 (五十音順)

アマナイメージズ　大塚知則　沖縄県立博物館・美術館　市立岡谷蚕糸博物館　香川県立ミュージアム　呉市入船山記念館　The Museum of Modern Art　The Andy Warhol Foundation for the Visual Arts, Inc.　正倉院　中近東文化センター附属博物館　マグナム・フォト　宮城県図書館　ユニフォトプレス　Robert Capa/Magnum Photos


---

## 新 もういちど読む 山川 世界史

2017年7月31日　1版1刷　発行
2022年6月30日　1版3刷　発行

編　者　「世界の歴史」編集委員会

発行者　野澤武史

発行所　株式会社 山川出版社
　　　　〒101-0047　東京都千代田区内神田1-13-13
　　　　電話　03(3293)8131(営業)　8134(編集)
　　　　https://www.yamakawa.co.jp/
　　　　振替　00120-9-43993

印刷所　株式会社 加藤文明社

製本所　株式会社 ブロケード

---

©Yamakawa Shuppansha 2017 Printed in Japan　ISBN 978-4-634-64090-0
造本には十分注意しておりますが、万一、落丁本・乱丁本などがございましたら、小社営業部宛にお送り下さい。送料小社負担にてお取り替えいたします。
定価はカバーに表示してあります。

## 「基本」をおさえる超定番!!

### 新 もういちど読む 山川日本史
五味文彦・鳥海 靖 編
A5判 384頁 定価1,760円(税込)
ISBN978-4-634-59090-8

### 新 もういちど読む 山川世界史
「世界の歴史」編集委員会 編
A5判 336頁 定価1,760円(税込)
ISBN978-4-634-64090-0

**山川の教科書が一般向けにリニューアル!**

世界史は「新常識」などの新たなコラム98点、日本史は83点のコラムを掲載。カラー特集頁も設け、ビジュアル的にも「学び直し」が楽しめる。

---

### 『もういちど読む 山川』シリーズ 各本体1,500円(税別)

**山川 政治経済【新版】**
山崎広明 編　ISBN978-4-634-59107-3

**山川 倫理**
小寺 聡 編　ISBN978-4-634-59071-7

**山川 地理【新版】**
田邉 裕 著　ISBN978-4-634-59089-2

**山川 日本近代史**
鳥海 靖 著　ISBN978-4-634-59112-7

**山川 世界現代史**
木谷 勤 著　ISBN978-4-634-64068-9

**山川 世界史用語事典**
「世界史用語事典」編集委員会 編
　　ISBN978-4-634-64062-7

**山川 哲学** ―ことばと用語―
小寺 聡 編　ISBN978-4-634-59083-0

**山川 日本戦後史**
老川慶喜 著　ISBN978-4-634-59113-4

**山川 日本史史料**
下山 忍・會田康範 編
　　ISBN978-4-634-59091-5

「もういちど読む 山川」を
さらに深めたシリーズ ついに誕生!!

# もういちど読む山川 世界史PLUS

ヨーロッパ・アメリカ編　アジア編

木村靖二・岸本美緒・小松久男＝編
A5判 各定価：1,980円（税込）

**欧米とアジア、各々が歩んできた歴史を、
最先端の研究成果も踏まえて紹介。
21世紀の世界史像を考えるのに必携の書！**

「ヨーロッパ・アメリカ編」「アジア編」ともに、それぞれの地域が古代から現代まで歩んできた道程を紹介します。オーソドックスな内容で、かつ最先端の研究成果に十分目配りした概説書『詳説世界史研究』をベースに、読者が手に取り、読みやすいように再編集しました。本文の脇には関連する参考文献も付いています。

### ヨーロッパ・アメリカ 編
ヨーロッパ、北アメリカ、南アメリカ、近代以降のソ連圏中央アジア、オセアニアを含む「西洋」の歴史を扱う。
● 320頁　ISBN978-4-634-64093-1

### アジア 編
西アジア・東アジア・南アジア・東南アジアそしてアフリカを網羅し、それぞれ独自の価値観を持って紡がれたアジアの歴史をたどる。
● 352頁　ISBN978-4-634-64094-8